Dans la même collection :

Molière, une vie
Alfred Simon

La Constellation surréaliste
Alain et Odette Virmaux

Le Dandysme
Patrick Favardin et Laurent Bouëxière

Jean Dubuffet
Laurent Danchin

Jean Rostand, un homme du futur
Andrée Tétry

Jules Verne
Olivier Dumas

Georges Simenon

Georges Simenon

Alain Bertrand

la manufacture

Sommaire

A François et Annick.

La série des *Maigret*

Simenon et le commissaire Maigret

A la fin de l'hiver 1928, Simenon achète la *Ginette*, un sloop de cinq mètres à bord duquel il accomplit, avec Tigy, son épouse, Boule, sa servante, et Olaf, son berger danois, un tour de France par les canaux et les rivières.

En 1929, l'envie de voir davantage et plus loin le pousse à faire aménager un bateau de pêche, l'*Ostrogoth*. Il remonte la Seine jusqu'au Vert-Galant, à Paris, avant de gagner le nord de la France, la Belgique, puis la Hollande, par la Meuse et les canaux.

En septembre 1929, Simenon jette les amarres à Delfzijl, sur la frontière hollando-allemande, pour faire calfater l'*Ostrogoth*.

« Ça ne m'empêchait pas de dormir la nuit mais le jour ça m'empêchait de travailler. Alors j'ai trouvé un vieux bateau sur le port, une vieille péniche complètement défoncée, pleine de rats, avec de l'eau sur le fond. J'ai disposé trois caisses : une pour la machine à écrire, une pour mon derrière et une autre pour la bouteille de vin rouge. Et je me suis mis à taper là-dedans mon premier *Maigret*. Je veux dire le premier de la série Fayard : *Pietr le Letton*. Et c'est là qu'on a élevé sa statue, d'ailleurs ; juste à l'endroit où il avait été écrit[1]. »

1. A la découverte de la France, *10/18, préface de G. Lacassin, 1976, p. 30.*

De son côté, Fayard tergiverse. C'est qu'un commissaire rondouillard, bougon, taciturne et qui vagabonde, armé d'une pipe, au hasard d'intrigues mal ficelées, ne répond pas aux critères du roman policier en vogue. Il ne se résoudra à publier la série que pour faire plaisir à Simenon. Mais à la seule condition que six volumes soient prêts à être lancés en même temps et que l'auteur promette de livrer une nouvelle aventure chaque mois. La promotion fera le reste. Fayard mettra les petits plats dans les grands : à l'occasion du célèbre « bal anthropométrique[2] » (en février 1931), le Tout-Paris, admis sur présentation d'invitations rédigées sur des fiches judiciaires, se soumet de bonne grâce à une prise d'empreintes digitales avant de se faire dédicacer *Le Pendu de Saint-Pholien* ou *Monsieur Gallet décédé*. Présentés sous couverture photographique au prix

2. *« Le bal anthropométrique.*
« Dans un établissement de Montparnasse où, d'ordinaire, trois cents Martiniquais dansent la "biguine" en débordant dans le vestiaire, plus d'un millier de Parisiens se sont, hier, pressés, bousculés, écrasés, étouffés le plus joyeusement du monde.
« C'était le bal de l'Anthropométrie, et il n'est pas un honnête homme qui puisse résister à une invitation portant sur son bristol la reproduction de la fiche à Bonnot. Donc, un certain Tout-Paris était venu en habit, en smoking, en casquette et en foulard rouge. Quelques dames avaient noué un velours autour de leur cou et les cavaliers les plus décidés avaient esquissé sur leurs joues, des rouflaquettes au crayon gras.
« A la porte, un boucher exhibait un tablier ensanglanté, un personnage à peine équivoque portait fièrement un chapeau marron d'avant-guerre, une douce sexagénaire prenait, sous son châle écarlate, des airs courroucés de pétroleuse. Ce trio pittoresque s'appliquait à recevoir les invités de marque à la manière de feu Bruant.
« Comment nommer tous ceux qui tendirent au nègre le coupon qui leur donnait accès à une salle déjà comble ? Il y avait là des curieux, des snobs et beaucoup d'habitués du théâtre ; il y avait des acteurs et des danseuses, des romanciers et des peintres. On reconnaissait Damia, Francis Carco, bien d'autres. Pour l'instant, du remous humain que le jazz ne rythmait même plus, émergeait un visage célèbre, un sourire réputé.
« A minuit, les panneaux blancs furent couverts par Vertès, par Colin et par Don de sujets… apaches, menottes, taches de sang, points d'interrogation, décapités et pendus…
« Au demeurant, il s'agissait surtout de "lancer" deux romans policiers. Mais la foule était si dense qu'on n'y pouvait vraiment lancer quoi que ce soit, fût-ce un bon mot.
« Pour corser le spectacle, quelques figurants aux énormes moustaches s'efforçaient d'évoquer l'ombre de la Tour Pointue. Les sunlights grésillaient de tous leurs charbons. Puis il y eut un concours de maquillage et une romancière fit applaudir une rôdeuse presque inquiétante de vérité. Et puis, on but, on but beaucoup.
« A cinq heures, les dernières limousines démarraient sous la première pluie qui commençait à délayer les fards. Le faux boucher avait perdu son aspect farouche, la fausse « terreur » avalait un café brûlant au premier bar entr'ouvert.
« […] Et les agents, les "vrais" regardaient avec un curieux sourire s'achever ce bal imprévu. La mode "apache" venait de montrer son nez au seuil de 1931. Peut-être n'avait-elle pas très bien choisi son heure… mais bah ! ça n'est pas une raison pour évoquer le bal des Victimes ! » (Georges Ravon, in Le Figaro, *23 février 1931.)*

de six francs, les premiers *Maigret* rencontrent un succès grandissant. Les traductions et les adaptations cinématographiques élargiront bientôt son audience au monde entier.

Est-ce un hasard si, au sein de la francophonie, seuls des personnages de bande dessinée — Astérix, Tintin, Gaston Lagaffe — possèdent assez d'envergure pour lui être comparés ? Arsène Lupin, Rouletabille, Fantômas ? Ils sont pour le moins supplantés, à la différence des Anglo-Saxons du roman à énigme, tels Sherlock Holmes ou Hercule Poirot, ou de ceux du roman noir, tels Philip Marlowe, Sam Spade ou Lemmy Caution, ces derniers étant incontestablement mieux servis par Hollywood.

Dans le paysage culturel contemporain, Maigret s'est tout de suite taillé une place de choix, et ce avec une facilité d'autant plus grande que cette œuvre demeure non distinctive : à l'encontre de la littérature élitiste, elle a le mérite de réunir dominants et dominés culturels dans le bureau enfumé du quai des Orfèvres. Lire Maigret ne requiert aucune justification. On peut, en toute liberté, s'imprégner d'émotions capiteuses, jouir à satiété hors du cirque socioculturel et des manipulations médiatiques.

A ce propos, quel héros, si prestigieux soit-il, supporterait aussi stoïquement les vigoureux traitements auxquels le soumettent la majeure partie des adaptations télévisuelles ? A se demander, par exemple, quel rôle veut-on faire jouer à Maigret dans les dramatiques interprétées par Jean Richard.

Maigret offre une résistance peu commune. C'est un signe qui ne trompe pas : ni l'âge ni les images ne flétrissent son immense pouvoir d'évocation. Sous quelque forme qu'on le malmène, voire qu'on le trahisse, Maigret renvoie toujours, en filigrane, à son extraordinaire *présence*, et, par association d'idées, à celle, tout aussi riche en suggestion, de l'univers Simenon.

Comment expliquer ce succès ? Comment cette figure de papier parvient-elle à s'imposer si puissamment parmi un public hétéroclite, composé aussi bien d'ingénieurs soviétiques que d'hommes d'affaires américains ou de patronnes de bar tabac ? Et comment un personnage littéraire parvient-il à rivaliser avec les productions audiovisuelles au point d'être lu, et de plus en plus, par la nouvelle génération[3] ?

3. *Et ceci grâce notamment aux enseignants qui encouragent la lecture des œuvres de Georges Simenon.*

A toutes ces interrogations, il convient à présent d'apporter des éléments de solution.

Un inconnu nommé Maigret

Buveur occasionnel et gros mangeur de saucisson lorsqu'il arpentait les rues de Paris, l'homme porte des chemises de nuit sur un corps puissamment velu, retire son chapeau chaque fois qu'il parle à une dame, et n'occupe pas la salle de bains en même temps que son épouse. Aux facéties de Laurel et Hardy, son rire éclate de si bon cœur et si bizarrement que ses voisins se poussent du coude. Pêcheur à la ligne, et incapable de conduire une automobile. Parfois, manière de rappeler sa supériorité, il envoie des billets anonymes à ses collègues ébahis, ou, au comble de l'impatience, giffle un prévenu récalcitrant.

Dans le feu de l'action d'un concours, pas un candidat, même le plus féru de roman policier, n'aurait identifié le commissaire Jules Maigret. Or, les indices que nous venons de relever l'ont bien été parmi ses nombreuses aventures (*Maigret à New York*, *Maigret s'amuse*, etc.).

Qu'est-ce à dire ? Maigret n'est pas décrit *en extension*[4]. La construction de son personnage n'aboutit pas à une accumulation de traits physiques ou psychologiques dont l'énumération entrebâillerait les portes de l'être. Au contraire, il est fabriqué à l'économie, autour d'un agglomérat restreint de traits typés et d'autant plus faciles à reconnaître qu'il est malaisé de situer leur origine.

Cette caractéristique n'est-elle pas une condition indispensable au plaisir du fanatique de séries policières ?

Sitôt que le personnage est mis en situation, l'emploi ou plutôt le réemploi de ces traits (réemploi, eu égard à l'atemporalité de Maigret, cette *icône* immobile, constante et prévisible), judicieusement distribués dans le flux de l'enquête, charge le texte d'une pléthore de connotations. Car ce que Simenon fuit comme la peste a pour nom gaspillage, profusion, coulée, éruption des écritures flam-

4. En mathématique : un ensemble E est défini en extension s'il est défini par la liste de tous ses éléments.

boyantes (Céline) ou enlisement des écritures liquides (Proust). Il préfère bourrer de signification ses deux cents pages, jusqu'à ras bord, afin de ne rien perdre, d'où cette efficacité magistrale, cet espace textuel quadrillé, cette *esthétique de la saturation*, qu'en fin limier du stylo, Simenon ennoblit en choisissant l'agglutination (la sphère) de préférence à la distribution (la ligne), autrement dit, la suggestion, sans toutefois renier certaines vertus de l'expression[5].

Maigret tel que chacun le connaît

Né à Saint-Fiacre par Matignon, non loin de Moulins, Jules Maigret est issu d'une lignée de paysans. Son père, Evariste Maigret, régisseur dans une propriété de trois mille hectares sur laquelle on comptait vingt-six métairies, participait à une condition intermédiaire, à la fois homme de confiance des propriétaires et supérieur respecté par les journaliers[6].

A huit ans, le jeune homme se trouve orphelin. Sa mère est morte en couches, par la faute d'un médecin alcoolique auquel son père, « qui ne désespérait jamais des gens », avait accordé sa confiance. Une période confuse suit le drame. Un fossé se creuse entre les deux hommes. Après l'école du village, Maigret est envoyé au lycée de Moulins. Il y est malheureux, complètement étranger dans un monde nouveau et hostile. Sa tante, mariée à un boulanger, l'emmène à Nantes poursuivre ses études au collège avant qu'il ne commence sa médecine, interrompue deux ans plus tard, à la mort de son père.

Monté à Paris, Maigret entre à la police, par la petite porte. Durant sept ou huit mois, il aura pour mission de sillonner Paris à vélo,

5. *Et si le lecteur n'a pas reconnu Maigret à travers les traits proposés en tête de chapitre, la raison en est simple : au lieu d'opérer une sélection judicieuse de marques effectivement caractéristiques, j'ai couru aux cent mille diables pêcher quelques bottines et quelques vieux clous.*

6. *Remarquons que la structure spatiale confirme cette position sociale entre l'aristocratie et les petites gens. « Dans la cour du château se dressait une jolie maison en briques roses qui dominait les bâtiments bas où vivaient plusieurs familles de valets, de palefreniers, de gardes dont les femmes travaillaient comme blanchisseuses ou couturières ou aides-cuisinières au château. » (*Les Mémoires de Maigret.*)*

de délivrer des plis dans les bureaux officiels. On le nommera bientôt secrétaire du commissaire de police du quartier Saint-Georges.

Sa rencontre avec Louise, fille d'un ingénieur des Ponts et Chaussées, date de cette époque. Bientôt, les jeunes gens se marient et s'installent au 132, boulevard Richard-Lenoir (11e), à quelque distance de la place des Vosges.

Avant d'accéder à la brigade spéciale, Maigret fera ses armes dans la « voie publique », dans les « meublés » et dans les « mœurs ». Des Halles à Longchamp en passant par le boulevard de Clichy ou la gare du Nord, la silhouette épaisse et pesante parcourra sous la pluie les rues de Paris, à la recherche d'un nom, d'une adresse. Son flair infaillible le mènera d'hôtels borgnes en estaminets poussiéreux, sans compter les bordels humides, les appartements clinquants et les palaces.

Et Mme Maigret, la fée du logis, sera toujours là, à l'attendre, avec sur le feu un petit plat mitonné, à moins que le garçon de la Brasserie Dauphine ne traverse le crachin pour monter les sandwiches et les demis dans le bureau enfumé du quai des Orfèvres.

Dès sa création, Maigret, âgé de quarante-cinq ans, marche pesamment, les mains dans les poches, la pipe vissée aux dents. Au chapeau melon succédera le feutre mou, tandis que le pardessus perdra le col de velours. Mais toujours, il aura cette même façon de sentir, de renifler l'homme derrière le meurtrier, de grommeler, de se sentir mal à l'aise, avec ses gros yeux humides qui vous fixent au front sans rien voir, d'être une présence, énorme, massive, maussade, obstinée, à la recherche de l'homme nu. Frayant de préférence avec les milieux populaires, le commissaire, bientôt accoudé au zinc d'un bar poisseux de Brest ou de Fécamp, se mettra à grogner, à cause de la pluie (fine), puis à mastiquer ses sandwiches (au jambon) en humant les parfums de cuisine (bourgeoise), avant de se retirer dans la petite maison de Meung-sur-Loire, entre le potager, la belote et la pêche.

Son paisible presbytère, il le quittera cependant, parce que, même à la retraite, Maigret, le père des bas-fonds, ne pourra s'empêcher de retourner vers les faubourgs, sur les quais désaffectés, la nuit, frôlant, par hasard, les putains frileuses au fond des impasses sordides, les bourgeois en rade derrière les tentures élimées des caboulots et le vent d'ouest qui ramène sempiternellement un crachin huileux. Sous le halo des réverbères qui s'accroche aux pavés luisants, la silhouette grise de l'homme à la pipe disparaît lentement, là-bas, dans le brouillard, où plus personne ne l'attend, même pas Dieu, qui est mort.

Cette description reflète assez fidèlement Maigret tel qu'on le conçoit tous, dans la mesure où les traits par lesquels on suscite habituellement son image se retrouvent ici rassemblés. Néanmoins, qu'ils soient pris isolément ou rassemblés, ils ne suffisent pas. Une certaine pesanteur, qui est au cœur de sa figure, fait défaut. En d'autres mots, la somme des indices ne fait pas du héros un portrait satisfaisant. Il manque le signe ultime et indicible, le noyau qui, placé au milieu des traits purement descriptifs, confère à Maigret toute son épaisseur, toute sa densité, tout son charisme.

"Les Mémoires de Maigret"

Quelle mouche a piqué Simenon de confier son crayon à cet énergumène qui pousse du coude dans *Les Mémoires de Maigret* ? Peut-être s'est-il amusé à nous faire peur. Par bonheur, dès le premier paragraphe, par un tour de passe-passe[7], il sauve la mise en jouant sur le statut du narrateur. Notre Maigret s'en tire avec les honneurs : ce n'est pas lui qui patauge dans les platitudes durant cent quatre-vingts pages, mais un quidam dénommé Maigret dont Simenon se serait inspiré pour alimenter la biographie de son champion. Sauvé par l'écart de la représentation, Maigret démontre une fois encore que le personnage vaut mieux que son (pseudo-)modèle.

Un monstre d'une pareille ampleur se voit évidemment condamné à la plus stricte réserve. Sa nature de figure littéraire, de carcasse mythologique contraint Maigret à la discrétion, au mutisme, voire à l'absence de figuration. En effet, cette figure textuelle, dépourvue à la fois d'un référent quelconque et d'une intériorité descriptible telle qu'elle existe réellement, c'est-à-dire totalement gorgée de signification, que par l'écriture, contrairement à ce que semblent croire les metteurs en scène de cinéma. Et toute sa puissance, sa

7. *Une mise en abyme.*

densité, sa profondeur — son existence — s'inscrivent dans cette perspective, bâtie à partir de pas grand-chose (un chapeau, une pipe, un pardessus) sur rien (cette faculté propre au texte classique et que Simenon exploite comme personne de « laisser entendre qu'il ne dit pas tout[8] »), de suggérer un contenu d'autant plus évocateur qu'il n'est jamais nommé. Maigret écarterait-il les pans de sa gabardine que les voyeurs, consternés, n'apercevraient qu'une figure de style : tout le personnage tient par l'enveloppe de la métonymie.

Car la stratégie de l'auteur consiste en un savant *encerclement*. Maigret est évoqué du dehors avec une rigueur subtile concourant à une composition sans faille qui n'est pas sans rappeler l'image de la sphère. Une boule parfaite, au brillant tel qu'on l'imagine pleine alors qu'elle est creuse, et qui devient *poreuse* dès que l'énigme démarre. Derrière la surface, tout s'avère possible, dont l'enrichissement du personnage par le biais d'une métonymie sans fond : la partie, le contenant est descriptible (une façon de grommeler, de humer, de regarder, de fumer la pipe, de renifler les atmosphères...), le tout, le contenu apparaissant par suggestion au sein d'une nébuleuse infiniment extensible.

En même temps, par un curieux effet de retour, les motifs du contenant, soigneusement grossis à la manière expressionniste et martelés de livre en livre jusqu'à l'obsession, se détachent sur le flou du contenu et acquièrent une sorte de surréalité qui contribue elle aussi au charisme de Maigret.

Il va sans dire qu'une telle stratégie contribue de beaucoup à sa solidité et à sa crédibilité. Aucune limite ne fait obstacle au champ des possibles. Et son intériorité en devient proprement indescriptible, du moins en extension, puisque, dans une très large mesure, l'ineffable en a investi la substance. Par conséquent, Maigret se définit comme un espace infiniment explorable, que ce soit de l'intérieur (la suggestion du contenu) ou de l'extérieur (l'expression du contenant[9]).

8. Roland Barthes, S/Z, *coll. Points, Seuil, 1976, p. 222.*
9. Par conséquent, quoi qu'elle manifeste de patent, l'analyse critique naviguera loin de toute illusion du résultat immédiat et définitif.

Au demeurant, l'esthétique de Simenon étend ces caractéristiques de toujours repousser l'analyse dans un puits sans fond à l'œuvre entière, moins par le biais d'une pluralité de sens que par la grâce d'une plongée abyssale dans le non-dit.

Loin d'être insatisfaisante, cette perspective contraint à répéter combien Simenon, implicitement décrié par une certaine intelligentsia qui lui préfère quelques forts en thème tellement moins lisibles par le tout-venant, combien donc, en virtuose, Simenon agrémente d'expression l'art suprême de la suggestion — même si ces dernières côtoient parfois intimement le champ miné des lieux communs.

Maigret, contre le roman à énigme ?

Situé dans la mouvance scientiste, le roman à énigme s'accorde la mission sacrée de restaurer la lisibilité du monde. Au terme de l'enquête, la société retrouvera miraculeusement son ordre social et son équilibre judiciaire : Hercule Poirot et Sherlock Holmes auront mené le lecteur vers la lumière, un instant obscurcie par la faute de quelque malfaiteur évidemment mis hors d'état de nuire par ces dignes représentants de la réaction. Le crime, ce n'est au fond qu'une verrue sur un corps sain. Une punition exemplaire suffira à restaurer le confort et la sécurité. Au même titre que le conte populaire, le roman à énigme présuppose — par on ne sait quel tour de passe-passe pseudo-déterministe — qu'au manque ou à l'agression correspond une solution équitable, tranquillisante et acceptable pour la machine sociale. Tout va pour le mieux dans le meilleur des mondes. Le lecteur peut dormir sur ses deux oreilles : la boule bleue continue de circonvoluer parmi les lieux communs tandis que le roman reste ce miroir dépoli en promenade sur la grand-route tautologique.

Pour notre bonheur, Simenon a pris ses distances par rapport à ces formes classiques sans pourtant briser les ponts. Au début des années trente, le roman policier est en train de s'essoufler. Simenon en reprendra la carcasse tout en renouvelant son contenu. Chez lui, comme chez ses prédécesseurs, on rencontre un détective ou un policier et un coupable ainsi qu'une énigme à résoudre rationnellement en suivant le cours tortueux d'une enquête.

Mais son personnage ne joue pas tout à fait le jeu de la cérébralité justicière. L'imperméable de Poirot tombe trop court alors que la casquette d'Holmes prend l'eau : à frayer avec ces redresseurs de torts à la rationalité hautement déductive, Maigret se serait atrophié le sens. Aussi, par mesure sanitaire, Simenon l'a-t-il expédié en cure, dans un troquet de Cherbourg, avec l'arrière-pensée qu'il apprendrait à côtoyer tous les enfants du malheur : les petites gens marquées par le destin, les pauvres filles perdues, les bourgeois apeurés en cavale.

> « Pour tout dire, le métier qu'il avait toujours eu envie de faire n'existait pas. Tout jeune, dans son village, il avait eu l'impression que des tas de gens n'étaient pas à leur place, prenaient un chemin qui n'était pas le leur, uniquement parce qu'ils ne savaient pas. Et il imaginait un homme très intelligent, très compréhensif surtout, à la fois médecin et prêtre, par exemple, un homme qui comprendrait du premier coup d'œil le destin d'autrui [...]. On serait venu consulter cet homme-là, comme on consulte un docteur. Il aurait été, en quelque sorte, un raccommodeur de destinées[10]. »

Raccommodeur de destinées ! Cette expression qui circule à tout bout de champ dans les études critiques, au point de devenir un poncif, isole pourtant fort à propos une qualité indispensable pour distinguer Maigret des innombrables laissés-pour-compte qui peuplent l'univers de Simenon. Une telle passion des hommes, exacerbée par l'éducation, suppose en effet que Maigret soit capable de s'extraire de sa carcasse, de se sentir concerné par autrui, d'écouter et, pour reprendre la devise de Simenon, de comprendre sans juger. Ce fait rarissime mérite d'être souligné : Maigret se présente comme un être de désir, habité par une intériorité sous-jacente intarissable, à la différence des autres personnages coincés de force entre un rôle social aliénant et une structure familiale régentée par la mère ou l'épouse. Par chance, Maigret a perdu sa mère très jeune. Contrairement aux apparences, cette mort l'a sauvé du

10. La Première Enquête de Maigret, *Presses de la Cité.*

désastre : son équilibre résulte en effet d'une situation familiale boiteuse (père tout-puissant et mère absente) tandis que le déséquilibre de certains protagonistes, abondamment illustré par les romans « durs », trouve sa source dans une instabilité inverse (mère autoritaire et père discret). Dans ce cas, le personnage, incapable d'assumer une image de lui-même dégagée du regard maternel, s'enfouit sous un monceau d'habitudes, entre angoisse et solitude, jusqu'à ce qu'une humiliation quelconque déclenche la crise, la libération provisoire puis la chute et le retour au sein de l'ordre social[11].

D'où Maigret tire-t-il sa force ? Au petit Jules, Evariste Maigret, cet humaniste taciturne, transmet le virus de l'homme nu. Et l'enfant, par défaut ou par opportunisme de son créateur[12], entrera dans la police, animé par une foi identique à celle de son père.

Et le décès en couches de la mère ? Cet épisode m'a toujours semblé marqué d'étrangeté. Comment Evariste Maigret, ce gestionnaire responsable, ce terrien réfléchi, ce régisseur estimé, a-t-il pu, sous prétexte de foi en l'homme, confier l'accouchement de son second enfant et la vie de son épouse aux mains tremblantes d'un vieux médecin alcoolique ? Comment se fait-il qu'à la suite de cette apparente tragédie, un sentiment de culpabilité l'ait éloigné de sa dernière attache — Jules — au lieu de l'en rapprocher ?

Curieusement, Simenon n'envisage les origines de son héros qu'en 1950, à l'occasion du trente-sixième volume de la série intitulé *Les Mémoires de Maigret*. Derrière l'anecdote apparemment innocente et mélodramatique se cache une triple constante qui traverse l'œuvre tout entière : la culpabilité, l'élimination du double et le meurtre de la mère. En fait, le nœud de cet épisode, c'est le père qui sacrifie par procuration et la mère et l'enfant à naître, ces symboles de l'étouffement et de la rivalité, afin que son fils, libéré de tout obstacle psychologique, mais inconsciemment culpabilisé, puisse devenir un homme.

11. Jacques Dubois, « Simenon et la déviance », in Littérature *n° 1, Larousse, Paris, février 1971, pp. 62-73.*
12. Le roman médical ne sévissant que dans les salons de coiffure ou chez les dentistes.

La culpabilité

Dès *Pietr le Letton*, lorsque Torrence, son proche adjoint, est assassiné, Maigret se trouve assailli par un violent sentiment de culpabilité. C'est lui que la mort aurait dû frapper, en lieu et place de son inspecteur. Aussi mettra-t-il un acharnement tout particulier à démasquer le criminel et ce, jusqu'à ce que la justice soit symboliquement rendue. Dans cette perspective, le suicide du Letton prend évidemment valeur d'expiation.

Au début du *Pendu de Saint-Pholien*, Maigret assiste, impuissant, au suicide d'un pauvre hère auquel il a subtilisé la valise, une valise compromettante.

Dans *Maigret à New York*, il n'arrive pas à temps pour éviter un assassinat parce que l'achat d'une pipe l'a retenu dans la 5e Avenue.

> « Est-ce que Maigret, lui, n'avait pas laissé tuer Torrence[13] ? »
>
> « Il n'était pas loin — il était même bien près — de penser qu'il venait de tuer un homme[14]. »

Ce sentiment de culpabilité, bien qu'hérité du père, est disséminé dans toute la série et même au-delà, dans les romans « durs » : en vérité, chacun porte une part de la culpabilité collective.

Et l'injustice provient du fait que les hommes, pour se prémunir, ont particularisé la faute, en sélectionnant des victimes expiatoires, des hommes comme les autres, avec leurs tracas, leurs humiliations et leurs habitudes, des hommes que le hasard ou la destinée ont repoussés de l'autre côté, dans le camp des brebis galeuses. Mieux que quiconque, parce que l'expérience de la culpabilité rejaillit en force sur sa conscience, le criminel doit assumer seul le meurtre de Caïn. Pour l'avoir perçu trop intensément, Maigret devient la véritable victime de ses enquêtes. Son dégoût réaffirmé de livre en livre, surtout au moment de la scène finale, quand, désabusé, il rallume sa pipe devant ses fenêtres ruisselantes, son dégoût et sa souffrance découlent d'une autopsie de la condition humaine. De l'âme chrétienne, Simenon n'a conservé que la notion du mal, le bien étant perdu depuis l'enfance. Par conséquent, dans un monde en proie à la mort de Dieu et où toute trace de culpabilité

13. Pietr le Letton, *Livre de poche, 1972, p. 117.*
14. Le Pendu de Saint-Pholien, *Labor, 1986, p. 9.*

aurait dû disparaître, l'homme, expulsé à jamais de l'Eden et dépourvu de toute chance de rédemption, reste et demeure le jouet du malheur.

Ce refus collectif d'affronter des responsabilités, qui renvoie pourtant à l'essence même de la nature humaine, conduit Maigret à se comporter quelque peu en marge de sa fonction policière en prenant parfois superficiellement le contrepied des conduites attendues par la société.

Partager, durant l'interrogatoire nocturne, des sandwiches et des bières avec le criminel, prendre à sa charge une tentative d'empoisonnement commise par une pauvre fille (Emma, dans *Le Chien jaune*), refuser de livrer à la justice un groupe de bourgeois provinciaux (*Le Pendu de Saint-Pholien*), assister sans broncher un prévenu dans son suicide (*Pietr le Letton*) ou assurer une présence humaine lors du guillotinage d'un condamné à mort (*La Tête d'un homme*), tous ces agissements seraient qualifiés d'humanitaires si Maigret n'entrait pas de manière concertée dans le jeu de certains criminels en se déclarant complice de leur être plus que de leurs actes. Chaque fois — ou peu s'en faut —, pendant l'interrogatoire final, il s'ensuit un moment privilégié, celui du partage ontologique, de la communication optimale, du langage substantifié, comme si le sang transfusé était cette part d'enfance et paradoxalement d'innocence que le jeu social étouffe sous le fardeau du paraître.

Le faux frère

Cette culpabilité liée à la mort d'un proche comporte son revers : l'élimination du double. « Fenton Bresler met [...] l'accent sur une composante essentielle du cercle de famille curieusement rétréci par l'auteur de *Pedigree* : Georges Simenon avait un frère cadet, Christian, pour qui il semble que la mère ait marqué une nette préférence. L'élimination littéraire de Christian dans la fiction autobiographique et le thème du frère ou du faux frère dans l'œuvre devrait susciter la réflexion[15]. » A ce motif du (faux) frère, il faut adjoindre toute la dimension symbolique du double. Dans bon nombre d'ouvrages, policiers ou « durs », la construction même s'organise autour de la destruction du double. Les personnages,

15. *Jean-Louis Dumortier,* Georges Simenon, *Labor, 1987, pp. 18-19.*

souvent représentés par paires, symétriquement, ne s'accordent aucun répit tant que l'alter ego n'est pas anéanti au profit de l'unique. Dans la plupart des cas, cependant, il est trop tard : cette victoire ne peut déboucher sur la paix retrouvée. Par un contre-effet de balancier, l'unique s'acharnera à restaurer son image en repartant à la conquête de sa réplique perdue. Si le miroir, cette variante édulcorée du double, compense un temps le vide auquel le personnage se trouve confronté, l'échec l'attend invariablement au bout du tunnel.

Cruel destin que celui-là : incapable d'asseoir son identité avec ou sans le double et plus largement avec ou sans la présence souvent oppressante de l'Autre (la société, la mère, l'épouse...), le personnage simenonien, au sortir du terrier social et maternel, erre comme une âme en crise, sur le fil de l'interdit. Au terme de son échappée libératrice, que Simenon matérialise moins par une contestation des limites que par la chute dans l'abjection, le personnage sort broyé, les ailes mutilées, l'identité disloquée d'avoir perdu pour toujours cette reconnaissance d'autrui qui le maintenait debout avant son illusoire délivrance, mais doté, par le fait même de l'expérience vécue, d'une lucidité quasi surhumaine.

Maigret échappera-t-il à cette aliénation fondamentale ? Apparemment oui, puisque le double a été sacrifié avant même d'exister, et par des doigts si malhabiles qu'on les croirait volontiers délégués au chevet des victimes par le père, Evariste Maigret. Mais à quoi rimerait alors sa vocation de policier ? Qui poursuivrait-il au cours de ses investigations ? L'indubitable complicité avec les criminels se trouve ici tempérée par les limites auxquelles le contraint l'exercice de sa profession. En tant que gardien de l'ordre, il observe les règles en vigueur sans jamais déroger au sens ultime de sa mission. On pourrait même soutenir qu'en dehors de la quiétude domestique, il consume en recherches la majeure partie de son énergie. Envisagé sous cet angle, Maigret ne répond-il pas à la parfaite définition du *chasseur de doubles* ?

En outre, les obscurs motifs qui ont poussé Simenon à s'essayer au roman policier se manifestent ici en toute limpidité : c'est que la forme élue conjuguait à merveille le dévoilement discret d'une obsession récurrente (l'élimination du double) et la nature d'un genre sybillin qui peut être envisagé comme la réponse du représentant de l'ordre au semeur de désordre avec, en définitive, l'issue attendue : la victoire du premier nommé sur son double inversé.

« Tout roman policier est bâti sur deux meurtres dont le premier, commis par l'assassin n'est que l'occasion du second dans lequel il est la victime du meurtrier pur et impunissable, du détective. »

A la faveur des rapprochements envisagés, cette citation extraite par Todorov de *L'Emploi du temps*[16] ne renvoie-t-elle pas un son particulièrement approprié à certaines enquêtes imaginées par Simenon ?

Le meurtre de la mère

Le décès de la mère et de l'enfant à naître perd son aspect mélodramatique à la lumière d'un examen détaillé de la faune innombrable qui hante les pages de Simenon. Aussi en parlerons-nous dans la deuxième partie consacrée aux romans de la destinée.

D'ores et déjà, émettons l'hypothèse que le meurtre de la mère, cette manière d'Œdipe renversé, dont seul est capable le père tout-puissant — un état rarissime chez Simenon —, que ce meurtre, donc, combiné avec celui du double, entre pour une part non négligeable dans l'équilibre dont jouit Maigret. Quant aux autres personnages, leur impuissance à tuer, ne fût-ce que symboliquement, la mère castratrice, n'est-elle pas à l'origine de leur insignifiance, de leur veulerie, et de leur perpétuelle médiocrité ?

Mais, dira-t-on, Mme Maigret ne représente-t-elle pas le parfait substitut maternel ? S'il s'avère incontestable qu'elle soigne l'intendance, mijote des bons petits plats, accompagne Jules au cinéma malgré ses pieds enflés, ou lui tend à l'occasion écharpe ou pantoufles, cela ne signifie pas pour autant qu'il faille l'incorporer à l'escadron des mégères envahissantes, rigides, angoissées et castratrices. Qu'elle ait tendance à reporter son affection sur son mari ne l'autorise pas à exercer un ascendant symbolique sur sa personne. Assimiler l'une à l'autre établirait une confusion malencontreuse entre deux groupes hétérogènes.

16. *Todorov,* Poétique de la prose, *Le Seuil, p. 13.*

En définitive, que cherche-t-il ce commissaire Maigret ? Le malfrat couturé ? Le violeur satanique ? La vieille fille cauteleuse ? La bigote à l'arsenic ? Le vampire de Dusseldorf ? Le docteur Petiot ? Weidmann, le tueur sentimental ? Simenon ne s'amuse pas à rafistoler les momies étiquetées dans les catacombes du siècle. Il ne s'échine pas à racoler les troupes à coups de revues boulevardières, de titres à scandales ou d'effets de manches. Sa fierté, c'est de mettre en scène, au bout du quai, sous la bise coupante des projecteurs, le strip-tease famélique d'une pauvre petite humanité perdue et qui finit par se précipiter, en pleurs, dans les bras compatissants et indulgents du gros Maigret.

A partir d'indices matériels, le détective, cette tête chercheuse, se voyait attribuer la tâche de découvrir un coupable inattendu, si possible après deux cents pages de rebondissements et sans tenir compte des mobiles intimes ou des circonstances intérieures. Au terme d'un duel sans merci, le roman à énigme nous lançait à la tête un coupable, n'importe lequel pourvu que ses intentions établies et sa conscience enténébrée laissent la justice sans pitié. La symbiose perverse entre l'apparence (les forfaits perpétrés par le criminel) et l'essence (la nature de son âme) frappe ces récits du sceau de l'évidence : au sortir du combat entre le bien et le mal, la clarté rassurante brille à nouveau sur le monde satisfait.

Chez Simenon, l'identification du criminel (qui a tué ?) passe au second plan. Dorénavant, le nœud de l'enquête réside dans les motivations secrètes qui ont présidé au délit (pourquoi a-t-il tué ?). Bien entendu, Simenon conserve, en guise de point d'appui, les supports traditionnels et incontournables du roman classique (le criminel, la victime, le détective et l'énigme) mais en déplaçant son centre d'intérêt de la cérébralité scientiste à la sensibilité intuitive.

Méprisant ouvertement la police scientifique, Maigret se voue à reconstituer l'individu pièce par pièce, à la faveur d'indices existentiels. Sa véritable vocation consiste à remonter aux sources de l'être, à partir d'une minutieuse et progressive identification avec le meurtrier ou bien avec la victime. En sémioticien averti, il s'attache, dans un premier temps, à isoler les signes disséminés à l'intérieur du décor, des comportements, des habitudes, des relations humaines. Et comme Simenon a effacé les distinctions d'ordinaire hermétiques entre l'intériorité (la conscience, la pensée, les sentiments...) et tout ce qui est extérieur (la nature, l'environnement immédiat...), entre le passé et le présent, ces indices une fois rassemblés acquerront une cohérence, une harmonie parfaites sous la forme d'un portrait-robot qui rendrait compte de l'essence du criminel ou de sa victime (dans ce cas, une opération complémentaire fera en sorte de remonter au malfaiteur).

Pratiquement, Maigret a procédé à une *modélisation* : après s'être imprégné, trait par trait, des composantes représentatives de l'autre, comme un comédien, il parvient à mimer ses habitudes, à interpréter son rôle, à se mettre dans sa peau. Dès ce moment, la découverte de la fêlure n'est plus qu'une question d'heures. S'étant glissé dans un comportement, Maigret finit par accéder aux mobiles (déterminés par l'humiliation) et à l'âme (toujours victime d'une longue et intense cohabitation avec la souffrance). Ses fraternelles et silencieuses interrogations pourraient donc se formuler comme suit : quelle est ta maladie ? que représente ton humiliation ? qui es-tu quand tu es nu ? Romans des symptômes, romans ontologiques, où l'être se réduit à sa fracture, *Pietr le Letton* ou *Maigret et Monsieur Charles* décrivent la destinée d'un obstiné chirurgien des âmes, d'un mythe moderne que les dieux ont condamné à répéter inlassablement la même tâche, celle de soigner et de confesser ses semblables.

Etre, c'est souffrir et souffrir c'est être. Quoi qu'il arrive, Maigret s'avance vers la faille muni de son flair légendaire, avant de s'insinuer au vif de cette fêlure, qui, rappelons-le, vaut pour la personne. Pour avoir approché de trop près et à de multiples reprises la nudité de l'homme, Maigret a perçu avec une acuité diabolique que derrière les habitudes, les rites et les usages se jouaient les drames véritables. Que les personnages soient veules ou mesquins, pitoyables ou sournois, ne revêt guère d'importance, car en établissant sciemment la confusion entre la nature humaine en général et celle de ces « petites gens », Simenon parvient, contre toute attente, à susciter un mouvement de sympathie (plutôt que

d'identification). Par conséquent, la tragédie ne frappe plus seulement les personnages illustres aux prises avec un destin exceptionnel : Simenon a placé le drame à la portée de chacun ; le premier, il a inventé le roman de *l'homme médiocre*.
Grâce à ce nivellement par la quotidienneté, le fait divers s'échappe des gazettes populaires pour s'élever, le temps d'un livre, à la hauteur d'un genre noble : le roman.

Mari trompé (*Maigret aux assises*), immigrant méprisé (*La Tête d'un homme*), jumeau mal-aimé (*Pietr le Letton*), idéaliste frustré (*Le Voleur de Maigret*), avocate disgracieuse (*Un crime en Hollande*), fils honteux (*Le Fou de Bergerac*), vieille maîtresse trompée (*Liberty-Bar*), ancêtre digne (*Maigret se fâche*), ces offensés qui se sont si longtemps dérobés à leur nature, ces humiliés qui fuient depuis toujours le constat d'échec, toutes ces victimes — nos voisins de palier, nous-mêmes peut-être — un jour, au comble de l'exaspération, à la faveur d'un événement inattendu, rompent les barrières du refoulé et déclenchent le processus qui les précipite dans la déviance.

Deux solutions vont alors se présenter, à mettre en corrélation avec le regard dichotomique que Maigret jette sur l'humanité. Ce dernier est fonction de trois critères éventuellement substituables :

classe bourgeoise	petites gens/aristocratie
et/ou	et/ou
impureté, nocivité	innocence, enfance
et/ou	et/ou
culture, progrès	nature, tradition

Soit le coupable appartient à une classe sociale intermédiaire, plutôt bourgeoise ; adopte les symboles censés marquer d'une façon ou d'une autre le progrès, la modernité (arrivisme, maîtrise du verbe, intellectualisme...) et se range dans le groupe des adultes avertis, nuisibles, vicieux et malfaisants. Soit le coupable (ou la victime, le cas échéant) a conservé une once de pureté naïve, de simplicité candide, d'*innocence enfantine* ; ressuscite l'ordre immuable de la nature, du passé et fait partie d'une classe sociale aristocratique ou au contraire des (toutes) petites gens.

Dans un cas comme dans l'autre, mais avec une tournure d'esprit et des comportements différents, Maigret, l'arracheur de masques, mettra l'acharnement nécessaire à poursuivre le suspect jusqu'à la révélation de la faille. Dès cet instant, son action sera déterminée par ce que la fêlure aura révélé, à savoir la nature même de l'adversaire. Si ce dernier relève de la première catégorie, celle des « crapules » pour reprendre l'expression de Maigret lui-même, il le renverra, impitoyablement confondu, dans les bras de la justice en laquelle ce sceptique se remettra subitement à croire (Cageot, dans *Maigret* ; le docteur Michaud dans *Le Chien jaune* ; Ernest Malik dans *Maigret se fâche* ; Oscar Bonvoisin, dans *Maigret au Picratt's*...).

Si, par contre, les critères en vigueur dans la seconde catégorie s'appliquent à l'auteur du délit, Maigret se muera en « raccommodeur de destinées », quitte éventuellement à couper court à l'action de la justice (Emma, dans *Le Chien jaune* ; Anna, dans *Chez les Flamands*).

Quoique le forfait ait généralement été perpétré à l'encontre de l'ennemi réel ou symbolique, la période d'apaisement — lorsqu'elle se présente — ne dure jamais très longtemps. Car il faut continuer à vivre, malgré la blessure avivée ou mal cicatrisée par le meurtre. Au début, les criminels résistent aux pressions policières et contrecarrent les investigations de Maigret. Par la suite, peu à peu minés par son obsédante présence, ils se laissent aller, lâchent prise, d'un coup (*La Tête d'un homme*) ou plus sournoisement (*Le Pendu de Saint-Pholien*), comme s'ils découvraient qu'il n'y a rien à faire contre ce monolithe, sinon se décomposer, s'abandonner ou opérer une transformation de nature à faire basculer leur existence.

Confusément, ils ont senti que Maigret allait les prendre en charge et leur permettre enfin d'aller « jusqu'au bout ». Dans certains cas particulièrement pathétiques, le commissaire va même jusqu'à les assister durant leur passage vers « l'autre côté » (la mort, l'emprisonnement...), même si les moyens qu'il utilise ébranlent un certain ordre social conventionnel ou une image dépassée du policier. A cet égard, le suicide du Letton laisse pantois, tout comme l'exécution capitale de Radek (*La Tête d'un homme*) ou la décision de ne pas inquiéter les bourgeois provinciaux du *Pendu de Saint-Pholien*.

Et tout au long de la scène finale, quand les tensions inconscientes émergent dans leur brutale nudité — à moins qu'il ne faille ici évoquer l'aveugle destin —, sa mission de transformateur, d'*accoucheur* des âmes éclate au grand jour. Par la qualité de son écoute, de son silence et de son regard, Maigret dévoile une capacité de « souffrir avec » conjuguée avec un extraordinaire pouvoir maïeutique pour guider le personnage « innocent » dans son processus de libération. Au terme de son voyage initiatique, le coupable se trouve affranchi, désaliéné de tout le poids du passé, de la charge de ressentiment, de frustration et d'humiliation dont il était la victime.

Maigret, c'est l'acceptation de l'homme dénudé jusque dans la mort ou la résurrection. Au fond, ce Sisyphe empreint de doute, cet aimant pour réprouvés, ce Socrate du ruisseau, ce *Dieu d'après*, ne mène-t-il pas son combat en dépit du *bon sens* ? Mettre au monde, ressusciter, libérer du regard d'autrui, pacifier, aider à mourir, n'est-ce pas s'insurger contre l'état des choses, le néant du monde ou l'absurdité de la condition humaine ?

Maigret, notre complice

Définissant le roman policier, le narrateur de *L'Emploi du temps* (Butor) déclare que « ce type de récit [...] superpose deux séries temporelles : les jours de l'enquête qui commencent au crime, et les jours du drame qui mènent à lui[17] » : « le roman policier ne contient pas une mais deux histoires : l'histoire du crime et l'histoire de l'enquête[18]. » Sur la base de ces propositions, Todorov propose de subdiviser le genre en trois classes. Il y aurait le roman à énigme (centré sur la première séquence), le roman noir (centré sur la seconde) et le roman à suspense (les associant toutes deux).

Si le roman à énigme fait en sorte, à partir d'un certain résultat (un cadavre et quelques indices), de remonter à la cause (un criminel et les motifs qui l'ont poussé au crime), par le biais d'une « rétrospection[19] », alors Simenon, le sensitif, est un vague cousin d'Agatha Christie, la logicienne. Si, par contre, le lecteur accepte de concentrer son regard uniquement sur les milieux fréquentés ou sur les décors traversés, alors Simenon préfigure dans une lointaine mesure le roman noir.

17. Ibid., *p. 13.*
18. Ibid., *p. 13.*
19. Ibid., *p. 12.*

Remontant de l'effet à la cause, le roman simenonien se voit corrélativement confronté à la problématique du point de vue. Pour que le handicap (ou le *retard*) subi par le lecteur dès les premières foulées ne soit pas annihilé par un accès à la pensée du narrateur, le détective — Sherlock Holmes — délaisse la transcription de ses aventures au bénéfice de l'investigation pour confier à son compagnon — Watson — le soin de servir de relais entre le public et sa personne. Cette procédure constitue d'ailleurs une élégante façon de concilier les projections du lecteur et la glorification du héros. En tout état de cause, le narrateur de roman policier traditionnel s'abstiendra de pénétrer à l'intérieur des consciences ou bien de dominer le temps et l'espace. Ni omniscient au risque de dévoiler le nom du coupable dès la première ligne, ni limité au « je » sous peine de révéler les indices au fur et à mesure de leur découverte, il sera contraint d'adopter un point de vue intermédiaire.

Mais voilà que le lecteur attentif rétorque qu'au détour de certaines enquêtes le narrateur simenonien fait preuve non seulement d'omniscience, mais aussi d'interventionnisme. Effectivement, il arrive que des indiscrétions engendrent des effets de distorsion, ne fût-ce que par la redondance (la répétition de données ou d'indices) ou par la distanciation (la rupture de la complicité entre le narrateur et Maigret). Toutefois, sa parcimonie et son à-propos se développent si finement au fil des parutions que la voix narrative finit par se noyer dans une espèce de neutralité. Et lorsque l'œil du narrateur visite la conscience de Maigret, c'est pour qu'en soit exhumé le flou de l'intuition. En effet, délaissant la recherche d'indices rationnels et codifiés par l'usage, au profit de « notations moins conceptualisées[20] », le narrateur réalise un choix stratégiquement décisif. Chacun sait que les notations cérébrales, pléthoriques dans le roman policier traditionnel, sont enrobées d'un indéniable prestige qui trouve sans doute ses origines dans l'ingéniosité de ses intrigues. Par conséquent, au lieu de combattre sur ce terrain miné du concept codifié et culturalisé, Simenon entreprend de jongler avec les sensations, ce qui lui permet de sillonner un nouveau continent à la fois riche, dense et familier, condition sine qua non pour que le lecteur ne soit pas dérouté dans ses facultés

20. Le Pendu de Saint-Pholien, op. cit., *postface de Jean Fabre, p. 158.*

de compréhension du livre et de la réalité. « Si Maigret ne pense pas, il est en proie à diverses sensations et à de multiples sentiments : gêne, colère, peur, angoisse[21] », ce qui concorde d'ailleurs parfaitement avec son esthétique du *non-dit*. Une fois de plus, en exhumant ces ensembles flous, Maigret s'octroie le pouvoir d'échapper à quelque emprise que ce soit (y compris et surtout à celle du lecteur même perspicace). De son côté, Simenon triomphe puisque ce réseau soigneusement modulé rompt avec le « déjà lu, déjà écrit » tout en renouvelant le genre policier.

Une part essentielle de son talent ne réside-t-elle pas dans cette liberté de louvoyer entre les codes convenus, d'en maquiller certains pour mieux les solliciter par la suite et surtout de célébrer les épousailles entre *l'hypercodé* et le *non-codé* ? Ces qualités expliqueraient sans doute les difficultés qu'éprouvent les anthologies à définir sa production, ce sentiment de flottement permanent, cette intelligence de l'entre-deux.

A quel genre appartiennent ses roman « durs » ? A une classe hybride, située au carrefour du psychologique et du policier. A quelle typologie raccrocher la série des *Maigret* ? Pour une part, au roman à énigme, pour une autre au roman noir. Mais encore... A l'impossible nul n'est tenu : ces classifications proposées en guise d'exemples ne peuvent aboutir à rien de satisfaisant, sinon à la conviction qu'il faut considérer l'examen d'une telle nébuleuse comme un appel, sans jamais chercher à figer l'analyse bien qu'elle s'attache, comme diraient les beaux esprits, à un auteur populaire !...

Et cette constatation nous livre peut-être la clef de voûte de l'univers de Simenon. Tout ce qui l'habite comporte en même temps deux faces, sollicite en même temps deux registres : celui, prosaïque, à l'occasion méprisé, du lieu commun, avec ce que cela sous-entend de terre à terre, de banal et de navrant (ou, à l'opposé, de passionnant !), et celui, accompli autant qu'adulé, du mystère dont la dimension irréductible est traduite par le vocable : « atmosphère », cette périphrase servie à tout bout de champ, et en quelque sorte, par *défaut*.

21. Ibid., *p. 158.*

Le miracle est évidemment que Simenon parvienne, grâce à ou malgré cette pluralité, à concocter des récits harmonieux où chacun peut trouver du plaisir, en fonction de ses habitudes de lecture, de son humeur du moment ou de son appartenance socioculturelle.

*

Mais revenons au point de vue. Le pouvoir dévolu au narrateur est potentiellement intact. Cependant le genre pratiqué contraint celui-ci au maximum de discrétion quand ce n'est pas à la sélection de données sensibles (angoisse, désarroi, gêne...) au détriment des facteurs rationnels.

Cette perspective hautement concertée canalise toutes les attentions. La discrétion du narrateur (d'habitude rassurant, vu la distanciation qu'il établit vis-à-vis des événements) fait en sorte que le lecteur se trouve confronté directement avec la représentation de la réalité. Jeté à moitié nu aux pieds de l'aube blafarde, le lecteur mourrait de froid, si un promeneur ne le couvrait de sa gabardine avant de le prendre par la main. En contrepartie le voilà sommé d'adopter le regard de Maigret sans jamais entrer dans sa conscience : « La polarisation impeccable sur Maigret[22] » contribue à établir une unité de regard sur le monde. S'ériger en « représentant du lecteur[23] » est avantageux à plusieurs titres : cela permet d'harmoniser les vagabondages narratifs, d'assurer un relais entre les différentes scènes des récits, de rendre commune la perception des personnages tiers et des décors environnants, sans compter que les règles de la tragédie, à savoir l'unité de temps, de lieu et d'action se voient respectées, assez grossièrement, il est vrai. Le lecteur, de son côté, ne semble jamais en savoir moins que le commissaire, vu qu'à « aucun moment, Maigret ne retient la vérité comme le fait systématiquement Hercule Poirot juste avant la réunion épiphanique [...]. Et pour cause : il ne la détient sans doute pas[24]. »

Ajoutons que grâce à cette communauté de vision, une émouvante *complicité* s'instaure entre le lecteur et Maigret. Une complicité, mais

22. Ibid., *p. 157.*
23 .Ibid., *p. 157.*
24. Ibid., *p. 158.*

pas une identification, étant entendu que le retard dont souffre le lecteur face à l'énigme demeure quoi qu'on fasse. Ainsi, le plaisir d'être en prise directe sur l'enquête se conjugue sans difficulté avec une reconnaissance : celle de l'indiscutable supériorité de Maigret, dans les domaines de l'investigation pure et, ce qui est tout à fait neuf, dans celui des aptitudes humaines.

Car tout concorde pour que Maigret paraisse coulé dans la chair, au contraire des figures de proue du roman à énigme. Et son épaisseur plébéienne, toute emplie d'humeurs, de caractère et de sensations, favorise la confusion entre le personnage et la personne. Une personne de qualité bien que familière, perpétuellement présente et à l'écoute de la société des hommes sur lesquels elle jette un œil compatissant et connivent.

Maigret, l'homme naturel

Le roman à énigme présente cette particularité de transférer les traits qui se rapportent à l'omniscience (mainmise sur le temps et l'espace, accès à au moins une conscience) du narrateur auquel ils sont habituellement dévolus, vers le détective ou le policier. Mener l'enquête, c'est reconstituer la séquence qui a conduit au meurtre, par une connaissance progressive des suspects, du criminel, voire des à-côtés contextuels, ce qui équivaut à faire sauter, de force, le verrou de l'identité et de la conscience, à dénicher des mobiles plausibles et à fournir une explication globale au désordre (explication destinée à la justice autant qu'au lecteur). Le policier profite de son statut pour s'assurer une maîtrise temporaire sur une histoire et corrélativement sur un temps et un espace donnés. En vertu des pouvoirs qui lui sont conférés, il cultive les curieux privilèges de susciter un *mouvement*, de la part du criminel, de ses proches ou de ses complices éventuels — ne fût-ce que par sa façon de réagir au délit (combat, poursuite), et de *circuler librement et partout*, dans les documents administratifs : registres d'état civil, archives diverses, fichiers d'empreintes ; au travers des classes sociales (privilège partagé avec le prêtre et le médecin) ; sur les lieux de l'enquête (et même ailleurs, par l'intermédiaire du télex, du téléphone, du télégramme, du taxi[25]...) ; dans les consciences soudain interpelées...

Chez Simenon, par une sorte de glissement implicite, le narrateur a transmis ses prérogatives à Maigret, comme aucun prédécesseur ne le fit avant lui. Dorénavant, la créature dispose d'un ascendant décisif sur les consciences, sur le temps et sur l'espace.

Le temps et la conscience

En règle générale, l'entreprise de reconstitution du passé à laquelle collabore l'enquêteur classique se limite aux phénomènes indispensables à la compréhension du crime. Le plus souvent, la souveraineté acquise au fur et à mesure de ses recherches relève d'une simple logique causaliste.

D'emblée, Maigret bouscule cette procédure à courte vue en opérant une mutation radicale : le temps psychologique évince le temps mathématique omniprésent dans le roman à énigme. Cette nouvelle approche exclut définitivement la neutralité descriptive ou événementielle au bénéfice d'une exploration intérieure dont la portée intime et connivente aurait comme ambition d'assujettir le temps.

Vu que le genre usité exige une trame logique minimale, la linéarité n'en est pas entièrement exclue. Toutefois, elle concerne seulement la surface narrative. Sous cette dernière, Maigret peut livrer son véritable combat : celui de la restauration d'un temps perdu.

Son attachement viscéral au passé, et en particulier à l'univers de son enfance, trouve sa raison d'être dans la perspective d'une vision du monde dichotomique et réactionnaire. De toutes ses forces, Maigret refuse la modernité, le progrès, l'évolution, ces instruments transformateurs d'un état primitif, « naturel ». Et la plupart de ses aventures peuvent d'ailleurs s'interpréter comme des allégories où s'opposent deux espaces de sens radicalement antinomiques, celui du passé et celui du présent.

Originellement, les structures sociales et familiales garantissaient une totale sécurité. L'ordre reposait sur trois groupes sociaux complémentaires. La noblesse, le clergé, le corps médical présidaient aux destinées économiques, morales, théologiques et intellectuelles

25. *Pour reprendre les moyens de communication dont Maigret se sert.*

de la province rurale tandis que les « petites gens » assuraient les besognes matérielles sans jamais songer à changer de statut social. Au centre, la classe moyenne, dont faisait partie la famille Maigret, assurait un rôle tampon, étant au service du pouvoir tout en assurant la protection des faibles. En somme, dans cette « France profonde », « chacun était à sa place », en parfaite connivence avec la réalité figée, expressive et cimentée par le jeu de l'analogie.

A cette époque révolue, le monde généreux délivrait ses propres significations sur le modèle romantique, en sorte qu'il s'établissait une circulation significative au sein de la société homogène malgré ses différences, ainsi qu'une relation privilégiée entre l'homme et les autres règnes de la création.

Par ce biais, Simenon ressuscite un paradis où le langage envisagé comme un débordement de la matière s'impose naturellement aux sens alertés sans qu'il soit besoin de recourir à la formulation. Le langage articulé tend un voile opaque par-dessus la matière et consomme le divorce entre l'homme et le monde, entre la civilisation et la nature. Aussi, quand les composantes du signe se soudent jusqu'à la réconciliation, le non-dit peut supplanter le dit ; l'implicite, la profération ; la complicité, la codification. *In illo tempore*, le sens était donné tel quel, tout naturellement, sans médiation et par la voie des catégories élémentaires de la perception.

Cette vision du monde, imprégnée dans le tissu textuel, détermine un respect fasciné à l'égard de certaines valeurs, tels l'ordre, l'équilibre, l'immobilité et l'innocence (déjà évoquée). Parsemés à travers l'œuvre tout entière sous des formes variées, ces motifs prennent, une fois rassemblés, une singulière cohérence.

On connaît, par exemple, sa soumission symbolique devant l'aristocratie ou tout ce qui l'évoque (*L'Affaire Saint-Fiacre*[26], *Maigret se fâche*[27]...), son intérêt pour la médecine, cette science de la chair[28], sa fascination pour les bistrots populaires (le peuple n'est-il pas

26. Où c'est Maurice de Saint-Fiacre, et non Maigret qui, au cours d'un final dramatique, débusque le coupable.

27. Si Maigret mène l'enquête, il abandonne à Bernadette Anorelle, cette grand-mère aux allures aristocratiques, le soin de faire justice en tuant Ernest Malik, son gendre.

28. Est-ce un hasard si son seul ami est le docteur Pardon ?

le principal dépositaire des traces originelles ?), le regard antinomique qu'il jette sur l'humanité, sa méfiance à l'encontre du verbe, sa répulsion pour les méthodes d'investigation modernes auxquelles il préfère l'instinct, son malaise face aux classes montantes (bourgeois, parvenus, immigrés...), son besoin de confort, son rejet d'une certaine culture fondée sur l'appartenance socio-culturelle, son souci de la retraite (ce retour symbolique à l'enfance)...

Et cette allergie au mal moderne, on la rencontre jusque dans les détails apparemment anecdotiques. Il est sans doute le seul policier à conserver un poêle dans son bureau au détriment du chauffage central, à se faire véhiculer en taxi parce qu'il ne sait pas conduire, à prendre à sa charge les basses besognes de surveillance ou de filature, à se gaver de plats mitonnés ou à se fournir de prunelle en Alsace.

S'arrêter au milieu du champ thématique empêcherait de discerner l'immense et utopique tentative de restauration à laquelle s'alimentent les enquêtes de Maigret. Ces dernières peuvent en effet se concevoir comme la mise en œuvre sans cesse réitérée, parce qu'illusoire, d'une stratégie qui a pour but inavoué de reconquérir le paradis perdu, ce territoire cohérent borné par la nostalgie de l'ordre, de l'équilibre, de l'unité et de l'immobilité. Et le drame de Maigret — si drame il y a — repose précisément sur ce divorce irrémédiable, entre l'obligation de redresser les structures sociales, mission qu'il accomplit non sans quelque dégoût, comme en témoigne son aversion à l'égard d'une justice qui défend la légitimité d'une société factice, et l'impossibilité d'en revenir à l'équilibre authentiquement naturel et unitif des lointaines origines. Autrement dit, Maigret, ce don Quichotte déguisé en policier plébéien, poursuit un leurre, un mirage planté entre le désir et le devoir, celui d'une résurgence de l'innocence enfantine, d'un retour à un ordre mythique paternel, traditionnel qui déboucherait sur une stabilité parfaite basée sur la répétition du *Même*.

A cet égard, l'irruption du désordre criminel qui ébranle son ordinaire paisiblement nourri par un train-train petit-bourgeois monopolise d'autant plus son attention qu'elle le concerne personnellement, dans son équilibre intime, et, par extension, qu'elle se rapporte aux valeurs dont il a la charge. Qu'il s'agisse de son neveu, jeune inspecteur menacé par l'erreur judiciaire (*Maigret*), d'un adolescent qui lui a subtilisé sa pipe (*La Pipe de Maigret*), d'une jeune provinciale abattue par des truands (*Maigret et la jeune morte*), d'une blessure encourue lors d'une poursuite (*Le Fou de Bergerac*) ou de l'assassinat d'un alter ego (*Liberty-Bar*), chaque fois, il s'opère une remise en cause de sa légitimité, car Maigret se considère comme le gardien ou le représentant de l'univers authentique du père[29].

Aussi l'acharnement à capturer certains coupables, dont le crime en a symboliquement ébranlé les structures, peut-il se lire comme une performance destinée à prouver ses virtualités paternelles, à valoriser son statut de gardien-représentant, ainsi qu'à restaurer l'univers des valeurs naturelles : toute atteinte à l'immobilité — au hors-temps — est tenue pour une agression qui s'étend, par métonymie, à l'autorité du père et à la souveraineté du monde originel.

Comment expliquer que Maigret éprouve du plaisir à mener ses enquêtes, si l'immobilité statuaire lui assure vraiment la paix ?

Assimiler le mouvement à une contrainte ou à une punition relèverait de la mauvaise foi. Nécessaire autant qu'agréable, l'équilibre suppose une alternance d'action et de repos. Or, on se souvient que toute enquête policière superpose deux temporalités : au fur et à mesure que l'histoire progresse dans le présent, la vérité se dévoile dans le passé. Toute avancée est aussi un recul et la poursuite d'un criminel quelconque contient en filigrane l'image d'une stratégie beaucoup plus fondamentale : celle d'une régression vers le mythe ancestral, celle d'une reconquête du paradis originel[30]. Maigret recule quand il avance et vice versa.

Par conséquent, l'exploration de l'espace social (la synchronie) et le déroulement de l'enquête dans le temps (la diachronie) s'associent étroitement, dans la perspective de cette esthétique de la *saturation* à laquelle j'ai déjà fait allusion.

Les traits représentatifs de l'univers originel sont dispersés partout à travers le corps social, au lieu d'être réunis dans un milieu homogène. D'où la nécessité, appuyée par le rétablissement de

29. *Une part de sa force tient d'ailleurs par le redéploiement de certains traits paternels.*
30. *Comment prétendre dès lors que le choix du roman policier n'a pas été dicté par des motivations puissantes ?*

l'ordre, de circuler, de partir en quête, de rassembler les brebis perdues. Or, cette entreprise de concentration du disséminé relève du mythe, vu qu'il est inimaginable de restituer le temps et l'espace passés en tant que tels. De cette impossibilité surgit la tension de reconquête et l'obligation qui en découle de chevaucher les distinctions sociales habituelles. Tout au plus Maigret trouvera-t-il une densité plus grande de signes originels probants à l'intérieur des classes populaires. Il n'est pas innocent par exemple que, plongé dans le monde superficiel de la haute bourgeoisie triomphante, Maigret n'entame efficacement ses investigations qu'après avoir délaissé ici un palace (*Maigret à New York*), là une villa (*Maigret se fâche*), pour des établissements à mi-chemin entre l'hôtel de passe et la pension de famille.

Comme les signes originels ne sont pas l'apanage exclusif d'une classe sociale déterminée, Maigret se verra contraint de passer sans cesse de la petite bourgeoisie traditionnelle aux « petites gens » et aux milieux interlopes. Aussi, voir en Maigret « une image de petit bourgeois fantasmant sur une réalité qui lui échappe d'autant mieux que toute sa condition le nie[31] » ou considérer que « sa figure [...] devient ici conciliation des contraires[32] », ou encore que « le représentant de l'ordre et de la loi s'approprie quelque chose du marginal ou du déviant sur lesquels il enquête[33] », relève d'une vérité partielle quoique pertinente. Répétons-le, Maigret ne s'attache pas vraiment à concilier les opposés, mais à extraire du présent aliénant les traces éparpillées, les pièces du puzzle correspondant à l'image du paradis perdu.

La conception du temps, et de l'espace, la présentation des valeurs morales, philosophiques et sociales..., toutes ces composantes dispersées parmi les différentes strates du récit se recoupent avec une harmonie d'autant plus fine qu'elles convergent vers le personnage — faisant écho à ce jeu de correspondances qui abolit les parois généralement dressées entre l'individu, le temps et l'espace. En sorte que la richesse authentique réside dans l'homme libéré du

31. *Jacques Dubois, in* Lire Simenon, *Labor, 1980, p. 43.*
32. Id.
33. Id.

paraître postiche et désillusionné par la modernité. Ou si l'on préfère, dans cette variante du bon sauvage qu'est l'homme nu[34].

Dans la perspective analogique qui lui est si chère, Simenon localise dans les premières années de la vie le jardin de l'innocence, de la vérité et de la congruence. L'enfant incarne le pôle originel, par opposition à l'adulte, selon le principe général que toute évolution dégrade la pureté initiale. A ce titre la récurrence du motif originel est stylistiquement patente. Combien de comparaisons ayant trait à « l'enfant » ou à la « petite fille » ne trouve-t-on pas d'un volume à l'autre ?

Lors de la crise, dont le crime ne constitue que le symptôme, Maigret ne cessera pas de harceler, de miner et enfin de disloquer le masque de certains coupables pour réveiller le traumatisme et encourager la libération. Lorsque à la fin du processus de dénudation psychologique l'image décomposée de l'adulte se superpose à celle de l'enfant qu'il fut, on peut affirmer que l'être se manifeste dans sa vérité.

Auparavant, Maigret se sera échiné à balayer la corruption apportée par la société (ou par la culture, cette antithèse de la nature), tout au long d'une éprouvante et patiente lutte dont l'issue débouche sur la désaliénation. Mais la victoire ne penchera du côté de Maigret qu'à compter du dévoilement de la fissure. Dès ce moment, Maigret prend le dessus et finit, en géniteur des âmes, par déclencher une révolution intérieure — une renaissance — capable de réconcilier l'individu avec sa blessure. Par la même occasion, Maigret se rassure : cette chute qui élève confirme la nature tangible et communautaire du paradis perdu. Les hommes sont frères et *la rédemption passe par la purification*[35].

Concrètement, Simenon se livre à un subtil et prégnant enchevêtrement des temps. Le passé latent, chargé de l'histoire individuelle,

34. « Quand vous avez rencontré les Noirs "en liberté", aviez-vous l'impression de vous rapprocher de l'" homme nu" ?
— Certainement, et nous avons sans doute tous passé par ce stade-là. Je dois dire que je pense toujours aux Noirs avec nostalgie [...]. » Henri-Charles Tauxe, Georges Simenon, de l'humain au vide, *Buchet-Chastel, 1983, p. 128.*

35. Echouer dans ce combat ou renoncer à harceler le progrès accréditerait la victoire de la modernité. Cette tragédie, il faut à tout prix l'éviter, sous peine de dégradation. La série des Maigret *peut s'interpréter comme une allégorie, qui mettrait en scène la lutte éternelle entre la tradition et le progrès ou plus largement entre le bien et le mal, avec Maigret comme juge-arbitre partial.*

se manifeste à la conscience, jusqu'au jaillissement du refoulé. En sorte que le récit, s'élevant au-dessus des contraintes narratives, navigue à la fois dans un brouillard rendu suintant par l'inconscient — en perpétuelle activité, aussi bien dans les romans « de la destinée » que dans les *Maigret* — et dans les zones prestigieuses du mythe. Cette jonction de l'individuel et du collectif compte d'ailleurs pour beaucoup dans le trouble qui saisit le lecteur et dont on ne sait pas trop s'il s'enracine dans la sensation nauséeuse de régresser aux frontières de son propre moi ou dans l'amère condition de nager dans les eaux troubles de l'Autre.

En la personne de Maigret, l'inconscient assiège un sujet particulièrement favorable, plusieurs enquêtes baignant d'ailleurs dans un climat sourdement cauchemardesque, à mi-distance entre le rêve et la conscience[36]. Ce qui ne l'empêche d'ailleurs pas de préserver une certaine bonhomie en vertu du rapport singulier qu'il entretient avec le temps, lié, comme on vient de le voir, à un système de références bâti sur une vision originale du paradis perdu, à une procédure d'investigation fondée sur un examen attentif du temps psychologique, et à une relation singulière avec l'inconscient.

L'espace et la conscience

Non content de biffer les cloisonnements d'ordinaire hermétiques entre les temps, Maigret efface les limites entre l'intériorité (la conscience, la pensée, les sentiments...) et le décor (la nature, l'environnement...). Que le milieu familial, social ou géographique déteigne sur le personnage situerait Simenon dans la mouvance d'un Balzac. Mais que, sans s'en rendre compte, les protagonistes essaiment des informations diffuses dans leur environnement, autour de leur corps, de leur couple, de la cellule familiale et dans leur milieu socio-géographique, voilà qui s'inscrit dans une esthétique de la *saturation* propre à Simenon[37].

Cet intérêt pour le décor, Maigret l'entretient mieux que tous les fureteurs enjôlés par les sirènes de la police scientifique. Dans *Le*

36. *Par exemple,* Le Fou de Bergerac, *ou* Le Pendu de Saint-Pholien.
37. *Notons aussi que les conditions atmosphériques reflètent l'état d'avancement de l'enquête, la tension dramatique de la scène et le degré émotionnel de Maigret à un point tel qu'on ne sait plus si c'est le temps qui influence Maigret ou l'inverse. Ajoutons que la pipe joue un rôle similaire.*

Chien jaune ou dans *Un crime en Hollande*, Maigret ne se prive d'ailleurs pas de tourner ces méthodes en ridicule. C'est que l'atmosphère dans laquelle baigne toute l'affaire contient autant d'indices que l'âme des suspects. Or il se fait que Maigret, cet héritier de l'authenticité — y compris en ce qui concerne la perception juste des réalités —, possède la faculté d'analyser ces climats consécutifs au crime. Sa méthode consiste à « faire l'éponge », à « s'imprégner de ce qui suinte », à « s'imbiber » de l'atmosphère en filtrant les particules significatives, puis à les confronter avec les indices psychologiques présentés par les suspects, avant de rassembler le tout, généralement sous la forme d'un montage cinématographique, et de subir l'illumination décisive.

Un Roi-Soleil à Pigalle

Au fil des épisodes, avec l'âge, l'avancement, le prestige, Maigret devient une espèce de Roi-Soleil égaré dans le crachin de Pigalle. Sitôt qu'une affaire accapare le corps social menacé, tous les regards se concentrent sur le commissaire Maigret, cet oracle aux sens affinés. On conviendra que son image de marque — la force tranquille ? — est d'autant moins facile à redorer qu'il faut sans cesse la justifier. Il n'est pas simple dans ces conditions d'être le lieu de convergence à la fois inéluctable et inamovible, surtout face à la meute des supérieurs, des journalistes, des hommes de loi et des suspects.

Tout homme qu'il est, Maigret possède une nature protéiforme. Dans certains fragments du *Pendu de Saint-Pholien* ou de *Pietr le Letton*, le narrateur ne se prive pas de le comparer à une masse inébranlable et inévitable, pachydermique ou bovine, obstinément en marche vers la lumière. On ajoutera que, plongé dans les brumes de l'intrigue, Maigret a les sens aiguisés au point qu'on l'assimilerait volontiers à quelque animal fabuleux. Au mépris des règles scientifiques, il s'empresse d'aller « renifler », de « fureter », de « sentir », de « fouiner », jusqu'à ce que le coupable soit démasqué.

En écho à cette animalité, qui s'exacerbe singulièrement durant les phases actives et *mouvementées* de l'enquête, la minéralité réfléchit les moments d'attente, d'*immobilité* au cours desquelles sa grosse carcasse poreuse absorbe et rumine l'atmosphère non sans réjouir son propre entourage habitué à ses mouvements d'humeur, préliminaires à la résolution de l'énigme, mais en inquiétant les suspects par une attitude d'obstruction quasi végétative.

Ces connotations montrent comment Simenon dote sa créature d'une dimension presque mythologique — accentuée à l'occasion des séquences oniriques[38] — et ce, grâce à un système de références culturelles habilement voilé par une subtile stratégie stylistique d'assimilation des deux termes de comparaison : animalité/humanité.

Cette dimension infrahumaine est à mettre en corrélation avec l'étrange familiarité, probablement héritée de l'enfance, que Maigret entretient vis-à-vis du règne animal dans ce qu'il a de plus élémentaire et donc de moins codifié. En principe, l'odeur ou le goût n'entrent dans aucun registre alphabétique. Or Maigret prouve sa supériorité par une étonnante capacité de transcodage des perceptions sensibles. En somme, pour s'être abaissé, Maigret sent mieux et plus vite que n'importe quel limier de Scotland Yard. Et d'exaspérer ce potentiel perceptif lui procure un avantage déterminant, lorsque avec une satisfaction tempérée d'inquiétude il est contraint de s'enfoncer dans les zones primitives, siège de l'instinct, en vue d'approcher la nudité originelle. Car la vérité simenonienne se situe quelque part en deçà de la formulation linguistique, dans un lieu obscur où la pureté originelle règne en despote éclairé sur l'humanité préservée de toute influence culturelle. Dans ce contexte, il n'est pas étonnant que l'œuvre entière se voie traversée par une suspicion à l'égard du Verbe. Les avocats du mensonge ne se cachent-ils pas derrière les masques respectables du notable provincial, du bas-bleu ou du fin parleur ?

La parole étreint le vide. Et Maigret l'a compris depuis ses plus jeunes années : le pouvoir qu'il détient sur le réel et sur les hommes est, dans une large mesure, déterminé par l'économie qu'il fait du langage conceptuel au profit du contact direct avec la matière. Epargnant toute médiation abstraite la sensation atteint le lecteur au vif de lui-même. Qu'il soit ouvrier ou patron, écrivain

38. Le Fou de Bergerac *ou* Pietr le Letton.

ou étudiant, représentant de commerce ou professeur de chinois, chacun reconnaît l'odeur familière du café, de la pipe, du lit défait, de la rue mouillée ou du parquet ciré.

Avantageuse à plusieurs titres, cette stratégie de la perception dénie tout prestige aux modes scientifico-techniques d'appréhension du réel, caractérisés par l'étouffement de la sensibilité et par le recours permanent à l'abstraction. Inscrits dans l'air du temps, ces langages dont l'arrogance, la froideur et la préciosité ont contaminé des secteurs comme la politique ou l'économie repoussent le substrat vital tellement loin des sphères reconnues qu'il s'est développé un bouillon de culture élémentaire où les énergies décanalisées puisent des systèmes de représentation rudimentaires (des skinheads aux partisans de Le Pen, en passant par les fondamentalistes religieux).

Simenon n'a pas attendu que l'abcès éclate[39] pour restaurer la légitimité des zones méprisées et délaissées par le discours en place. Toutefois, ce qui prive sa prose d'un ineffable prestige, auprès de l'intelligentsia, c'est qu'elle resserre les liens entre l'instinct et le lieu commun alors qu'elle aurait pu éclater avec la brutalité de l'inacceptable.

Par vocation, dirait-on, Simenon donne l'impression d'effleurer l'universel, entre autres par la voie habituellement réprimée des sens, et cela, en partie grâce à son médiateur : Maigret.

Qui lui reprochera d'apprivoiser dans les limites recevables le refoulé individuel et collectif ? Quelque pisse-froid, chagriné par la démocratisation de la lecture ? Il est vrai que des millions de lecteurs aux quatre coins du globe prennent désormais le temps de se régénérer à ces sources élémentaires, qui font partie intégrante de notre réalité interne, bien plus que n'importe quelle élaboration conceptuelle, et que cela dérange.

*

Gros, grand, lourd, massif, pesant, large, épais, solide, voilà quelques adjectifs couramment attribués à Maigret. Tout ce lexique descriptif ressassé d'épisode en épisode nous ramène aux traits

39. *Il commence seulement à percer, préfigurant sans doute les débats à venir sur la nécessité d'une « Renaissance culturelle ».*

pertinents dont Simenon se sert pour imposer aux lecteurs comme aux protagonistes de ses histoires la *présence* de son héros.

Que Maigret circule beaucoup à travers le texte, occupant les pages comme peu en seraient capables, ne suffit pas à en épuiser les ressources : son épaisseur nourrit l'intrigue au point de la gratifier d'une sorte de présence en trois dimensions, elle-même liée à trois qualités foncières : le volume, la pesanteur et l'opacité.

Le volume

Quel meurtrier niera que Maigret prend de la place ? Que sa contenance est proportionnelle à la progression de l'enquête ? Lorsque son volume, peu à peu accru par le poids de ses découvertes, investit l'espace et que le champ symbolique s'en trouve vituellement saturé, c'est que l'issue est proche. Auparavant, il se sera peu à peu imposé à la reconnaissance de tous parmi lesquels le criminel (*La Tête d'un homme*), les notables (*Le Chien jaune*), la justice (*La Tête d'un homme*) et le lecteur. Le coupable, au contraire, se résorbe, rapetisse, s'amoindrit comme si sa contenance, en fuite, était transfusée sous le manteau de Maigret.

Plongé dans un milieu hostile — la bourgeoisie plus souvent que la pègre —, le fils de paysan, tel un coq inquiet face à un danger imprécis, adopte une attitude sourdement menaçante sur le modèle des expressions sommaires mais efficaces du monde animal (la découverte, l'intimidation et le combat proprement dit). Pour ce faire, le volumineux Maigret déploie son épaisse silhouette, ce mur inquiétant et de plus en plus obsédant contre lequel le coupable, tout à la fois affolé et attiré, finira forcément par se jeter.

La pesanteur

Maigret occupe le terrain avec une lourdeur pachydermique collant bien avec sa nature. Une fois que l'affaire est mise en branle, Maigret se charge d'atmosphère, comme un aimant, par les vertus de l'attraction. Et cette pesanteur affecte l'homme tout entier, frappant l'esprit (disparition de l'activité cérébrale) au même titre que le corps (digestion ralentie, chaleurs sournoises, maux de dents, sommeil agité...) ou le comportement (mauvaise humeur, allure bourrue...) au point qu'il ressent de la gêne, des contrariétés, qu'il se sent mal dans sa peau.

L'acheminement vers le vrai, seule issue pour échapper à la gravitation, l'allégera-t-elle ? Sans conteste, si le coupable se range dans le groupe des adultes malfaisants, moins franchement s'il a gardé en lui une part d'innocence enfantine. Dans ce cas, la gravité se verra remplacée par une sourde insatisfaction.

L'opacité

Quant à l'opacité, nous la retrouvons, pour des raisons stratégiques et typologiques, continûment du début à la fin du récit. Au contraire d'un Sherlock Holmes ou d'un Hercule Poirot qui naviguent dans un univers plutôt bon chic bon genre, Maigret s'active dans un monde peu ragoûtant, nauséeux, à l'intelligibilité équivoque et embrouillée. Pourtant, le policier se tire de l'embarras grâce à un processus d'osmose avec les êtres et le décor.

Par contre, sous l'emprise d'un Maigret bougon et incompréhensible, les suspects en arrivent nécessairement à se fracasser contre un roc indestructible. Comme un minéral possède la faculté d'absorber la lumière sans jamais rien laisser transpirer, Maigret arbore cette impassibilité bovine, cette apparente indifférence, cette consistance suffisamment souple pour supporter n'importe quel imprévu — dont l'agression (qu'une balle pénètre dans sa chair — cf. *Pietr le Letton* ou *Le Fou de Bergerac* — et rien ne sera abîmé de vital : il lui sera même loisible de poursuivre ses recherches, reclus, dans une chambre d'hôtel). Et cette opacité poussée jusqu'aux frontières du monstrueux conduit toujours le suspect à craquer, à se décomposer, à perdre sa contenance, à opérer une mutation de nature à tout faire basculer dans sa vie. De suspect, le personnage devient coupable, en même temps qu'il passe de la dureté à la mollesse, de la fermeture à la transparence, du mensonge à l'aveu. Un véritable changement de statut, une révolution plus qu'une simple démission et qui restitue l'être à sa virginité originelle.

Le coupable n'a pas résisté aux deux manifestations les plus tangibles de cette opacité : le regard glauque, un peu trop fixe et le silence minéral, lourd de sous-entendus. Le point commun entre ces comportements, fruits de sa nature protéiforme, tient dans leur *inexpressivité totale*.

L'on voit quelle efficacité Maigret déploie quand le non-verbal est en jeu. Ce qui compte, ce sont moins les paroles que les attitudes, et plus largement, l'immense réservoir du non-dit, tous ces signes non verbaux porteurs d'émotions, par lesquels sont transmises une gamme infinie de significations élémentaires, du malaise à l'agressivité, de la peur au dégoût, de l'attrait au désir proprement dit.

Toute cette floraison de signes dits secondaires et, en tout cas, perdus pour le tout-venant alors qu'ils composent un champ d'investigation très riche, Maigret les capte et les intègre dans le portrait mental qu'il trace des suspects. Son plan d'attaque s'avère redoutable autant qu'habile. Il consiste, dans la mesure du possible, à détourner sa propre attention du verbe, trop civilisé pour livrer quoi que ce soit de primordial, au bénéfice des à-côtés de l'expression ignorés par l'éducation. Tout cet univers de regards, de crispations musculaires, de bouffées de chaleur, de tremblements nerveux, d'agitations diverses..., ces entrées royales, pourtant mal défendues, font le régal de Maigret, d'autant plus que lui-même, par ses silences et ses regards, parvient à éviter toute émission de signes parasites. Et le paradoxe veut que cette impassibilité acquière, aux yeux du coupable, une telle force qu'il finit par perdre toute contenance et par dévoiler le contenu de son âme.

Ces traits paralinguistiques, inclus dans l'espace indéfini des sensations, procèdent de l'élémentaire : bien que perceptibles, ils ne sont pas explicitement codés. Or, tout ce qui fait la force suggestive de Maigret dans ses rapports avec les hommes a trait à l'*élémentaire*, au *non-codé* et au *non-verbal*.

Le contenu de cette réserve est évocateur (puisqu'il se trouve en prise sur notre primitivité) et inépuisable (puisqu'il n'est pas codé), ce qui laisse toute latitude à Simenon, y compris celle de louvoyer entre les poncifs éculés. C'est ce mariage contre nature qui concourt à faire de Maigret ce qu'il est devenu : un mythe moderne.

La structure des Maigret

Dans son article « Simenon et la déviance[40] », Jacques Dubois détaille magistralement la structure narrative des romans « durs » composés entre 1934 et 1948. Elle peut s'abstraire en six points :

40. J. Dubois, « Simenon et la déviance », art. cit.

— à la faveur d'un événement, le héros rompt avec ses habitudes, ses fonctions et les normes de son milieu ;

— sa rupture est consacrée par un crime ;

— il connaît l'évasion, l'aventure et un certain envers des choses dans un milieu trouble ;

— sa libération est consacrée par une rédemption ;

— il échoue, soit qu'il devienne fou, soit qu'il revienne au départ avec une impression de néant ;

— toutefois le héros a conquis, en cours d'expérience, une sorte de lucidité et il a dressé un bilan de soi.

Et dans les *Maigret*, comment les étapes narratives s'enchaînent-elles ? En dépit de son évolution et de sa diversité — certains, par exemple, jugent opportun de séparer la période Fayard et la période des Presses de la Cité — cette série, riche de soixante-seize romans et de vingt-trois contes ou nouvelles, présente une structure narrative comprenant cinq étapes spécifiques : l'affaire, l'éponge, la rumination, la révélation ou l'expulsion, et la vérification de l'hypothèse.

L'affaire

Une mort (au moins !), une énigme, une enquête : Simenon ne déroge pas aux règles en vigueur dans le roman policier. La première étape n'offre dès lors aucune réelle surprise narrative. Tout au plus quelques variations à l'intérieur du moule préétabli contribueront-elles à distinguer Maigret de ses nombreux confrères.

Alors que le détective classique bâtit sa réputation sur des crimes quasi inexplicables, Maigret plonge dans la foule, attentif à l'entraîneuse comme au rond-de-cuir, au cours d'enquêtes dignes de la rubrique des faits divers : à ses yeux, le forfait, quel qu'il soit, importe moins que l'état de crise dont témoigne son exécution. D'ailleurs, il n'est pas rare qu'un décalage entre le crime et l'attitude distante de Maigret suscite un malaise durant les premières pages. Sa fonction policière et narrative a beau le contraindre à pourchasser le criminel, Maigret pose un préalable à sa mission sociale : celui de nouer un lien avec le meurtrier ou avec sa victime afin de se sentir concerné par l'affaire. Baigné de sympathie, ce lien où se côtoient l'élan humanitaire et l'appropriation narcissique encourage diverses attitudes typiquement simenoniennes : l'identification avec la victime (*Liberty-Bar*), le sentiment de culpabilité (*Le Pendu de Saint-Pholien*), la soumission filiale (*Maigret se fâche*) et surtout le réflexe de paternité (*Maigret*, *Maigret à New York*, *Le Revolver de Maigret*, *Maigret et la jeune morte*...).

Une fois de plus, Simenon prouve combien les valeurs prônées par le corps social servent de prétexte à une rencontre, à une mise à nu et à une reconquête de l'image paternelle. L'absolue nécessité d'être *reconnu* en tant que commissaire par la communauté, en tant que confesseur par le coupable et en tant que père par tout un chacun devient un enjeu paradoxal de sa quête en même temps que le gage de sa réussite.

L'éponge

Plongé dans un milieu nouveau, hostile, avec des protagonistes dont il ignore tout, Maigret s'applique à sentir, à flairer, à renifler, à absorber décor et personnages sans appui analytique ni traduction conceptuelle. Au lieu de procéder en force sur le terrain miné du roman à énigme, ce fils de la terre se base sur l'arsenal d'intuition et sur l'instinct.

Ce retour aux zones obscures et primitives de la perception dissimule une triple métaphore dont Simenon use avec un art consommé de l'alternance. Au mépris des apparences, il insiste en effet sur le caractère élémentaire d'une méthode dont la description s'inspire largement de références à l'animalité, à la révélation photographique et à la digestion, elle-même subdivisée en absorption (l'éponge), en digestion (la rumination) et en expulsion (la révélation).

En face de l'inconnu, Maigret parvient à faire le vide en lui, sans préjugés ni défenses quelconques, pour renifler et déglutir l'essence d'un milieu et des êtres qui le composent. Et sa force réside précisément dans sa disponibilité pour aspirer les indices et flairer l'élémentaire psychologique et social grâce auquel il pourra remonter à cet homme blessé que le destin a conduit au meurtre. Comme par miracle, tous les obstacles qui se dressent habituellement entre le monde et son intériorité s'effacent au profit d'une transparence accueillante : Maigret aspire la vie et s'en gonfle comme une éponge.

La rumination

Quand le commissaire Maigret a absorbé une quantité d'impressions, tout un fouillis d'images, de phrases prononcées, de mots plus ou moins importants, de regards surpris dont il ignore le sens, survient une période plus ou moins longue de flottement pendant laquelle il a l'air de ruminer. On le sent mal à l'aise, comme victime d'une digestion difficile. Ses proches savent qu'il vaut mieux ne pas lui poser de questions ni le fixer d'un œil interrogateur car il devient volontiers bougon et contracté. En somme, il extrait de la bouillie d'impressions les substances indispensables à la compréhension de l'énigme. Après avoir absorbé le monde et les hommes, Maigret s'isole, s'enferme, entre en régression (en « transe », en « crise »), accomplit une mystérieuse alchimie qui ne laisse rien transparaître, hormis des humeurs. Toute son énergie se concentre sur la digestion d'une matière brute, sur la révélation d'indices pertinents et sur la mise en ordre du chaos narratif.

La révélation ou l'expulsion

Seule l'intuition du mystère et l'évacuation de la vérité le soulagent définitivement du poids de l'enquête. Le vide de départ est comblé par un salmigondis d'images qui affluent dans le désordre et la confusion. Au fur et à mesure que l'enquête progresse, certaines lignes, certains volumes, certaines couleurs se détachent sur le fond brouillardeux et remplissent peu à peu les blancs du récit avant que le film des événements se déroule sur la toile intérieure. Ce retour à la clarté et à l'ordre entraîne la reconstitution des heures, des jours, des années précédant la crise. Toute l'affaire devient limpide. Et Maigret, exorcisé par ses découvertes, profite de cette trêve pour reprendre son souffle, vaquer à ses occupations habituelles ou même s'offrir quelque menu plaisir comme le restaurant ou le cinéma.

La vérification de l'hypothèse

Maigret sent le coupable : cela compte-il parmi les arguments probants qu'avancerait une cour de justice ? Encore faudrait-il que l'aveu confirme l'intuition et que le lecteur y trouve son compte. On comprend dès lors que les *Maigret* s'achèvent souvent par une confrontation avec le suspect. D'habitude le bureau du quai des

Orfèvres est le théâtre de ces interrogatoires enfumés où un commissaire tendu à l'extrême soumet son adversaire au rituel de la bière et des sandwiches. Menaçant, lourd de colère concentrée, Maigret arrache les aveux, parfois jusqu'au petit matin. Au cours de cet interminable tête-à-tête, une sorte de compréhension s'établit entre les partenaires : lequel a le plus besoin de l'autre ? Si le coupable se débarrasse de son passé et de sa faute, Maigret, à la fois médecin et confesseur, assure sa rédemption sans porter de jugement mais en réaffirmant sa puissance paternelle. Alors, dans la lumière froide de l'aube, plus souvent écœuré que satisfait, il se dresse, la bouche pâteuse, marche vers la fenêtre ruisselante avec la conscience du devoir accompli.

Dès ce moment, les pitres du barreau peuvent jouer leur comédie en noir et blanc et les gros titres s'étaler à la une des gazettes du soir, Maigret retourne cultiver son jardin, aux côtés de Louise, entre le plat mijoté et la partie de pêche[41].

41. Observons que ces structures répétitives possèdent une respiration propre, faite de contractions (c-e) et de détentes (a-b-d). Dans chaque enquête, Simenon accentue l'importance d'un champ métaphorique mais rarement au détriment des autres. L'harmonie rhétorique puise ses racines dans une disparité équilibrée par la technique stylistique.

Les romans de la destinée

Peu de temps après son entrée à la *Gazette de Liège*, Simenon, alias Monsieur Lecocq, se voit confier la rédaction d'un billet d'humeur intitulé « En ville », « Hors du poulailler » et par la suite : « En ville... Causons ». Ailleurs, sous les faits divers, les interviews ou les rubriques culturelles, celui qui porte un imperméable, un chapeau rabattu sur le front, et qui fume une courte pipe en l'honneur de Rouletabille, signe Georges Sim. Un pseudonyme qu'il gardera pour *Au pont des Arches*, son premier roman, les « Lettres à une petite bourgeoise », parues dans *Noss'Pèron*, et « Le compotier tiède », son premier texte littéraire destiné à *La Revue Sincère*.

En décembre 1922, le jeune Liégeois débarque à la gare du Nord, une valise de carton bouilli à la main. Il aura vingt ans dans trois mois. Il s'accorde dix ans pour réussir.

L'écrivain et journaliste Binet-Valmer l'engage sur recommandation comme garçon de courses dans sa ligue patriotique d'anciens combattants. Toute la journée, aspirant Paris par tous les pores, le petit Sim porte des plis aux hommes politiques célèbres et des communiqués de presse aux rédacteurs en chef des quarante-cinq quotidiens de la place.

En 1923, marié depuis peu à Régine Renchon (Tigy) rencontrée à la Caque[1], il passe en qualité de secrétaire au service de l'un des

1. La Caque : groupe de jeunes artistes liégeois (écrivains, peintres, musiciens, philosophes en herbe) qui se réunissaient de 1917 à 1922 derrière l'église Saint-Pholien, impasse de la Houpe.

hommes les plus riches de France, propriétaire de cinq ou six châteaux et d'un journal, *L'Echo du Centre* (Nevers).

Le marquis de Tracy délaisse la capitale au profit de la province, avec ses hobereaux, ses parties de chasse et ses réceptions au coin de l'âtre. En sa compagnie, Simenon découvre le monde et, sous le manteau, entre 1923 et 1936, il produit des petits contes destinés aux feuilles galantes de l'époque : *Sans Gêne*, *Paris-Flirt*, *Gens qui rient*, *Le Sourire*... Ainsi qu'au *Matin* où, dès 1924, Colette, élevée au statut de directrice littéraire par son mari et patron, Henri de Jouvenel, accueille sa *Petite Idole*.

La même année, le succès aidant, Simenon prend ses quartiers au rez-de-chaussée du 21, place des Vosges.

Commence une autre période, celle des deux cent douze romans populaires rédigés entre 1924 et 1934 pour les « petites cousettes et les jeunes vendeuses ». Le premier, *Le Roman d'une dactylo*, signé Jean du Perry, est composé en une matinée à la terrasse d'une brasserie, place Constantin-Pecqueur.

Simenon travaille d'arrache-pied, à raison certains jours de quatre-vingts pages dactylographiées. Il passe l'été à Etretat ou à Porquerolles et l'hiver à Paris, où le Tout-Montparnasse des Années folles, Joséphine Baker, Foujita, Kisling, Colin, Pascin, Derain, Picasso... l'accueille à bras ouverts pour fêter son ascension.

Orgies et liaisons n'y font rien : dès l'aube, enjambant les corps emmêlés par l'alcool et le stupre, Simenon gagne sa machine à écrire. *Le Merle blanc*, *Froufrou*... attendent ses contes et ses nouvelles ; Ferenczi, Tallandier, Prima... ses romans d'amour, d'érotisme et d'aventure, le tout payé à raison de mille francs les dix mille lignes.

Eugène Merle lui propose cinquante mille francs de l'époque pour écrire un roman en trois jours et trois nuits, enfermé dans une cage de verre, sur la plate-forme du Moulin-Rouge. Contrairement à la légende, l'exploit n'aura pas lieu.

Simenon a six éditeurs et vingt-sept pseudonymes. Jolie collection de masques pour un mercenaire à la solde du grand public et des marchands de papier.

> « Et j'avais besoin, pour garder la tête haute, de me répéter que Balzac et quelques autres avaient débuté de la même façon[2]. »

Pourquoi cette honte ? Simenon se divertit en flattant une clientèle acquise d'avance, la jeunesse boutonneuse, en mal d'escapades, et le petit trottin fleurant l'eau de rose. Le caméléon répète ses gammes à coups de recettes édulcorées au mépris de l'art. Sans plus. Et la profusion de pseudonymes le protège en même temps qu'elle dissimule sa véritable identité aux hommes de lettres, critiques ou écrivains. Car Simenon se cache derrière une activité débordante, partagé entre la nécessité de gâcher du plâtre, le besoin de gagner sa vie et la honte de faire dans la guimauve.

Pour l'heure, il n'est personne à force de vouloir être tout le monde. Sa capacité de réduire l'ambition à la demande, sa soumission aux goûts communs, son adaptation à tous les stéréotypes laissent à penser qu'il ne se sent pas encore de taille à empoigner ses fantômes par le col.

Le contenu importe moins que la technique. D'ailleurs les personnages découpés à la hache, tout en apparences pâlichonnes, ne sont que des figures de papier soumises aux caprices du genre et aux humeurs du jour.

Cependant, force est d'admettre que ces années d'apprentissage, au contraire de l'encroûter dans la facilité, malgré le rythme taylorien de sa production, lui ont insufflé le sens de la composition, la maîtrise des dialogues, l'efficacité narrative et le goût de l'évocation concrète.

En juillet 1931, les *Maigret*, lancés à grand renfort de publicité, connaissent un véritable triomphe. Les estivants attendent ses dédicaces à la terrasse du bar du Soleil à Deauville, Jean Renoir veut lui acheter les droits cinématographiques de *La Nuit du carrefour*, l'éditeur Mondadori signe un contrat de traduction pour l'Italie, et Fayard, euphorisé par la réussite, consent à porter sur les fonts baptismaux les petits derniers, pourtant dépourvus d'énigmes solides et de vedette principale. *Le Relais d'Alsace*, *Le Passager du ''Polarlys''*, *La Maison du Canal*... poussent Simenon dans l'anti-

2. *Claude Menguy, « Le pari de Georges Sim », dossier Simenon in* Magazine littéraire, *n° 107, Paris, décembre 1975, p. 28.*

chambre des belles-lettres. Il faudra attendre la « joyeuse entrée » dans le club Gallimard, en 1935, pour que la critique et la littérature, par les bouches des deux André — Gide et Thérive — lui accordent insignes et passe-droits. Son impact va croissant. Les trompettes de la renommée sonnent de Tombouctou à Tokyo en passant par Cordoba. Editions, rééditions, adaptations cinématographiques, traductions pullulent, au grand dam des pisse-vinaigre. Ecrivain ? Mérite-t-il vraiment ce titre envié ? A-t-il le droit de s'asseoir à la table Gallimard parmi la fine fleur de l'intelligentsia française ? Pour tout dire, l'ami des vedettes de music-hall et des strip-teaseuses ne s'y sent pas à sa place. Sur sa carte d'identité, à la rubrique profession, figure le mot *romancier*. Ni plus ni moins : raconteur d'histoires, inventeur d'univers, forgeur d'atmosphères, à l'abri des intrigues salonnardes et des querelles de clochers, à mille lieues aussi des secousses mondiales, conflits armés, soubresauts révolutionnaires ou catastrophes naturelles.

Hormis dans certains reportages (« L'heure du nègre[3] » se termine par cette phrase : « Oui, l'Afrique vous dit merde et c'est bien fait... »), sa vision du monde tient en une formule : « Rester en dehors ». A toute force préserver une indépendance jalouse, de manière à favoriser la *quête* de l'homme éternel, en tête à tête avec son destin, débarrassé de toute contingence historique et dénudé jusqu'au vif de sa blessure.

Simenon, un André Citroën de la littérature ?

La fascination si troublante que Simenon exerce sur des milliers de lecteurs trouve ses origines en partie dans une des caractéristiques du roman populaire : la composition en série. On ne peut concevoir une production tellement volumineuse en aussi peu de temps et à intervalles aussi brefs, sans l'appui d'une stratégie. Quel démiurge aurait assez de souffle pour ne sacrifier qu'à l'invention exclusive de formes et de structures nouvelles ? A fortiori lorsqu'elles s'appliquent à une production sérielle, les recettes en vigueur pour l'assemblage d'un récit prévoient plus de constantes

3. *« L'heure du nègre » in* A la recherche de l'homme nu, *coll. 10/18, 1976.*

que de variables, dans la construction narrative, le traitement des décors, la description des personnages ou la manière d'écrire. La nature, la disposition et l'agencement de tous ces ingrédients permettront à l'artiste d'imposer sa marque de fabrication et, qui sait, de lancer sur orbite quelque héros d'envergure (Arsène Lupin, Fantômas, Rouletabille, Sherlock Holmes, Hercule Poirot, Nestor Burma...).

Ces principes immortels revêtent, dans le cas de Simenon, une dimension hors du commun. En effet, plus que tout autre écrivain réaliste, comme Balzac, ou naturaliste, comme Zola, Simenon puise dans les techniques populaires pour étayer ses créations romanesques. Ce rénovateur des genres à poncifs a le génie d'échafauder, au fil de ses publications, un système parfaitement cohérent qui s'enracine dans le réseau des constantes stylistiques, symboliques, thématiques, narratives et autres, et de les inscrire chacune dans une harmonie combinatoire jusqu'à ce qu'émerge un tout significatif : *l'univers Simenon*.

La suppression des variables et l'addition des constantes permet d'entrevoir, par-delà chaque histoire particulière, l'existence d'une *matrice originelle* au sein de laquelle, inlassablement, Simenon grapillerait, peut-être sans s'en rendre compte, la matière vive de son œuvre. Il convient d'insister : toutes les strates du récit, de la plus discrète à la plus criarde, sont habitées par une cohérence intime qui rejaillit, grâce au jeu des correspondances, sur le livre et, par-delà, sur l'œuvre tout entière.

Il existe un code Simenon adapté aux différentes exigences d'un récit. Et ce code se profile dans un paysage familier mais touffu et que traverse une ligne de force : la quête plus souvent ratée que réussie de son identité, en relation avec une double trajectoire qui superpose la fuite de l'univers symbolique maternel et la recherche de l'univers symbolique paternel. *Pedigree*[4], le texte charnière de Simenon, serait, sous une forme partielle, délayée et incomplète,

4. Pedigree *constitue une mise en forme littéraire de la jeunesse de Georges Simenon. Il importe peu de savoir si sa version respecte la réalité, car l'idée de matrice originelle s'inscrit dans l'espace de la représentation et non dans celui de la biographie.*

la *représentation* de cette matrice originelle[5] dont les différentes phases symboliques se détailleraient comme suit.

La matrice originelle

L'univers maternel

Première phase : équilibre apparent entre le héros et l'univers maternel qui régit son existence et l'étouffe.

Deuxième phase : rupture entre le héros et l'univers maternel, par le biais d'une fuite et/ou d'un combat destinés autant à libérer qu'à attirer l'attention.

Troisième phase : dénouement à combinaisons.

Soit le héros échoue dans sa lutte contre l'univers maternel. Dans la majorité des cas, ces échecs conduisent à son autodestruction mentale et physique. Mais il arrive néanmoins que la reconnaissance maternelle de son statut d'homme (père ou fils) lui accorde un certain bien-être.

Soit le héros réussit dans sa lutte contre l'univers maternel, auquel cas les portes de l'univers paternel lui sont ouvertes.

L'univers paternel

Première phase : déséquilibre entre la conscience du héros et l'une des trois fonctions qui représentent la masculinité (père, fils ou compagnon).

Deuxième phase : conquête de l'univers paternel envisagé comme lieu de résolution des conflits intérieurs et de réconciliation avec soi-même, avec les autres et avec l'univers tout entier.

Troisième phase : dénouement à combinaisons.

Soit le héros échoue dans la conquête de l'univers paternel. Dans la majorité des cas, ces échecs conduisent à son autodestruction mentale et/ou physique.

Soit le héros réussit, ce qui lui ouvre les portes de la plénitude.

Cette nomenclature narrative, issue de la matrice originelle,

5. *Partielle car les phases ayant trait à l'univers paternel n'y sont pas explicitées.* Pedigree *demeure en effet un récit largement dominé par l'image maternelle. Incomplète, car certaines constantes apparaissent dans d'autres œuvres, sans se retrouver dans* Pedigree. *Remarquons que, dans certaines œuvres comme* La Marie du port *ou* La Maison du Canal, *Simenon procède à un changement de point de vue, déplaçant le centre d'intérêt du récit sur le personnage féminin. Dans ce cas, le schéma originel doit être appliqué à leurs victimes, les personnages masculins (Fred et Jef Van Elst, par exemple).*

prétend couvrir l'œuvre dans sa *perspective évolutive*. Qu'elle ne se retrouve pas toujours telle quelle dans chaque volume n'étonnera personne. Rares sont en effet les textes ou les séquences de refus de l'univers maternel et de recherche de l'univers paternel s'additionnant strictement l'une à l'autre. En règle générale, les périodes Fayard et Gallimard insistent davantage sur le pôle maternel (premier schéma) et ce, grosso modo, jusqu'à la naissance, au cours de la Seconde Guerre mondiale, de *Pedigree*. Dès son entrée aux Presses de la Cité, Simenon se met à taquiner plus souvent le pôle paternel (second schéma), ce qui n'exclut d'ailleurs pas de fréquents retours à la mère. Le changement réside dans l'appréhension globale de la problématique familiale qui élargit son champ d'exploitation et en approfondit l'exploration.

Dès lors, la répétition stricte d'un même canevas se double d'une timide poussée en direction de l'eldorado paternel, comme si l'œuvre, embourbée dans les chemins creux à force de patiner, progressait malgré tout, centimètre par centimètre, se mettait en travers, dérapait, accrochait une aspérité avant de remonter sur une portion solide, de poursuivre sa route cahin-caha et de verser à nouveau dans une ornière en faisant gicler la boue des origines.

Des années plus tard, cette soif déchirante débouchera sur une expulsion hors de la caverne maternelle et sur une occupation des territoires paternels, plus précisément sur l'acceptation de soi-même et des autres, par le biais de la reconnaissance psychologique et sociale, et sur une sérénité faite de détachement, de retour à l'enfance et d'harmonie avec le monde. (Cf. *Les Dictées*.)

Dès lors, il deviendrait possible de classer les œuvres en trois catégories : les œuvres maternelles, les œuvres paternelles et celles qui combinent ces deux univers symboliques.

Bien entendu, les mêmes constantes ne se répètent pas chacune, telles quelles, de livre en livre. Le motif des cloches, par exemple, ces rappels de l'innocence enfantine, ne résonne pas dans *Le Coup de Lune* ou dans *Quartier nègre*, mais il joue un rôle primordial dans *Les Anneaux de Bicêtre* ou dans *Le Petit Saint*. Celui du miroir ponctue les évolutions psychologiques de Hans Kupérus dans *L'Assassin*, ou de Kees Popinga dans *L'homme qui regardait passer les trains*, mais il se montre discret dans *La Maison du Canal* ou dans *L'Enterrement de Monsieur Bouvet*.

On le voit, les immenses facultés créatrices et la richesse de son univers intérieur permettent à Simenon d'opérer parmi les motifs une sélection adaptée à chaque situation, d'en maquiller les contours et de les agencer en fonction des circonstances. En sorte qu'aucune histoire n'apparaît comme la copie des précédentes. On parlera plutôt de variations sur un moule originel (les schémas décrits ci-avant), d'éternel retour savamment grimé par les touches d'une palette somptueuse. On ajoutera que Simenon étoffe ces variations à l'aide de motifs originaux et variés ayant trait, par exemple, aux décors, aux habitudes des personnages, à la structuration du temps et de l'espace : sur le tronc des *variations narratives* se greffe un système de *distribution de motifs*, qui s'applique à la partie descriptive du récit.

Ce double système de *saturation* confère à la lecture une dimension supplémentaire. Dans le meilleur des cas, ce qui surgit sous les yeux du lecteur, ce n'est pas seulement le texte dont il est en train de décrypter les significations, ce sont tous les autres récits déjà lus — *familiers* — et, en définitive, quand la somme des constantes croise la logique de l'ensemble et que les effets sériels et distributifs se sont imposés à la conscience, la *matrice originelle*. Chaque partie fait écho au tout, et inversement. Au plaisir dynamique qui résulte de la progression et de la variété des histoires, s'ajoute la jouissance de trébucher sur les mêmes nœuds symboliques. Les pages s'enlisent, s'enfoncent toujours au même endroit, dans le suintant et l'humide, au lieu d'avancer. Ce retour aux mêmes gouffres prend à l'évidence un tour obsessionnel, quasi maladif. Pénétration sans éclat des viscosités de l'inconscient, immersion glaireuse entre les figures tutélaires du père et de la mère, dérive morne au pays de l'enfance, tentative toujours réitérée mais inaboutie de nommer les composantes du conflit qui l'étouffe, l'œuvre de Simenon patine au-dessus du vide. Plus qu'aucun autre aspect dynamique, n'est-ce pas ce bégaiement huileux qui façonne ce climat poétique qu'on a appelé l'atmosphère Simenon ? Et qui procure la satisfaction sans artifice de noyer son intimité dans un bain d'universalité, la joie de côtoyer un univers familier, de partager un même regard sur l'homme nu et la faculté ambiguë de régresser, sous surveillance, vers les vases écœurantes de son propre inconscient ?

*

> « Je me souviens que les critiques me demandaient déjà, avant la guerre : ''Quand écrirez-vous votre premier grand roman ?'' Je leur ai répondu : ''Je ne crois pas que j'écrirai vraiment un grand roman ; mon plus grand roman, ce sera la mosaïque de tous mes petits romans[6]. »

Trop de lecteurs avertis, même proches de l'œuvre, regrettent au détour d'une conversation (plutôt que d'un écrit, comme si le simple fait de poser la question s'assimilait à une trahison) que Simenon, par manque de désir, de temps ou de moyens, n'ait pas assuré son immortalité à coups de monuments comparables à la *Recherche du temps perdu* ou au *Voyage au bout de la nuit*. Ont-ils tort ? Ont-ils raison ? Céline admirait *Les Pitard* ; Gide et Mambrino décrivent, dans leurs correspondances, bien des éblouissements ; Miller, Maugham, Elliot lui vouaient une admiration sincère, sans compter les millions de fanatiques anonymes qui consacrent leur temps à sa prose plus qu'à aucune autre.

Quoi qu'il en soit, cette façon tranquille de souligner la pérennité de l'ensemble sur l'unique permet, à la lumière des paragraphes précédents, de circonscrire un aspect vertébral du système Simenon. En effet, dès l'instant où l'idée de matrice originelle agit comme un révélateur, la mosaïque gagne en cohérence et s'organise en lignes de force.

Toute l'aventure régressive et libératrice que Simenon met en scène au cours de son interminable carrière littéraire trouve sa raison d'être dans cette trajectoire originelle nourrie d'allusions œdipiennes. Le goût des origines, comme l'enfance et la nature, la remise en cause des interdits et des conventions établies, les attitudes déviantes et provocatrices, le recours à la veulerie et à l'abjection, le désir de fusion avec le monde, la frénésie sexuelle, l'attrait du

6. *Henri-Charles Tauxe in* Georges Simenon, de l'humain au vide, *éd. Buchet-Chastel, Paris, 1983, p. 164.*

vide et de l'autodestruction, l'impossibilité de communiquer, les manifestations psychosomatiques telles les angoisses et les crises nerveuses, sont les masques d'un même trouble, qu'il convient d'étudier en rapport avec les univers paternel et surtout maternel.

Tout homme n'aspire-t-il pas au bonheur ? Simenon nous enseigne que seules, face à soi-même, à sa famille et à la société, la quête du regard qui nous fera exister (l'amour, ou plutôt la *reconnaissance*), la faculté de dire « je » sans contraintes (*l'autonomie*, la liberté) et l'absence de passions, de souffrances (*la paix*, l'équilibre), sont les garants éternels de la plénitude et de *l'intégration* dans la famille, le milieu social et l'univers.

Les constantes principales[7]

Le style

Usage presque exclusif de tournures et de mots concrets, « creux » ou généraux.

Recours à des associations de mots ou à des expressions typiques comme « chair drue », « Pickwick bar », « petite fille », « vélo nickelé », « volets verts », « être à sa place », « parler d'égal à égal », « devenir un homme », « prendre le frais »...

Utilisation fréquente des champs sémantiques de la maladie (en relation avec les désordres psychologique et social), des liquides visqueux, collants, moites (liés d'habitude aux conditions atmosphériques, pluie ou chaleur), de la faune (souvent aquatique)...

Emploi caractéristique de l'imparfait, en lieu et place du passé simple (afin d'inscrire sa prose dans une durée).

Mise en forme de phrases courtes, agencées logiquement et ponctuées d'exclamations ou de suspensions, et plus largement, d'une écriture descriptive très efficace, car saturée d'informations indispensables à la création de son climat poétique.

Les motifs

L'amour dans les encoignures de porte (*Lettre à mon juge*), la demi-nudité féminine sous le peignoir entrouvert (*Le Coup de Lune*), les

7. *Les titres cités ici ne sont évidemment que des exemples.*

états entre veille et sommeil (*Le Petit Saint*), les douleurs voluptueuses, particulièrement dentaires (*L'Ane-Rouge*), les enfants rêveurs qui n'écoutent pas le maître (*Le Petit Saint*), les casseroles qui bouillent sur le feu pour faire croire à la richesse du ménage (*Pedigree*), les vagues tièdes du poêle (*Les Demoiselles de Concarneau*), les enfants de chœur (*Les Complices*), les maux de pied féminins (*Au bout du rouleau*), les aquariums (*Le Cercle des Mahé*), les femmes sans culotte (*Le Temps d'Anaïs*), les taches d'ombre et de lumière (*Touriste de bananes)*, la mer (*Le Cercle des Mahé*), la main qui traîne dans l'eau (*Feux rouges*)[8]...

Les thèmes

L'incommunicabilité (*Le Chat*), la solitude (*L'Homme au petit chien*), la soumission aux codes sociaux (*Le Petit Saint*) et leur contestation (*L'homme qui regardait passer les trains*), la déviance (*L'Assassin*), la confrontation entre la mère et le fils (*Le Locataire*) ou entre le père et le fils (*Le Destin des Malou*), l'étrangeté face au réel (*Les Anneaux de Bicêtre*) ou le désir de fusion avec le réel (*La Fuite de Monsieur Monde*), l'abjection (*La neige était sale*), la maladie (*La Porte*), l'alcoolisme (*Le Fond de la bouteille*), le déclassement (*Touriste de bananes...*), le clan (*Le Clan des Ostendais*), l'évasion (*L'Enterrement de Monsieur Bouvet*), la culpabilité (*Les Volets verts*), la création du couple (*Le Blanc à lunettes*) ou sa dislocation (*Quartier nègre*), l'éclatement familial (*Le Destin des Malou*), la sexualité (*Lettre à mon juge*), la justice (*Cour d'assises*), le meurtre (*Le Locataire*), le suicide (*La Porte*), l'immigration (*Le Petit Homme d'Arkhangelsk*), la fuite initiatique (*La Fuite de Monsieur Monde*), le double (*L'Homme de Londres*), l'impuissance (*Au bout du rouleau*)...

Les symboles

Les cloches (*Les Anneaux de Bicêtre*), les miroirs (*L'Assassin*), les conditions atmosphériques soulignant la progression dramatique du récit (*Les Pitard*), les structures sociales appuyant les oppositions spatiales (la ville et les bourgeois, la campagne et les paysans, le port et les marins dans *La Marie du port*), temporelles (Furnes et

8. Jean Manbrino, « Le mot du coffre » in Simenon, *sous la direction de Francis Lacassin et Gilbert Sigaux, éd. Plon, Paris, 1973.*

le présent, Ostende et le futur, Coxyde et le passé, dans *Le Bourgmestre de Furnes*) ou culturelles (les colons en ville, les nègres dans la brousse et les métropolitains en France, dans *Le Coup de Lune*), les personnages présentés en contrepoint et qui préfigurent le destin ou les désirs du héros (Ferdinand Lagre, commandant de marine, dans *Touriste de bananes* ; Félix Marette dans *Pedigree* ; le jeune couple, en face de la prison, dans *La neige était sale*), le jeu figurant le drame en cours (les échecs dans *L'homme qui regardait passer les trains*, les cartes dans *Au bout du rouleau*), le cercle (*Le Cercle des Mahé*), les couleurs (le rouge dans *La Maison du Canal*, la préfiguration (l'épisode du chat, prélude au viol de Sissy, dans *La neige était sale*), le leitmotiv (les paroles du prêtre dans *Les Anneaux de Bicêtre*), l'amorce (le couple qui se soude dans une encoignure de porte, au début de *Lettre à mon juge*), les systèmes d'opposition (l'ombre et la lumière, la semaine et le dimanche, la pluie et le beau temps, le continent et l'océan, la clôture et l'ouverture, l'épouse et la prostituée, le lieu de travail et de débauche, la santé et la maladie, l'amour et la détestation, le pouvoir et la faiblesse morbide[9])...

Les personnages

Une étude approfondie démontrerait que la typologie des personnages chez Simenon s'enracine dans *Pedigree*. Les traits physiques et comportementaux concentrés dans les clans Mamelin et Peters, et plus particulièrement sur Elise Peters, Léopold Peters et Désiré Mamelin, s'éparpillent sur les dizaines de structures familiales que compte l'œuvre entière. Un dénombrement de leurs traits distinctifs, accompagné d'une relecture des romans de la destinée, permettrait d'établir les règles qui président à cette *dispersion allusive* comme le déplacement, le brouillage, la métonymie, tant il est vrai qu'il suffit habituellement d'une caractéristique marquante pour appeler telle ou telle figure originelle, par exemple les images castratrice d'Elise ou autonome de Léopold.

L'espace

Michel Decaudin[10] a montré que « l'occupation de l'espace, par ancrage des lieux-dits — précisions : désignés par leur nom —

9. *Danièle Racelle-Latin, « De* Pedigree *aux romans psychologiques : approche d'une signifiance » in* Lire Simenon, *éd. Labor, Bruxelles, 1980, p. 69.*
10. *Michel Decaudin, « Topographie et imaginaire chez Simenon » in* La Licorne, *n° 12, Troyes, 1986.*

ou par développement de réseaux de rues, est une manière de ressaisissement du domaine de l'enfance, point de fusion s'il en est du vécu et de l'imaginaire ». La topographie simenonienne emprunte à Liège, la ville natale, soit les noms de lieu avec un effacement du plan, soit un brouillage des noms sur un plan bien réel, « comme si les références explicites à Liège et à sa géographie implicite se répondaient, d'un groupe de romans à l'autre ».

L'on pourrait ajouter que la représentation de l'espace intérieur, celui de l'habitation, correspond elle aussi à une logique originelle, avec la cuisine au centre, réchauffée par les vagues étouffantes du poêle (le cœur), et alentour les couloirs, les escaliers gagnés par l'odeur délicieuse des plats mijotés (les artères), qui communiquent avec les autres pièces de la maison (les organes périphériques), notamment dans les étages.

La matrice originelle : Pedigree

La naissance d'Elise Peters est placée sous le signe de la déchéance. Son père, riche commerçant flamand, connaît des revers de fortune provoqués par l'alcool, avant de se suicider. Dernière d'une famille de treize enfants et quelque peu souffreteuse, elle doit émigrer à Liège avec sa mère. Toutes deux connaissent des années difficiles. Sans aucun appui familial, Elise Peters est contrainte de travailler comme vendeuse dans un grand magasin, jusqu'à son mariage avec Désiré Mamelin.

On le constate : toute la destinée d'Elise Peters est minée à la base par une quintuple dégradation : économique (la ruine), morale (le suicide), linguistique (la transplantation), physique (l'asthénie) et familiale (l'éclatement). Et rien dorénavant ne pourra guérir la blessure originelle. Souvent, l'impression de flotter dans le vide, d'accomplir des gestes qui ne correspondent à rien, d'agiter les lèvres pour articuler des sons sans aucune signification, lui procure le vertige. Pourquoi la catastrophe ne s'abattrait-elle pas irrémédiablement sur sa personne ? Le néant la guette, ultime avatar du déclassement, et pour lutter contre sa puissance d'aspiration, pour maquiller ses fractures, pour affaiblir ses démons, il n'est d'autre tactique que de déployer, dans la fébrilité rageuse, une activité débordante.

Le vide que l'humiliation et les privations ont creusé en elle s'accompagne d'un déséquilibre irrépressible et omnivore qui prend généralement les formes de *l'exclusion* et de *l'infériorité*. Ses frères ne la considèrent pas comme une personne normale, ses sœurs la traitent de mendiante, et le clan Mamelin la repousse sans compassion. Il lui a toujours semblé qu'elle subissait un sort à part, qu'elle n'était pas comme une autre, qu'elle se sentait trop petite, trop faible, sans défense, dans un monde qui ne s'occupe pas d'elle, en proie à la peur, humiliée par les nantis et effrayée par ses fantômes.

Chassée par la porte de service, Elise Peters use toute son énergie pour réintégrer le sérail originel par l'entrée de secours. A-t-elle le choix ? La précarité de son état exaspère ses attitudes psychologiques et sociales. Tous ses comportements témoignent de ce qu'un cataclysme lui ravage l'âme au point de la pousser au bord du gouffre : la sensibilité à fleur de peau, la crainte congénitale de déranger et de déchoir, la certitude d'être toujours en faute, l'obsession de maintenir un ordre parfait, la manie de se plaindre pour des futilités, sans compter toutes les manifestations somatiques comme les poussées d'angoisse, les phobies ou les crises d'hystérie.

Les cicatrices affleurent, douloureuses d'être ravivées sous le regard d'autrui. Se désinfecter la conscience à défaut de guérir : Elise Peters pratique le *divertissement*, en franc-tireur de l'esprit, ne fût-ce que pour conjurer le destin. Le libre choix est exclu, elle le sait mieux que quiconque. Néanmoins, quelles que soient les détériorations psychologiques subies au cours de l'enfance, son attitude volontariste, dans l'hypothétique espoir de détourner le cours du vide, cherche à repousser le manque initial et à reconquérir les territoires perdus par une stratégie de *réintégration* et de *reconnaissance*, tant psychologique que sociale.

Elise Peters et le corps social

La peur panique du déclassement et l'insécurité liées à son statut social intermédiaire — toujours en passe de basculer — l'enjoignent d'adhérer de toutes ses forces aux valeurs de sa classe sociale d'adoption : la petite bourgeoisie de type traditionnel[11]. Tout, dans ses façons d'être, indique une dépendance excessive à l'égard du jugement d'autrui. En perpétuelle recherche d'une *contenance*, au mépris de toute intégrité, portée par les nécessités pavloviennes d'être bien considérée et dès lors de réagir positivement aux stimuli des puissants, Elise Peters noue avec les autres des relations on ne peut plus insatisfaisantes et aliénantes. Ses réponses trop attendues à l'examen socioculturel traduisent une mentalité hyperconformiste, réactionnaire et bigote. Au moindre signal, elle affecte un air penché, un sourire aimable, d'avance reconnaissant, fière de l'ordre trop parfait qui règne dans sa cuisine, de la mise de son chapeau ou de la soupe qui mijote au coin du feu. Image repoussante de la déchéance et du vide, le puits sans fond du prolétariat urbain l'emplit d'un incommensurable mépris. Elle se veut tout entière préoccupée de *distinction* et tout ce qui rappelle la misère et la pauvreté « la rend malade de peur et de dégoût ».

Néanmoins, si les riches l'écœurent, le miroir aux alouettes du modèle bourgeois l'attire comme un idéal de lisibilité, un espace de résolution des conflits intérieurs que l'éloignement magnifie à l'envi.

> « Elle n'aime pas les riches [...]. Mais elle respecte les maisons en pierre de taille où il y a des domestiques, et pour elle, un docteur est un docteur, un avoué est quelqu'un[12] [...].
>
> « Ce sont des gens riches, des rentiers. Eh bien, dès qu'Elise se tournait de leur côté en souriant discrètement, Mme Lorisse hochait la tête, esquissait un seul geste de la main et Elise savait bien que ce geste signifiait : ''Voilà la jeune maman d'à côté qui va promener son enfant. A-t-elle du mérite de l'élever à un second étage et à le tenir si propre ! Comme elle est mince ! Comme elle doit être fatiguée ! Comme elle est fière et courageuse ! Nous devons lui témoigner notre sympathie, sourire à son fils qui a les jambes bien

11. Jacques Dubois, « Statut littéraire et position de classe » in Lire Simenon, *éd. Labor, Bruxelles, 1985, p. 41.*
12. Pedigree, *coll. Presses Pocket, p. 372.*

maigres. Voilà quelqu'un de comme il faut et qui a du mérite !''

« Elise, de son côté, après avoir caressé le chien, lançait une réponse muette : ''Vous voyez que je suis sensible à votre sollicitude ! Vous m'avez comprise. Je fais tout ce que je peux, alors que je ne dispose que du strict nécessaire. Vous êtes les personnes les plus riches de la rue et pourtant vous me faites signe du haut de votre loggia. La preuve que je ne suis pas une ingrate et que j'ai de l'éducation, c'est que je caresse votre chien qui me fait si peur chaque fois qu'il passe près de Roger, et qui pourrait, avec sa manie de le lécher à la figure, lui donner des vers. Merci, merci beaucoup, croyez que j'apprécie...''

« Elise avançait. Elle savait qui vivait derrière chaque porte. La maison du juge s'entrouvrait à son passage. ''Comment va-t-il cet enfant ? Est-il malicieux ! Il a des yeux qui parlent, madame Mamelin ! Comme je vous envie ! Comme vous devez être heureuse !''

« Qu'importe que Mme Gérard soit une ancienne cuisinière que le juge appelle maintenant sa gouvernante mais qu'il ne semble pas décidé à épouser.

« ''Le plus bel enfant du quartier, madame Mamelin. Je le répète toujours à M. Dambois.''

« La preuve que tout est question d'éducation, c'est qu'en ce temps-là, Elise faisait un détour, si elle en avait le temps, changeant brusquement de trottoir dès qu'elle voyait surgir la grosse Mme Morel, la femme d'un ingénieur, pourtant une ancienne fille de café à la voix criarde. ''Viens, mon petit Roger ! Viens chercher du chocolat chez la grosse Morel !''

« Alors, le sourire d'Elise proclamait : ''Merci ! Je vous remercie par politesse, parce qu'il le faut bien. Mais nous ne sommes pas du même monde. Les dames Lorisse ne se pencheraient pas à leur loggia pour vous saluer, tout le monde sait que vous sortez de rien, que vous êtes la femme la plus mal embouchée du quartier.

> Je dis merci et je suis gênée vis-à-vis des voisins quand vous m'arrêtez dans la rue[13]." »

On le voit : avec son petit sourire à la fois humble et résigné, sa manie de s'abaisser toujours plus bas, son besoin sempiternel de se justifier, ses capacités de tricher, Elise Peters délaisse les territoires intérieurs au profit du théâtre social. Toute une existence vouée, jour après jour, au culte du paraître et à la sauvegarde du matérialisme, avec, en point de mire, les chimères de la réhabilitation : la comédienne retorse s'investit à corps perdu dans les rôles que la société a prévu de lui faire jouer. Quoi de plus ignoble, de plus écœurant, de plus saisissant pour Roger Mamelin que cette bouffonnerie des apparences où le pire côtoie le médiocre ? Non contente de les sanctifier, sous l'œil perçant et scrutateur de l'autre, Elise Peters élève les normes bourgeoises au rang de lois éternelles dictées a priori sans crainte de semer la confusion entre l'universel et le particulier, la nature et la culture. En sa personne, les valeurs petites-bourgeoises ont trouvé une défenderesse d'autant plus convaincante que son adhésion s'appuie sur la terreur de déchoir.

Elise Peters et le corps familial

D'un côté, son capital culturel semble l'écarter du monde ouvrier, de l'autre, son déficit de capital économique l'exclut de la classe bourgeoise. Ses humiliations ne sont pas adoucies par la promotion sociale et l'œil de l'Autre continue de remuer le couteau dans la plaie. Dans ces conditions, il n'est guère d'autre choix que de mener le combat sur un terrain plus éprouvé. Le trop-plein d'énergie cristallisé par l'agression sociale ne doit-il pas trouver de nouveaux exutoires ? La famille supportera ce que la société refuse. Contrepoint de sa rage de paraître, son despotisme domestique la poussera, au mépris de toute probité, à concentrer sur son mari et sur son fils toutes ses névroses et ambitions. Il est vrai que Désiré et Roger, l'un par nature, l'autre par jeunesse, semblent des proies assez faciles à manipuler. D'autant que la tactique maternelle privilégie les opérations de guérilla sournoises, de préférence aux chocs frontaux, du moins avec son mari.

13. Ibid., *pp. 236-237.*

Les Mamelin se ressentent du prolétariat urbain ? Elise Peters coupe le père de ses racines en destructurant son rapport à l'espace, par des déménagements successifs qui les entraînent de plus en plus loin d'Outremeuse et elle détache le fils de la rue Puits-en-Sock dont l'odeur de pauvreté la choque.

Son absence d'ambition et leur modeste train de vie ne comblent ni ses lubies de distinction ni ses appétits de sécurité. Dès lors, elle grapille sou par sou, économise pour les moindres achats, se plaint de ne disposer que du strict nécessaire et finit par accepter des locataires. Que leur invasion perturbe les habitudes du pauvre Désiré importe si peu : l'heure est au bas de laine, voire à l'assurance-vie. Mais une maladie de cœur dont il n'a jamais soufflé mot empêche Désiré d'apposer sa signature au bas du contrat qui la mettrait définitivement à l'abri des mauvaises surprises. Dès lors, sans la moindre pitié, sa nature sèche, coupante, glacée rejaillit dans sa plus basse veulerie. Ajouté à toutes ses hantises, ce refus l'écrase. Elle écrasera à son tour, se découvrant une passion exclusive pour le lucre : elle « strogne ». Et ce verbe la révèle mieux qu'aucun autre.

> « Strogner, dans ce langage, c'est voler, mais non pas voler ouvertement : c'est prendre par petites doses, subrepticement ; c'est tricher, guetter l'occasion de s'approprier malignement les choses, et désormais, Elise strogne sans cesse, sans remords, elle strogne Désiré, elle strogne ses locataires[14]. »

Elise Peters passe son temps à tricher avec les siens et avec les autres, dans l'unique but d'assouvir ses besoins à coups de manœuvres manipulatrices, somatiques ou culpabilisatrices. Tout son système relationnel est basé sur les rapports de force. Et tant pis pour Désiré, la victime expiatoire sacrifiée sur l'autel de l'hystérie.

Le père n'a pas répondu aux espérances de l'épouse. Reste Roger sur lequel transférer tout à loisir ses désirs de mainmise psychologique et de reconquête sociale. Bataille perdue d'avance ?

Passé le cap de l'enfance, cet âge *sans question*, Roger se dresse une première fois contre sa mère, le jour de sa communion privée, parce qu'elle l'oblige, comme le prescrit la coutume, à demander pardon

14. Ibid., *p. 420.*

à ses parents de toutes les peines qu'il leur a faites. Déjà l'interdit de nature sexuelle s'interpose entre la mère et le fils, au point d'altérer définitivement leurs relations : la veille, Roger, « en proie à une lancinante curiosité », a inventé avec Lucile « un jeu accroupi pour voir entre ses cuisses » et l'a suppliée de lui palper le sexe.

Plus tard, son empressement à rentabiliser, dans des délais recevables, ses investissements éducatifs la rend complice d'une écœurante bévue. Pour regagner du terrain culturel, Roger accomplira ses études secondaires chez les jésuites, parmi la jeunesse dorée de la Cité Ardente. L'arrogance et la morgue de ses condisciples, ainsi que la sensation aiguë des injustices qui sous-tendent les rapports de classe gravent à tout jamais au plus profond de son âme les stigmates de l'humiliation.

Alors qu'un camarade de haute extraction converse d'égal à égal dans les travées de la cour intérieure avec le père supérieur, lui, Roger Mamelin, pressé par sa bigote de mère, doit s'amender d'une faute dont il ne se sent pas responsable.

Elise Peters est incapable d'envisager sereinement l'existence d'un autre détaché d'elle. En vertu de sa morale « téléologique[15] », ses proches doivent servir ses intérêts, flatter son penchant pour l'avarice et honorer son goût de la respectabilité. La fin justifiant tous les moyens, pourquoi ses névroses ne passeraient-elles pas à la génération suivante ? Un transfert indirect ne serait-il pas la plus machiavélique façon de se défaire des humiliations qui lui taraudent l'esprit ? Et comment Roger échapperait-il à l'emprise d'une telle malédiction ?

Pareille forfaiture le dresse sur ses ergots. Néanmoins, ses attitudes défensives, codifiées par l'exemple, écartent toute propension à l'anarchie ou au suicide. Son éducation a creusé un tel passif en matière d'expression qu'il en est réduit, dans le sillage maternel et avec ses armes, à dépoussiérer l'amère et vaine stratégie de *reconnaissance* et de *réintégration*. Roger ignore où il va mais il sait ce qu'il récuse : sa mère complice et porte-parole du pouvoir qui le nargue. Il peste contre la médiocrité de son milieu si éloigné de la désinvolture bourgeoise qu'il se donne pour mission de

15. « En vertu de cette morale téléologique, la fin justifie tous les moyens. », Danièle Racelle-Latin in « De Pedigree *aux romans psychologiques »,* op. cit., *p. 69.*

séduire. Mais rien n'y fera, ni ses dépenses somptuaires, ni ses transfigurations en matière d'habillement ou de coiffure ; jamais la classe bourgeoise ne considérera cette pâle reproduction comme une œuvre authentique. Imiter n'est pas régner : quelques sous volés aux Mamelin ne combleront pas le vide des valeurs économiques. Trop préoccupé de se distinguer rapidement et superficiellement, Roger a investi, sur le mode maternel, dans les apparences, au lieu de se garnir l'âme. Et cela se sent, ne fût-ce que par l'ardeur qu'il déploie pour s'accorder au diapason bourgeois.

Puisque le jeu social laisse l'intériorité creuse, la bouche acide et l'orgueil insatisfait, Roger adopte systématiquement le contrepied des valeurs maternelles, jetant l'argent par les fenêtres, s'abîmant dans la luxure. Tout bascule. Le cycle infernal des rapports de force aliénants se poursuit. Le relais filial se rebiffe, lutte bec et ongles contre les fantômes maternels, de préférence par l'évasion. Caboulots, hôtels de passe, tavernes de luxe accueillent son dévergondage, à mi-chemin entre la chute et la revendication. Heures noires, emplies d'âcres moiteurs, à l'arrière-goût de cendre. Ces échos d'une vie perdue, entre le zinc et la couche, composent rien de moins qu'une chronique de la transgression. Contre la loi, d'essence maternelle et d'origine bourgeoise. Malgré les chantages éhontés, le sentiment de culpabilité qui l'étreint de voir son père adoré subir, dans l'étouffoir familial, les contrecoups de ces escapades nocturnes ou les crises d'hystérie qui les plongent dans l'abjection pure. Puisque tout dialogue se révèle infructueux, il n'est d'autre issue que d'entrer en résistance, l'haleine chargée de ressentiment, la mémoire au bout d'une corde. Son absence conditionnerait-elle sa survie ? Au contraire ! Comme sa mère refuse de l'entendre, Roger déroge aux règles jusqu'à introduire ses écarts sexuels sous le toit familial. Dévier, c'est rompre avec le corps social, c'est aussi attirer sur sa personne le regard de l'Autre. Roger a découvert qu'aucune structure sociale, qu'elle soit conventionnelle ou marginale, ne peut l'accepter totalement, en raison de son statut hybride : la bourgeoisie le méprise tandis que la classe moyenne lui répugne.

C'est l'impasse. Il n'a aucune solution en vue, sauf de retourner au seul lieu d'apaisement possible : le foyer maternel.

La mère et le fils composent un couple indissociable, névrotiquement soudé par les mêmes fantômes, les mêmes tentations, le même *langage*. En effet, si, dans les formes, la reconquête du champ social est un échec cuisant, sa vision du monde, comprimée entre sa dépendance à l'égard des jugements d'autrui et sa frénésie d'imposer son désir à son entourage, éclabousse le fils, imprimant à l'encre noire, plus qu'un héritage superficiel, une manière de penser, d'agir et de souffrir sous la contrainte sociale, en fonction de la mère — de l'Autre. Dès lors, l'amour et la haine se combattront, dans cette âme aliénée jusqu'à la défaite. A moins qu'il ne faille, au terme de *Pedigree*, conclure à son renoncement, inspiré par la maladie de Désiré, et à sa décision d'assurer une condition nouvelle, celle de substitut paternel auprès de la mère.

Roger souffre des mêmes traumatismes que sa mère : volonté d'intégration, culte des apparences, appétit de distinction, mais aussi capacité inconsciente sans doute, de déplacer ses angoisses sur des tiers. Neef, un camarade, fils de paysan, un professeur comme lui, de basse extraction, et surtout, tout au long de son errance libératrice, les femmes qui se plient à son désir, constituent les exutoires tout désignés à ses pulsions hargneuses. Il n'est pas innocent que ses maîtresses soient issues de milieux socioculturels inférieurs au sien ou que, la plupart du temps, elles se fassent payer pour libérer sa libido. Qu'on l'assimile à un rapport de force ou à un fantasme d'absorption, la sexualité reproduit, décalées, les relations que Roger entretient lui-même avec les puissances maternelles et sociales.

On le voit : quel que soit le canal utilisé, les rapports humains supposent, dans le triangle Mamelin, des *transferts* d'énergie agressive, capables de délivrer, ne fût-ce que provisoirement, l'âme meurtrie de ses membres. En fin de compte, seule une victime expiatoire, qui prendrait en charge toute la névrose contenue dans leurs relations, pourrait briser cette spirale destructrice et assurer la rédemption des siens. En l'occurrence, c'est Désiré qui se sacrifiera corps et âme pour qu'aux côtés de sa mère le fils puisse trôner sans rival. Reconnu.

Elise Peters s'avère impuissante à imaginer l'existence de qui que ce soit, en dehors d'elle-même. D'où le culte du passé familial, l'obstination à frayer avec son clan, et plus encore ses dialogues, silencieux ou non, avec son frère Léopold. Car, enfin, tout les sépare : le mode de vie (errante / incrustée), les convictions morales (dionysiaques / téléologiques), l'appartenance sociale (petite-bourgeoise / marginale) et pourtant, rien n'est plus intime, plus rassurant, plus consolateur que leurs interminables tête-à-tête. Pour tout dire, Elise Peters s'entend mieux avec son frère qu'avec son mari. Ils sont de la même race, des exilés flamands en terre liégeoise, des étrangers exposés au malheur et au rejet, des ratés peut-être, privés de garde-fou, en équilibre précaire entre le vide et l'étoile.

Désiré Mamelin

Petit-fils de mineur, fils d'artisan, employé dans une compagnie d'assurances, Désiré Mamelin croise Elise Peters sur le champ miné de la petite bourgeoisie traditionnelle. L'amour n'occupe pas, dans *Pedigree*, une place prépondérante : comment pourrait-il en être autrement ? Quand une louve en pleine déchéance sociale fraye avec un mouton en pleine ascension, il faut s'attendre à la mise à mort du second nommé.

Car tout sépare le mari de l'épouse : la race, l'origine, les options morales, le tempérament, les préoccupations d'ordre économique chez elle, d'ordre culturel chez lui, et, par-dessus tout, la nature psychologique. Autant Elise succombe aux caprices de ses démons, autant Désiré jouit d'un équilibre intérieur, lequel s'enracine dans un espace, le quartier populaire d'Outremeuse, et dans un entourage, le clan structuré, soudé et hiérarchisé des Mamelin.

Son instruction le distingue des siens, le gratifie de satisfactions professionnelles et lui offre, au détour d'une réunion de famille, d'une partie de cartes ou d'un échange d'histoires drôles sur le pas de la porte, de côtoyer ici une commère, là un manutentionnaire, un entrepreneur ou un haut fonctionnaire. Le culte du juste milieu harmonise, du mieux qu'il est possible, les conquêtes petites-bourgeoises et l'héritage populaire. Partout, depuis la rue Puits-en-Sock jusqu'à l'église Saint-Pholien, ses conseils en matière comptable, sa richesse de cœur, son optimisme bienveillant, sa droiture respectueuse des conventions, son sens du devoir accompli sont reconnus à leur vraie valeur. Désiré se sent intégré dans une famille, un milieu, un univers, et il est fier, à l'occasion, de représenter un pôle d'attraction écouté.

« Il voudrait tellement que tout le monde s'accommode, que l'entente emplisse les cœurs, dans la joie de chaque instant qui passe. » Sa longue silhouette d'honnête homme rayonne de satisfaction bienheureuse, en accord avec toutes les vérités auxquelles on veut lui faire croire, avec « les tabous que la société a inventés pour en faire un citoyen docile ». Au contraire d'Elise, toujours en action, à grapiller quelque monnaie pour assouvir ses tendances morbides, Désiré ne manque de rien. Ses acquis le satisfont, cimentés, plus qu'on veut bien l'admettre, par les références culturelles et religieuses. Tout chez lui indique l'absence de désir et la jouissance d'être au monde, en osmose avec la création. Quoi de plus apaisant que la mise à mort des passions ? L'édification ontologique dans l'observance des valeurs dictées par les pouvoirs religieux ou civils le préoccupe davantage que les mirages matérialistes, et ce d'autant plus que sa quiétude sonne comme une confirmation de leur pertinence et de leur adéquation avec sa propre volonté.

Exister, c'est communier, paumes ouvertes, avec l'authentique : la foi vibrante, le respect des traditions — convivialité, ordre, cordialité —, la familiarité avec l'univers. Le résultat ? La capacité inouïe chez Simenon d'exister en soi, pour soi, lorsque la densité et la constance intérieures affranchissent du regard d'autrui et qu'en toute immunité, le souffle immense de l'élémentaire physique et/ou métaphysique imprègne la chair et l'âme d'une épaisseur sacrée. Car le système Mamelin, c'est plus que l'allégeance au credo social, la foi, renforcée par une sensibilité affinée jusqu'à l'éblouissement, que le monde se trouve *habité* par un ordre immuable et naturel. Il n'est d'ailleurs pas indifférent que les métaphores sélectionnées tout au long de *Pedigree* par le narrateur pour rendre compte de cette amplitude spirituelle tournent autour d'un carrefour significatif : la musique.

Lorsque ce catholique vigilant pratique sa foi dans la contention et le recueillement, au cours des offices religieux, la musique prend des accents sacrés.

> « Sa musique intérieure se confond avec la voix des orgues. Il reste debout, très droit, trop grand pour s'agenouiller dans un espace si étroit. En silence, il serre la main de ses voisins et, pendant toute la messe, il fixera le maître-autel autour duquel graviteront les enfants de chœur [...]. L'élévation... la communion... Les lèvres de Désiré remuent sous les moustaches et son regard bien droit fixe toujours le tabernacle[16]. »

Non contente d'accompagner la célébration eucharistique, la musique scande littéralement le quotidien du grand Désiré et l'investit d'une hauteur liturgique.

> « Désiré, quand il marche, paraît toujours accompagné d'une musique qu'il est seul à entendre et que scande son pas régulier. Sous les moustaches, ses lèvres gourmandes s'entrouvrent en un vague sourire qui n'exprime rien qu'un contentement intérieur [...][17]. »

> « Et cela a suffi pour créer un nouveau rite. Car la répétition d'un même geste prend, chez Désiré, un caractère rituel, les étapes de la journée s'enchaînent aussi harmonieusement que les gestes de l'officiant soulignés par les orgues[18]. »

Il n'est pas de contenu sans structure : trait d'union entre le sacré et le profane, le rite contamine le vécu de Désiré dans son histoire comme dans ses illuminations, en sorte que ses journées apparaissent comme des ensembles réglés par l'enchaînement harmonieux de petites émotions, toutes joyeuses et attentives.

> « Le grand Désiré passe, allongeant les jambes à un rythme si régulier qu'elles semblent chargées de mesurer la fuite du temps. Il ne s'arrête guère en route. Gens et choses ne paraissent pas l'intéresser et pourtant il sourit, comme aux anges. Il est sensible à la qualité de l'air, à un peu de fraîcheur en plus ou en moins, à des sons lointains, à de mouvantes taches de soleil[19]. »

16. Pedigree, op. cit., *p. 35.*
17. Ibid., *p. 29.*
18. Ibid., p. 231.
19. Ibid., p. 49.

Malgré ses éclairs, le catholicisme romain ne jouit pas d'un monopole en matière spirituelle : le motif musical s'accommode aussi de résonances plus proches de l'élémentaire, comme l'animisme primitif et la pensée cosmique, véritables nœuds symboliques aux échos multiples parce que suggestifs et épurés.

> « La musique est en lui, un flux et un reflux harmonieux de pensées pareil au souffle d'une mer calme, au léger mouvement d'un sein de femme[20]. »

Rite, communion, espace : cette manière plurielle d'accéder à l'indicible en combinant le profane et le religieux rend une tonalité commune dans les différents épisodes de la vie et débouche sur un être-au-monde d'autant plus satisfaisant que la contemplation des infinis détourne l'attention, loin des pesanteurs quotidiennes, de leurs bassesses et de leurs turpitudes. Pour tout dire, cette aspiration de la création par tous les pores, sans jamais se poser de *questions*, éteint les moindres foyers dramatiques, que ce soit en matière psychologique, sociale ou métaphysique. Désiré se sent parfaitement en paix avec lui-même et avec les autres. Comment Roger ne serait-il pas impressionné par cette lumière resplendissante de sérénité, de satisfaction et de bienveillance ?

A fixer les sommets, Désiré s'est acquis une autonomie dénuée de besoins ou d'interrogations. Mais en même temps qu'elle le dégage de l'impact des tiers, cette libération le condamne : Désiré ne prend aucun risque, puisque ses élans contemplatifs le perdent dans une reconstruction esthétisante de la réalité. Cette reconstruction s'appuie à la fois sur la perception sélective des données acceptables, sur une indépendance proche de l'autarcie, voire sur un aveuglement face à la précarité de leur condition. Certes, une forme de bonheur découle de sa vision du monde. Mais à quel prix ? Ne perdons pas de vue que l'entente avec Elise repose sur une adhésion aux valeurs petites-bourgeoises, humiliantes et hypocrites à souhait, et en particulier sur une exaspérante force d'inertie confinant à une résignation sans espoir. Modèle d'un côté, de l'autre martyr, ce Janus de la classe moyenne, placé sous la coupe d'une égérie domestique, déploie une image trop ambiguë, trop complice des valeurs maternelles — faut-il rappeler combien les pères faibles

20. Ibid., p. 46.

sont légion dans l'œuvre, surtout avant *Pedigree* — pour qu'un substitut complémentaire ne la renforce pas.

Léopold, le frère d'Elise Peters, incarnera ce double inversé, appelé à un autre type d'existence et de révélation combien plus absolu.

En commun, les beaux-frères possèdent la richesse intérieure et l'indépendance face au groupe. La comparaison s'arrête là. En effet, Léopold, c'est le révolté radical, l'anarchiste par alliance, le nomade de la marge. C'est surtout la figure emblématique, fortement ancrée chez Simenon, du clochard.

> « Je les considère comme des hommes réellement supérieurs. Ils n'ont besoin de personne. La solitude ne leur pèse pas, ni le mépris, ni l'opprobre. Ayant renoncé à la sécurité, ils subissent sans gémir, sans s'apitoyer sur eux-mêmes, le froid, la faim et la déchéance [...]. Etre un homme sans peur ni besoins, c'est pour moi l'idéal, hélas, inaccessible[21]. »

Au lieu de figer son désir par l'appréhension d'objets communément admis par les conventions, cet ange à l'animalité souveraine souffre de l'écart immense entre son impuissance à émerger hors de sa carcasse d'homme et l'infini de son désir, « un désir réduit à sa plus simple dimension, d'un mouvement qui va au-delà, désir presque affranchi de la fascination de l'objet[22]. »

Contrairement à son beau-frère, Léopold, en dressant un pont au-dessus de l'abîme, va jusqu'au bout de son aspiration. Là-bas, il n'est point de réponse mais une tension totale et incessante vers un ailleurs qui, au-delà du visible, procure le vertige. Car l'objet est perdu et l'appétit s'exténue jusqu'au silence. Il reste à se perdre, à vivre pleinement affranchi mais déclassé, entre deux stations au havre sororal.

La chute fascine autant qu'elle sauve, car c'est à la fin de l'épreuve initiatique, au creux de l'abjection, que la rédemption se dresse sur les crêtes.

Tension et rupture : cette évocation de l'homme victime de l'intransigeance de son désir donne froid dans le dos. Sans compter que

21. *Georges Simenon,* L'Age du roman, *éd. Complexe, 1988, pp. 22-23.*
22. *Serge Leclaire,* Psychanalyser, *coll. Points, Le Seuil, 1975, p. 49.*

l'exploitation des limites présente, dans le cadre d'une *esthétique de la lisibilité*, nombre de pièges dont le moindre n'est pas le silence. Ou le délire. Or, Simenon n'est ni Thérèse d'Avila ni Antonin Artaud : d'objet, il doit être question. Et Simenon, tout en soulignant l'importance du clochard céleste, domestique cette perspective abyssale et fait en sorte de délimiter un champ symbolique et poétique *exploitable*, dans le cadre du roman traditionnel.

« Etre à sa place », « devenir un homme », « parler d'égal à égal », toutes ces expressions, saisies dans la matrice originelle et ponctuées de livre en livre, mettent un nom sur le désir : le père ouvrira toutes les portes afin que son fils devienne un homme à son tour. A cet effet, il le considère comme un égal, l'inclut dans ses parties de billard et partage ses cigarettes, tous gestes anodins mais qui touchent Roger. Quant aux escapades, vivement contestées par Elise, il les supporte sans trop protester, quels que soient les reproches dont elle l'accable. D'une certaine manière, les formes cachent une complicité pudique, comme si le père, enferré dans sa géhenne domestique, regrettait sa stricte résignation, si proche de la complaisance ou de la pusillanimité, et léguait au fils son désir de vivre pleinement, depuis toujours enfoui sous les fardeaux du devoir.

> « Ta mère a raison, Roger. A ton âge, on n'a pas le droit de rentrer à minuit, quand ce n'est pas à deux heures du matin. Tu n'étudies plus. On ne te voit jamais un livre à la main. Tu es sans cesse dehors, avec des camarades qui ne te conviennent pas... »

Mais Désiré n'a-t-il pas l'air de lui faire comprendre par un clignement d'yeux :

> « Je dis cela pour avoir la paix. Je te comprends. N'est-ce pas assez que je reste à la maison tous les soirs ? J'y reste depuis que je suis marié. Tu es jeune, toi... Tu as toute la vie devant toi...
>
> « Elise le sent et les épie, cherchant à saisir les preuves de leur complicité[23]. »

Finalement, Désiré tombe malade et cette maladie, quoique incluse dans la réalité représentée, prend un tour hautement symbolique.

23. Pedigree, *p. 591.*

A peine les troubles cardiaques sont-ils déclarés que la paix se réinstalle dans le foyer Mamelin. Tout rentre dans l'ordre, comme si l'effacement du pôle paternel assurait, à la faveur d'une nouvelle répartition des rôles au sein du triangle œdipien, la rédemption psychologique et sociale du fils et, dans une moindre mesure, celle de la mère.

Comme une âme en peine, Roger passe de femme en femme, de verre en verre, toujours plus bas dans l'abjection, sans jamais apercevoir d'issue. Sa marginalité ne résout rien, elle le *divertit* autant que la norme, le temps de brûler les leurres suspendus au-dessus de l'abîme. Si personne n'enraye la chute, le risque est immense, au terme de l'initiation par les bas-fonds, de s'anéantir. Le père sent-il à quel point les manœuvres déviantes du fils sont destinées autant à conquérir la liberté qu'à attirer l'attention de la mère et qu'en somme, elles déplacent la problématique intime sur le corps social ? Il n'est, pour affaiblir les énergies négatives, d'autre structure possible que celle du noyau familial. Seul Désiré, en tant que bouc émissaire désigné et consentant, a le pouvoir de délivrer Roger de ses fantômes, à condition de se sacrifier à son bénéfice, en focalisant sur sa personne toute l'agressivité produite par les névroses familiales. Maigret a perdu sa mère. Roger perd symboliquement son père quand ce dernier, malade, dénoue l'imbroglio en laissant une place libre auprès de la mère. Aussitôt, Roger rentre dans le rang, soulagé au-delà de toute mesure, parce que cet incident permet la réalisation d'un fantasme inavouable et inavoué : la *reconnaissance* véritable au sein du noyau familial par celle qui l'a toujours mal aimé : sa mère.

> « Mais non, ce n'est pas possible ! Est-il vrai qu'il se sente comme soulagé par la maladie de son père ? Il éprouve le besoin de protester et cette protestation même le blesse. Il ferait tout pour que son père soit bien portant et pour que disparaisse à jamais la menace suspendue sur sa vie[24]. »

Apothéose de la transgression, cet éloignement symbolique du père couronne la réintégration du fils. Au cours de ses errances

24. Ibid., *pp. 604-605.*

initiatiques, il n'a jamais été à même de s'inventer une intériorité autonome. Toutefois, au fur et à mesure que la débauche accentuait la déchéance, l'approche du gouffre épurait l'esprit et préparait le terrain intérieur à une mutation radicale : seule la réintégration au sein de la structure originelle, conjuguée avec l'effacement paternel, lui offre la chance inespérée de s'investir dans un rôle adéquat et, lorsque l'imitation rituelle de l'Autre donne accès à sa conscience, d'entrer littéralement dans sa peau. Ultime avatar du culte des apparences ou faculté métonymique d'assimiler le contenu au départ de la forme ? Que le retour à la norme trouve son origine dans l'accession au statut paternel tant recherché et que cette dernière soit le résultat d'une attitude vampirique ne fait aucun doute. Exister, c'est jouer un rôle en puisant la vie chez l'Autre. Roger prend la place du père, allant jusqu'à adopter volontairement et dans les plus infimes détails sa conduite et son allure. Par surcroît, il pourra, en guise de récompense pour son renoncement, bénéficier de la sérénité et de l'innocence paternelles, corollaires de sa vision du monde.

> « Tout le monde est avec lui. Il est résolu, à force de gentillesse, à se faire aimer du monde entier. Son idéal a changé. Plus de cravate lavallière ni de souliers jaunes. Plus de raie dans les cheveux ni de cosmétique. Il regrette que son complet soit beige. Il le préférerait sombre et neutre. Il voudrait avoir cette tenue et ces allures discrètes des employés qu'on voit passer à heure fixe comme Désiré et qu'on cite comme des modèles de conscience et d'honorabilité[25].
>
> « Il n'est pas malheureux du tout. Il vit dans un monde rassurant. Il passe volontiers par son ancien quartier qu'habitent des comptables et des employés de banque, et les petites maisons neuves, cet été-là, avec leurs fenêtres ouvertes sur les chambres à coucher qu'on aère, lui paraissent intimes et accueillantes. Il pense sérieusement à s'inscrire au cercle catholique où jadis Désiré était souffleur de la dramatique. Il fera partie de l'Association des Anciens Elèves de l'Ecole des Frères[26]. »

25. Ibid., *p. 612.*
26. Ibid., *pp. 612-613.*

Outre ses fonctions d'époux, symbolique, Roger redevient le petit garçon blotti dans le giron maternel, le fils aimant, soumis et résigné, ainsi qu'un père d'autant plus ému devant les larmes de sa « petite fille » qu'elles le font exister.

> « Mais oui, ils sont bien. Roger est ému de la sentir [sa mère] frémissante à son bras, si petite fille en somme, si désarmée qu'il en devient un homme[27]. »

But ultime de la *loi des transferts* inaugurés par la mère et prolongés par le fils, cette introduction d'un rapport de dépendance entre un père symbolique et sa fille imaginaire, miroir inversé et complémentaire des relations entre la mère et son fils, postule une image d'homme total, capable d'accomplir toutes ses potentialités fantasmatiques en assumant les trois rôles dont il vient d'être question, à savoir celui de mari, de fils et de père. La boucle est bouclée. Dans les trois cas, il s'agit d'exister *par et pour l'Autre*, qu'il se nomme « Mère » ou « Société ».

Les romans de la destinée (hormis Pedigree*)*

Si mystère il y a dans l'œuvre de Simenon, n'est-ce pas le long de cette voie aux perspectives œdipiennes qu'il convient de le dénicher ? Les mécanismes mis en exergue à l'intérieur de *Pedigree*, cette indiscutable représentation de la matrice originelle, permettent de souligner combien, du *Passager du "Polarlys"* aux *Innocents*, le lecteur assiste inlassablement à la répétition des mêmes récits, des mêmes thèmes, des mêmes motifs, des mêmes personnages, des mêmes symboles, des mêmes structures spatiales, etc. Dès lors, discerner dans Désiré Mamelin (plus Léopold), Elise Peters et Roger Mamelin le noyau originel de tout un univers relève de la plus stricte logique. A condition toutefois de s'en tenir aux règles de fonctionnement relevées au fil des pages précédentes.

Chez Simenon, l'espace social se trouve cadenassé par les conventions et défendu par les figures castratrices de la mère et de l'épouse. Envahissantes, obstinées, dominatrices, elles visent essentiellement au maintien de leur souveraineté et/ou à la reconquête des champs sociaux délaissés.

27. Ibid., *p. 559.*

La mère se trouve incapable d'envisager sérieusement l'existence d'autrui détaché d'elle-même. En somme, les conventions petites-bourgeoises lui conviennent parfaitement : sa personnalité s'intègre dans le rôle que la société lui enjoint de jouer. Cette hypertrophie de la conscience sociale entraîne une fascination pour les apparences et en particulier pour la matière : la gestion des biens, tant immobiliers que mobiliers, est une manière de signifier son emprise sur le clan. Elle exerce la comptabilité du ménage et envahit l'espace domestique avec ses références : meubles, bibelots, décorations.

En somme, cette gardienne d'un univers de valeurs — pour ne pas dire d'une classe sociale — fait en sorte de soumettre son entourage à sa vision du monde, en plaçant toutes les composantes de son environnement en adéquation avec ses obsessions (*reconnaissance* et *intégration*), ce qui entraîne une relation de force avec le mari et surtout avec le fils, selon la logique des *transferts*.

*

Que dire de ses personnages masculins, sinon que leur médiocrité sans histoire les rend presque interchangeables ? Simenon dépeint l'homme quelconque, perdu dans la foule, semblable à n'importe qui. Une ombre sur la surface huileuse du temps, toujours plantée dans les mêmes décors. Une carcasse engoncée dans sa veulerie, avec une identité qui s'écoule à vau-l'eau, parasitée par les habitudes. Parfois, l'ombre sort du cortège, arrête de processionner pour rien et réclame des comptes aux tabous. L'âme dépouillée, il découvre que le vide régentait le cours de son existence.

En somme, Simenon ressuscite toujours les mêmes destinées sans joie, sur fond de scénarios sans qualités. Toute son œuvre fourmille de ces créatures sujettes aux éruptions de l'instinct, dotées d'une intériorité suffisamment banale pour étoffer les fantasmes du public (masculin plutôt que féminin, comme en témoigne par exemple la composition de l'Association des amis de Simenon).

*

Dans les romans de la destinée, un événement fortuit met en lumière la fausseté ou la précarité d'un équilibre de départ, essentiellement basé sur l'observance des règles prescrites par l'Autre (la société, souvent par l'intermédiaire du canal maternel).

Ne lui a-t-on pas enseigné que les apparences recouvraient toute la réalité ? Personne n'est plus attaché à dérouler le ruban des habitudes, à les ponctuer de rites sociaux, sans jamais s'interroger sur leur bien-fondé. Obnubilé par les chimères plantées autour de sa caverne, cet aboulique ne songe qu'à s'investir pleinement dans l'image que la société lui assigne, au point de s'y perdre.

> « On demandait à Balzac : "Qu'est-ce qu'un personnage de roman ?" Il a répondu : "C'est n'importe qui dans la rue qui va jusqu'au bout de lui-même"[28]. »

Rico coupe les ponts avec la mafia (*Les Frères Rico*), l'épouse Cardinaud quitte le domicile conjugal au bras d'un voyou (*Le Fils Cardinaud*), Edmée apporte le malheur chez ses cousins Fred et Jef Van Elst (*La Maison du Canal*), Louis Maloin voit Pitt Brown assommer un inconnu qui coule à pic dans les eaux noires du port, entraînant une valise bourrée de liasses (*L'Homme de Londres*), Jules Guérec renverse un enfant en rentrant de Rennes (*Les Demoiselles de Concarneau*), René Maugras est frappé d'hémiplégie au sortir d'un dîner au Grand Véfour (*Les Anneaux de Bicêtre*), Hans Kupérus abat sa femme et son amant, l'avocat de Schutter (*L'Assassin*), Ferdinand Graux trouve installés dans sa propriété lady Makinson et le jeune capitaine Philps (*Le Blanc à lunettes*)...

A la faveur d'un imprévu, les nuages volent en éclats, le rideau des faux-semblants achève de pourrir, le vide existentiel éclate dans toute sa crudité : le ver s'est introduit dans le fruit au point que le personnage, ébranlé dans son for intérieur par cette fracture entre son univers personnel et le monde qui l'entoure, entreprend une remise en cause radicale, à la fois ontologique et phénoménologique de ce qui faisait sa vie. La famille, le clan, la communauté : depuis l'enfance, tout le monde l'a grugé sur l'essentiel. Plus grave : son désir était relégué aux oubliettes, sous les montagnes de compromis. Mais l'effritement des habitudes déclenche l'irréversible : abasourdie, débarrassée de ses bandelettes, la créature jaillit du tombeau. On la croyait morte. Elle n'était qu'engourdie. La

28. Francis Lacassin, « Dossier Simenon » in Magazine littéraire, *n° 107, Paris, décembre 1975, p. 24.*

fonction défaisait l'homme, la nudité révélera sa détermination. A fuir les catacombes, on se brûle les prunelles : l'insurgé, aux prises avec une identité flottante, délaisse sa carcasse, fourrage dans ses origines et se penche sur son sort, avec le dessein de restaurer son identité première. Pour la première fois peut-être, il prend le risque d'exister, n'hésite pas à bondir au milieu de ses démons, à forcer les corps-à-corps impitoyables, à provoquer les éblouissements, sur le mode direct de la confession intime[29]. Et le récit suit pas à pas cette descente aux enfers de l'inavouable, attentive à capter tout ce qui émerge, a fortiori les épisodes vertigineux et les errements morbides. Il est trop tard pour reculer. L'effondrement des rites protecteurs met à nu le vide des contenus : une question a surgi, celle de l'être, et rien ne peut plus détourner son travail de sape, hormis cette lucidité si caractéristique qui échoit au personnage après l'initiation.

Un double carcan social et psychologique étrangle le personnage simenonien. Les valeurs petites-bourgeoises qui sanctionnaient ses actions et qui abrutissaient son désir apparaissent truquées, mensongères, hypocrites. Comment réagir le plus simplement ? Passé le premier cap, celui du vide, le rejet des conventions établies et l'évasion libératrice, dans l'euphorie de la déviance[30], délivrent les pulsions si longtemps refoulées. Le principe de plaisir prend le pas sur le principe de réalité. L'interdit ouvre ses bras capiteux. Sans tarder, le réfractaire se précipite dans la marginalité jusqu'à la nausée. En effet, la recherche de l'identité suppose un affrontement et une transgression, que ce soit par l'intermédiaire de la sexualité (*La neige était sale*), du meurtre (*L'Assassin*), de l'alcool (*Les Volets verts*), du vol (*Au bout du rouleau*)... Le devoir fait place au désir, le travail à la débauche, l'épargne au gaspillage. Tout est permis. Seules comptent les satisfactions élémentaires, souvent d'ordre sensuel.

En somme, le personnage accède à un type de vie différent, à une aventure pleine, à une évasion émancipatrice. Il y connaît un

29. Cette remarque concerne plutôt certaines œuvres publiées aux Presses de la Cité.

30. « Le déviant est celui qui, sur le plan pratique ou sur le plan idéologique, choisit de transgresser les normes du groupe auquel il appartient et qui provoque ainsi les réactions hostiles de la majorité de ce groupe. », Jacques Dubois, « Simenon et la déviance » in Littérature, *n° 1, éd. Larousse, Paris, février 1971, pp. 62-63.*

certain envers des choses mais, les moments d'euphorie passés, la situation se dégrade rapidement, de telle sorte qu'à son retour, il trouve la mort, la folie ou l'emprisonnement[31]. Jacques Dubois l'a démontré : souvent, la déviance s'accompagne d'une rentrée dans le rang. C'est donc que sa tentative de marginalisation, au cours de laquelle le personnage devient l'acteur de sa propre vie au lieu d'en être le simple spectateur, s'apparente à un retournement provisoire — carnavalesque — et non à une authentique libération : à prendre le contrepied des valeurs en place, le rebelle demeure tributaire de son groupe d'origine et se montre incapable d'échapper vraiment à l'autorité qui gouverne son destin.

« Au bout du rouleau »

Dans l'excellent *Au bout du rouleau*, le vol, le jeu, l'alcool sont les facettes d'une même stratégie : Marcel Viau veut prouver qu'il est un homme. Où qu'il aille, personne ne le considère comme tel. En tant que proxénète, il est rejeté par la pègre, en tant que prétendant par la haute bourgeoisie. Son errance l'amène à Chantournais, une petite ville de province où, une dernière fois, parmi les petites gens, il tente d'exorciser ses fantômes, avant de constater la vacuité de ses efforts et de se donner la mort. Pour Viau, comme pour les autres déracinés qui peuplent l'univers de Simenon, la seule issue consiste à reproduire les schémas comportementaux qui l'ont toujours aliéné. L'*intégration*, à toute force : c'est plus la solidité structurelle du groupe qui l'attire que sa nature populaire, bourgeoise ou déviante. Pendant sa fugue nul n'a daigné l'incorporer à son milieu. Et son impuissance à prendre sa différence en charge, en dehors du régime prévu (social ou psychologique) le ronge peu à peu et transforme bientôt la soif d'émancipation en nécessité de s'expliquer, de se justifier ou, si l'on préfère, en besoin de réintégrer les codes convenus par l'oppresseur.

« L'homme qui regardait passer les trains »

Jusqu'à cette soirée où il croise son patron dans un troquet de bas étage, Kees Popinga, bourgeois de Groningue, mène une existence sans histoires, partagée entre ses parties d'échecs, sa comptabilité

31. Ibid., *pp. 64-65.*

et son foyer. Avec un cynisme mâtiné de condescendance, Julius de Coster lui avoue que, dès le lendemain, la justice le poursuivra pour avoir escroqué sa propre entreprise. C'est pourquoi il simulera son suicide, le long du canal, avant de prendre le large.

A son réveil, empli d'une assurance nouvelle, Popinga s'échappe à son tour, prenant un de ces trains qu'il regardait naguère avec envie. A Amsterdam, il étrangle Paméla, l'ancienne maîtresse de son patron, qui a repoussé ses avances en se moquant de lui.

A Paris, une prostituée, Jeanne Rozier, l'aide à se cacher dans le milieu. Mais Popinga a flairé le piège et il s'évade de la chambre où les malfrats l'ont enfermé — à proximité d'un nœud ferroviaire — avant de blesser Jeanne qui s'est refusée à lui.

Les journaux s'emparent de l'affaire, diffusant dans le public un portrait de fou dangereux, peu conforme avec sa réalité intime. Alors, autant par défi que pour attirer le regard des foules, Popinga entreprend de dévoiler sa personnalité secrète. Tour à tour, ses lettres adressées aux quotidiens provoquent l'opinion, titillent la police ou dénoncent les malfaiteurs qui voulaient le prendre en otage. Rien n'y fait, le malentendu reste entier. Les autres ne l'admettent pas tel qu'il est.

Le périple prend fin le long des rails de chemin de fer, dans la grisaille d'une banlieue où, privé de toute ressource à la suite du vol de son portefeuille et serré de plus en plus près par la police, Popinga se résout à la dernière extrémité. Alors que son patron avait simulé son suicide, Popinga est déterminé à mourir vraiment, en rendant son visage méconnaissable pour empêcher toute identification. Au préalable, une lettre expédiée à la presse aura décrit la destinée exemplaire d'un Kees Popinga parvenu au faîte de la réussite, sous une identité d'emprunt. L'être s'efface au bénéfice de l'image : ce message ne représentait-il pas sa dernière chance de graver dans les masses populaires une légende à la hauteur de ses prétentions narcissiques ? Intercepté, il finira dans un hôpital psychiatrique, face à un médecin, convaincu qu'il n'y a pas de vérité.

Sombre défaite, imprimée au fer rouge dans cette âme rendue à la folie. En cause : l'observance viscérale des codes, marquée par l'hypertrophie du rôle à jouer au détriment de la personnalité, et la servilité jusqu'aux frontières de l'autodestruction, dans l'imitation du faux père symbolique. Kees Popinga attendait tout des autres et les autres ne lui ont délivré qu'un sauf-conduit à destination de l'hôpital psychiatrique. C'est dire sa candeur et l'inacceptable de son désir. Il a beau prendre le contrepied des valeurs morales, sa conscience demeure reliée à sa classe d'origine par des liens sclérosés au point de paraître immuables. Sa mentalité bourgeoise oblitérait toutes ses aspirations : la déviance n'offre guère plus d'issues tant le langage formaliste qui régentait sa période conformiste demeure aliénant, même au plus fort de l'escapade. Comme la plupart de ses frères d'infortune, Popinga ne dispose pas de moyens de combat à la mesure de ses ambitions. Toute son entreprise pseudo-libératrice perpétue, sur le mode majeur, les mécanismes qui grèvent depuis toujours sa destinée sans mystère. En particulier l'inaptitude à se détacher de l'Autre. Or, tout à la jubilation de bousculer les tabous, le héros discerne mal qu'au lieu de s'effacer, ses aliénations perdurent après la rupture déviante. Autrement dit, qu'il continue d'hiberner, dans sa bulle, coupé de la réalité et se nourrissant d'illusions.

Toutefois, au fur et à mesure que le vécu s'accumule, dépassant d'ailleurs tout pouvoir de dire, les écailles se détachent des prunelles, les chimères s'estompent jusqu'à ce que s'entrouvrent les portes de la connaissance. Aveuglé au cours de la gestation initiatique, le héros finit par briser la coquille de faux-semblants, ce qui le rapproche d'un trait de l'état de nature. Le passager a signé sa levée d'écrou. Sa délivrance, que l'on pourrait rapprocher du *desengano* baroque[32], le dote à la fin du livre d'une lucidité quasi surnaturelle, en mesure de dénouer l'écheveau de sa biographie et de nommer les composantes de sa névrose.

« Les Pitard »

Les Pitard, récit initiatique par excellence, raconte comment Lannec, au cours de sa première traversée de Rouen à Reykjavík à bord du *Tonnerre de Dieu*, regagne ses galons de mari et de marin, tout en perdant celle qui venait de le *reconnaître*.

32. Desengano *(espagnol) : de* engeigner *(faire tomber dans un piège). C'est la désillusion au sens étymologique. Le héros aveuglé croyait pouvoir concilier les contraires ; il comprend finalement son erreur.*

Au mépris des usages, Mathilde Pitard s'est embarquée de force pour surveiller la bonne marche du cargo que son mari n'a pu acquérir que grâce à l'apport financier de sa mère, une riche commerçante de Caen. Très vite, l'atmosphère tourne au vinaigre. Les hommes d'équipage, irrités par sa morgue bourgeoise, profitent d'une escale pour ramener sur le pont quelques filles de joie. C'en est trop, Mathilde s'enferme dans sa cabine, bien décidée à ne plus en sortir, malgré les conditions de navigation pénibles.

Qui plus est, elle reproche à son mari d'exploiter les Pitard dans le but de rejoindre sa maîtresse de l'autre côté de l'Atlantique. Cette accusation achève de semer la zizanie dans le couple.

Au plus fort d'une tempête, Lannec se porte au secours d'un bateau en perdition, *La Françoise*. Durant les opérations de sauvetage, ébranlée par le drame et rongée par ses démons intérieurs, Mathilde se précipite dans les flots, non sans avoir au préalable *reconnu* Lannec à sa juste valeur.

> « Il ne voulait pas mollir et pourtant il eut pitié, tant elle se tassait humblement sur elle-même. Il crut discerner dans son regard comme de l'admiration, comme un grand désir de soumission[33]. »

Deux espaces de sens se combattent sans merci : la victoire du marin sur la terrienne, du mâle sur la femelle, du prolétaire sur la bourgeoise, figure l'écrasement apparent du clan des Pitard — ou du moins de son représentant le plus fragile — par celui des Lannec. Mathilde a transgressé la loi de son clan. Incapable d'assumer l'héritage familial et/ou d'échapper à l'emprise maternelle, incapable en sus de rejoindre le clan aqueux des Lannec, elle mourra en expiant sa faute, broyée par cet antagonisme symbolique.

Cette disparition de l'animal blessé n'atteint pas la horde dans sa structure : les Pitard subsistent bel et bien, plus arrogants que jamais. Quant à Lannec, son triomphe sur les éléments déchaînés a permis de sauver quelques naufragés. Piètre consolation : dans son cœur de veuf, le regret le dispute au désarroi, tant l'analyse de sa rencontre avec Mathilde, à Caen, atteste que le destin, sous

33. Les Pitard, *coll. Folio, Gallimard, pp. 165-166.*

le masque impitoyable de la mère Pitard, s'est joué de leur union en gangrénant, dès l'origine, l'âme innocente de Mathilde.

Toutefois, les circonstances l'ont doté d'un sang-froid et d'une acuité étendue, à même de comprendre les enjeux du drame. Peut-être que si le voyage avait duré encore quelques jours, « Mathilde aurait été capable de devenir une Lannec ». Ce constat établi à rebours n'apaise ni ne console. Lannec demeure isolé à jamais avec, dans les yeux, la vision nostalgique de leurs premiers regards, dans cette taverne où l'orchestre joue *Le Beau Danube bleu*.

Un chef-d'œuvre parlant : « Lettre à mon juge »

L'on pourrait multiplier les exemples à l'infini et papillonner au gré de ses désirs, chaque roman faisant référence au tout et inversement. C'est pourquoi il m'a paru préférable, après une approche globale, d'affronter un chef-d'œuvre absolu, typique de l'art simenonien : *Lettre à mon juge*.

*

Charles Alavoine écrit une longue lettre à son juge d'instruction, Ernest Coméliau. Incarcéré au terme d'un procès qui n'a jamais rendu compte de la grandeur de son crime, il essaie tant bien que mal d'exposer sa vérité, moins pour obtenir une révision de son procès que pour sauver son amour.

Après la mort de son père, un fermier alcoolique et amateur de femmes, Alavoine s'installe comme médecin dans le petit village d'Ormois, en compagnie de sa mère qui lui trouve rapidement une épouse. Il y mène une existence sans histoires, comprimée entre les parties de chasse et de pêche et l'exercice de sa profession.

De temps à autre, pour fuir la médiocrité et l'ennui, il s'offre quelque aventure extraconjugale, avec une patiente ou l'autre. Son épouse meurt lors de son second accouchement.

Deux années plus tard, Alavoine s'installe avec les siens à La Roche-sur-Yon, petite ville de province. Il y rencontre Armande, une veuve issue de la grande bourgeoisie, et l'épouse peu après. Elle assume toutes les responsabilités du ménage et prend peu à peu l'ascendant sur la mère et surtout sur Alavoine lui-même, qui en est réduit à mener une existence conformiste, régulière et aliénante.

Lors d'un voyage à Caen, Alavoine rencontre Martine Englebert, une jeune Belge en détresse. Ils passent une soirée en beuveries et en déambulations, puis, ivres, ils se retrouvent dans une chambre d'hôtel où ils deviennent amants. Le docteur ne peut plus vivre sans Martine ; aussi l'introduit-il dans sa maison. Une période infernale commence, dominée par le mensonge et par les compromissions. Son épouse les surprend. Il lui avoue alors violemment sa passion, son ennui et sa volonté de vivre une autre vie.

Il quitte le foyer conjugal pour Issy-les-Moulineaux, et recommence tout à zéro. Sa passion croît, mais, depuis le premier jour, elle est entachée par une jalousie effroyable. Non seulement il exige la présence de Martine auprès de lui, mais l'idée même de son passé — l'autre Martine, dit-il — lui est insupportable. Alors, il la bat, ce qu'elle semble accepter par besoin de purification. Bientôt, après une belle journée d'intimité, Alavoine étrangle sa compagne croyant lire un encouragement dans ses yeux.

Le matin, Coméliau reçoit la lettre qui lui était destinée ; il apprend simultanément par les journaux le suicide d'Alavoine.

*

La *Lettre à mon juge* laisse une place au silence. Le personnage mis en cause par la société, jugé, condamné, refuse de s'expliquer lors de son procès. La justice ne peut entendre son langage ; le personnage refuse qu'on le lui vole.

Silence face au groupe mais volonté de communiquer son expérience à celui qu'il a élu comme lecteur idéal, comme confesseur : son juge. Ainsi, le roman met en scène un narrateur qui cherche à percer la clôture de deux langages, à expliciter une expérience dite hors du commun. « Tout se passe comme si, au cours de son périple, le héros faisait une découverte aussi essentielle qu'inexplicable, une expérience capitale pour le reste de son existence mais qu'il n'est pas capable de formuler clairement. » L'expérience est intransmissible. Simenon use d'une sorte de « *topos de l'incommunicable* » souligne Paul Emond[34].

34. Paul Emond, « Lettre à mon juge *de Georges Simenon ou la communication périlleuse », in* Etudes de littérature française de Belgique offertes à Joseph Hanse, *éd. Jacques Antoine, Bruxelles, 1978, p. 387.*

Pour restituer cette différence, on aurait pu imaginer un discours mystique ou un délire, en tout cas un discours échappant à une certaine forme de littérature, à un certain « déjà lu, déjà écrit »[35], un discours qui aurait les moyens de sa politique. Or, ce n'est nullement cela qui nous est donné à lire. Simenon n'est comparable, nous l'avons déjà dit, ni à Thérèse d'Avila, ni à Georges Bataille, ni à Arthur Rimbaud. Son discours sur le tout autre fonctionne de la même manière que celui contre lequel il s'élève. Sa parole participe d'une même mythologie, d'une même sagesse, prétendument universelle et naturelle. Son récit use des mêmes codes, rouillés par l'usage.

En règle générale, dans l'œuvre de Simenon, le projet initial de communication est progressivement transformé en volonté de se justifier. L'espace de différence se voit peu à peu réduit dans la mesure où le discours du narrateur finit par ne plus s'opposer au groupe social à partir d'un lieu plein et différent, mais cherche à montrer en quoi sa déviance tient compte de celui-ci et respecte son idéologie. A la différence succède une intégration. Il ne se saisit plus en tant qu'Autre mais en tant que Même.

Le problème posé est important. L'auteur, après avoir longtemps exploité le mystère de l'incommunicable, risquant une explicitation, a-t-il les moyens de ses fins ? En quoi le narrateur dit-il l'indicible ? Il nous semble que son drame réside dans l'impossibilité d'assumer globalement une position de différence à l'égard du groupe. Et là se trouve peut-être paradoxalement le génie de l'auteur. En effet, si le personnage ne peut, comme le montre la structure découverte dans les romans de Simenon, soutenir une déviance, de même il ne peut, dans ce qui lui reste d'essentiel, trouver une voix propre à exprimer une hétérogénéité. La déréliction est totale, puisque même l'espace mental du sujet est régi par le jeu d'assimilation au groupe. Ainsi, le sujet dont l'aventure libératrice est impossible à communiquer et à préserver se voit frappé, jusqu'au creux de son être, par son impuissance à assumer globalement une position autonome en face de l'Autre.

En cela, *Lettre à mon juge* est fondamental, car il va plus loin que les autres romans. Au terme de ceux-ci, le sujet, bien que plongé

35. Roland Barthes, S/Z, *coll. Points, Le Seuil, Paris, 1976, p. 28.*

dans la solitude, préservait une lucidité, un regard totalement différent ; dans *Lettre à mon juge*, son impuissance à dire éclate au grand jour et met en place une tragédie de l'aphasie.

D'autre part, on sait que l'amour comme objet du récit offre des avantages stratégiques. En effet, l'expérience incommunicable du héros, si elle est fondamentale, n'offre pas toujours un objet suffisamment concret et culturalisé pour une exploitation opératoire ; la passion amoureuse, au contraire, est plus parlante. « Non pas nécessairement parce que le lecteur a vécu lui-même une telle expérience, mais parce que celle-ci trouve une place toute préparée dans l'enclos du vraisemblable psychologique et culturel de ce lecteur[36]. » Mais cette passion amoureuse, médium du mystère dit-on, ne représente-t-elle pas dans le rapport entre les amants une expérience analogue à celle vécue par le personnage face au groupe ? Alavoine, rejeté par le groupe qui n'accepte pas sa différence, n'impose-t-il pas à sa maîtresse ce même type de rapport, mais à son avantage ? Le personnage meurtri n'assume-t-il pas une fonction de destructeur en aliénant l'altérité profonde de Martine ?

*

Transfert et amour

L'existence professionnelle, matrimoniale et sexuelle d'Antoine est régie par le désir maternel. Elle lui a choisi une épouse et une profession qu'il exerce de son mieux, comme un sacerdoce. Alavoine nous est présenté comme un être soumis, plein de bonne volonté, toujours à la poursuite du compromis[37].

> « Puisque j'étais médecin, je considérais la médecine comme un sacerdoce. » (P. 36.)
>
> « Mais je savais qu'un homme, à un certain âge, doit se marier [...]. Elle était douce comme ma mère. » (P. 37.)
>
> « C'est ma mère qui nous a mariés. » (P. 38.)
>
> « Peut-être étais-je heureux aussi, mon juge ! Je n'en sais rien. J'étais plein de bonne volonté [...]. Je voulais

36. *Paul Emond,* op. cit., *p. 388.*
37. *Toutes les références à* Lettre à mon juge *concernent l'édition de poche parue aux Presses de la Cité.*

faire plaisir à tout le monde et à ma mère avant tout. » (P. 36.)

Plus généralement, Alavoine est aliéné par une pression sociale très vive, étouffante, même dans les matières intimes.

> « Supposez que les conventions, le savoir-vivre n'aient pas existé. J'aurais plus volontiers épousé Laurette, la fille d'Ormois, aux grosses cuisses blanches, que la fille de M. Hilaire de Lanusse. » (P. 67.)
>
> « On nous a tellement habitués à penser que ce qui existe existe, que le monde est bien comme nous le voyons, qu'il faut faire ceci ou cela et de ne pas agir autrement... » (P. 75.)

Pourtant, il échappe de temps à autre à ces contraintes imposées de l'extérieur, à la faveur de quelque aventure extraconjugale. L'exercice de ses activités médicales lui permet de profiter de certaines patientes. Il a ainsi des relations sexuelles dans son cabinet de consultation avec « la Laurette » (p. 46) ; il rencontre des dames lors de réunions en compagnie de confrères et d'avocats à La Roche (p. 44) et il tente de violer une cliente qui l'a au préalable provoqué (p. 46).

On le voit : si la fonction sociale est aliénante, elle permet aussi les actes de déviance, mais dans un cadre bourgeois, protégé et selon le principe du hasard (la destinée) qui permet à Alavoine de dénier toute responsabilité dans ces escapades sexuelles (p. 46).

Comment réagit la mère ? En engageant une bonne (p. 44), elle offre un objet à la frénésie sexuelle de son fils. Une manière téléologique d'introduire un désordre mesuré dans son système, tout en réduisant ses effets. Machiavélique, cette stratégie annihile toute possibilité de transgression et permet de préserver sa caste.

> « Je n'en suis pas moins persuadé que c'est à ma seule intention qu'elle s'est décidée un beau jour à prendre une bonne [...]. » (P. 44.)

Armande, sa seconde épouse, possède des traits de ressemblance avec la mère. Elle aussi cherche à protéger, à déplacer son désir sur l'autre :

> « Armande m'a aimé comme elle les [les enfants] aimait doucement, avec une sévérité indulgente. Comprenez-

> vous maintenant ? Je n'ai jamais été son mari, encore moins son amant. J'étais un être dont elle avait pris la charge, la responsabilité, et sur lequel elle se sentait des droits. » (P. 122.)

Ici s'arrête le rapprochement. D'abord, Armande a plus d'extension que la mère (son lieu est la ville moyenne — La Roche-sur-Yon — mais il n'est pas limitatif car elle a voyagé), elle se promène à travers les classes (son premier mari était artiste), elle nage au sein d'un rôle social parfaitement adéquat à sa personnalité. Elle sera initiatrice, gardienne et conscience, d'une *classe* suffisamment puissante pour étendre ses normes aux autres milieux sociaux. Dès lors, sa fonction sera de faire correspondre les comportements du nouveau venu (Alavoine) avec ceux de sa classe d'adoption, de noyer sa personnalité dans ses fonctions sociales :

> « C'est à cause de sa présence, de ce vague sourire qui errait sur son visage, que j'ai eu soudain conscience du vide de notre maison, et nos quelques meubles, placés un peu au petit bonheur, m'ont paru ridicules [...]. » (P. 53.)

> « Est-ce que ce n'était pas son premier devoir de me dégrossir, puisqu'elle était plus évoluée que moi et que j'arrivais de la campagne pour faire carrière à la ville ? » (P. 70.)

> « Elle s'était toujours conduite exactement comme la femme d'un médecin soucieuse du confort, de la tranquillité et de la notoriété de son mari. » (P. 70.)

Cette hypertrophie de la conscience sociale entraîne une mainmise totale sur Alavoine. Armande tient les cordons de la bourse (l'économie), elle accapare les amis, les relations (le social), elle occupe, au sens militaire, la demeure d'Alavoine (l'espace).

> « Dès son arrivée dans la maison, elle s'était occupée tout naturellement de mes affaires d'argent, à tel point que j'en étais réduit à lui demander quand j'avais un achat quelconque à faire. » (Pp. 118-119.)

> « Eh bien ! Pour moi, cela a toujours été *sa* maison. On y mange bien, mais c'est *sa* cuisine. Les amis ? Après un an, je ne les considérais plus comme *mes* amis,

> mais comme *ses* amis à elle. Et c'est d'ailleurs *son* parti qu'ils ont pris plus tard. » (P. 68.)

Armande parvient même à rivaliser avec son époux dans le domaine professionnel.

> « Pendant dix minutes, elle me parla de la diphtérie comme j'aurais été incapable de le faire. » (P. 61.)
>
> « Elle n'allait pas jusqu'à parler de *ses* malades, mais elle prononçait *nos* malades, et elle me questionnait sur eux, sur le traitement que je leur faisais suivre, elle me donnait son avis — souvent pertinent d'ailleurs — sur le chirurgien auquel je devais les envoyer pour une intervention.
>
> « Tenez ! Je viens de parler de faire partie d'une confrérie. Il y en a une seule à laquelle j'appartiens par la force des choses : c'est le corps médical. Or, parce que tous les médecins que nous fréquentions étaient nos amis, c'est-à-dire ceux d'Armande plus que les miens, je n'ai jamais ressenti ce sentiment de solidarité qui m'aurait parfois réconforté. » (P. 136.)

A la limite, sa puissance la range du côté de l'abstraction. Elle représente une espèce de divinité de classe.

> « Avez-vous jamais rêvé que vous aviez épousé votre maîtresse d'école ? Eh bien ! Moi, mon juge, c'est ce qui m'est arrivé. » (P. 71.)
>
> « Enfin, il y avait toutes nos amies, ou presque, toutes les jeunes filles de notre société qui venaient lui demander conseil. C'était arrivé si souvent qu'Armande n'attendait plus qu'on l'en priât et qu'elle donnait, d'elle-même, son avis sur tout ; et on lui avait répété tant de fois qu'elle ne se trompait jamais que c'était devenu une chose admise dans un certain milieu yonnais et qu'elle ne concevait plus la possibilité d'une contradiction. » (P. 121.)

Simenon a opposé souvent à son attrait pour la femme naturelle (« la femelle ») son rejet de la femme sophistiquée, et ce en réexploitant les concepts classiques d'apparence et d'essence. D'une part, il y a transparence : l'essence équivaut à l'apparence ; d'autre

Ex-libris de Georges Simenon. Auteur : le graveur russe, Victor Chapil. Coll. Fonds Simenon.

Chrétien Simenon, le grand-père devant sa chapellerie. Coll. Fonds Simenon.

Georges Simenon en 1908. Coll. Fonds Simenon.

Georges Simenon en tambour major, 1914. Coll. Fonds Simenon.

Georges Simenon en novembre 1918. Il a quinze ans. Coll. Fonds Simenon.

Georges Simenon à son arrivée à Paris, en décembre 1922. Coll. Fonds Simenon.

trait de Georges Simenon par Tigy, sa première épouse (signé Régine Sim). Document Jean Jour.

Georges Simenon écrivant des contes populaires à ses débuts, vers 1924-1926. Coll. Fonds Simen

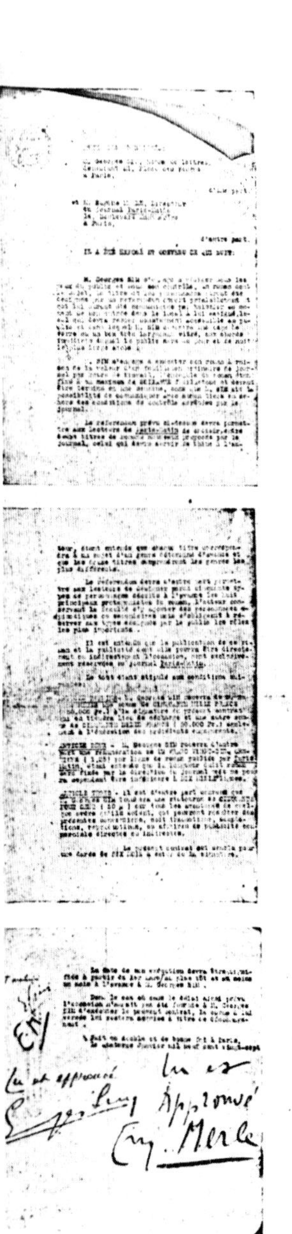

"PARIS-MATIN"

le grand quotidien d'informations qui va paraître prochainement vous présentera pour ses débuts

UN EXPLOIT SENSATIONNEL

Son prochain feuilleton va en effet être écrit **sous les yeux du public, sous son inspiration et sous son contrôle,** avec une rapidité vertigineuse, par un des meilleurs romanciers de la jeune génération qui va réellement établir, d'une manière excluant toute supercherie, un véritable

ROMAN-RECORD

record de vitesse, record d'endurance, et – osons-nous ajouter – record de talent !

C'est, en effet enfermé dans une cage de verre scellée, sans aucune communication avec l'extérieur, sous la surveillance ininterrompue, de jour et de nuit, du grand public de la capitale, sur un sujet et avec des personnages choisis au dernier moment par ce même public, qu'un jeune auteur qui n'a pas encore 24 ans et qui, sous des pseudonymes divers, n'a pas écrit jusqu'à ce jour moins de 1000 contes et de 60 romans, accomplira ce prodigieux exploit à l'invraisemblable vitesse d'un feuilleton par heure au minimum !

Son manuscrit qui sera affiché, feuillet par feuillet, au fur et à mesure de sa production, sera inséré sans retouche ni corrections dans PARIS-MATIN dont les lecteurs pourront apprécier que cette célérité inouïe n'aura exclu aucune des rares qualités d'imagination, de clarté et de style dont est doué le prochain héros de cette inimitable performance, notre confrère et ami :

GEORGES SIM

avec lequel M. Eugène Merle, directeur de PARIS-MATIN, n'a pas hésité, coupant court aux pourparlers engagés avec d'autres journaux, à signer un contrat dont le *fac-simile* est ci-contre, et dont les avantages ne représenteront, pour le bénéficiaire, pas moins de

300.000 francs

Projet d'affiche évoquant « L'exploit de la cage de verre », financé par Eugène Merle, directeur de Paris-Matin. *Coll. Fonds Simenon.*

Couverture d'un roman populaire : Chair de Beauté, *signé Georges Sim et paru chez Fayard en 1928. Coll. Fonds Simenon.*

*Georges Simenon à bord de l'*Ostrogoth *amarré au Port-Marie en juillet 1931. Il y écrira* Le Relais d'Alsace. *Coll. Fonds Simenon.*

Séance de signatures au Bar du Soleil à Deauville, le 15 août 1931. La série des Maigret *conna*
un succès retentissant. Coll. Fonds Simenon.

part, opacité : l'apparence cache l'essence. Nous complétons cette distinction par l'antinomie qu'il y a entre les femmes qui acceptent d'être les partenaires, les objets de la frénésie désirante du narrateur, et celles qui le refusent. Peu importe d'ailleurs les classes sociales auxquelles ces dernières appartiennent, car nous y trouvons aussi bien Armande, dont on sait le poids castrateur, qu'une jeune patiente provocante qu'Alavoine a tenté de violer.

En règle générale, la femme qui refuse la soumission sexuelle incarne une figure autoritaire. De toute évidence, Armande a choisi son camp. Echappant à l'autorité paternelle, elle recrée une relation de force avec son mari, elle l'asservit, le maintient sous son emprise sans contrepartie sexuelle et selon la *logique des transferts*.

> « Avec celui-là [son père], certes, elle aurait perdu son temps à essayer son pouvoir et je suis persuadé que, dans la maison de la place Boieldieu, elle était obligée de se faire toute petite. » (P. 63.)

Rien ne change, désespérément, jusqu'à ce qu'il rencontre Martine : la mère et l'épouse ont provoqué une exacerbation du sentiment de contrainte, ce qui concourt à déclencher le processus final de déviance.

Ici encore, c'est le hasard (un train manqué) et ses obligations médicales qui justifient l'écart. Le narrateur ne prémédite rien, il n'assume pas ses responsabilités, c'est l'ailleurs (les autres, les circonstances) qui le mène, le conduit à agir, à subir. A partir de ce moment-là se déroulent simultanément trois phénomènes : le pseudo-basculement déviant, la persistance de l'état de déséquilibre et l'oppression imposée à Martine. Alors que la déviance est amorcée, il téléphone à Armande afin de justifier son retard (p. 86). Il laisse ainsi transpirer son aliénation devant Martine et en quelque sorte l'y intègre. De retour chez lui — car il revient, sans faire éclater l'équilibre familial — il continue d'exercer sa profession. Au départ, le respect du devoir demeure plus important que cet amour, pourtant qualifié de « total ».

> « Et il m'était impossible de me précipiter chez elle. Il me fallait accomplir la tournée de mes malades. » (P. 120.)

Le narrateur profite cependant de ces facteurs étouffants et contraignants. En effet, non seulement sa profession lui sert à confronter Martine à sa petite sphère familiale (p. 104), mais encore à l'introduire dans l'enceinte même de son habitation (pp. 117-118).

La médecine serait-elle réversible ? Dans une certaine mesure. Il y a surtout transfert de toute une aliénation subie, sur la femme aimée : Martine est placée sciemment sous la surveillance de sa mère et d'Armande :

> « Il fallait qu'on me la gardât. » (P. 107.)
>
> « J'avais un peu l'impression de me l'approprier et il n'en aurait pas fallu beaucoup pour que l'idée me vienne de l'enfermer. » (P. 107.)
>
> « Voilà pourquoi j'ai eu un trait de génie, sans le vouloir, en parlant des comptes de fin d'année. C'était mettre Martine sous sa coupe, c'était un être de plus qui entrait de la sorte sous sa domination. » (P. 120.)

Martine est prise au filet par la plus cruelle des logiques. L'efficacité de la mère et de l'épouse ne sont plus à prouver. Dès lors, Alavoine ne trouve rien de mieux, pour l'asservir, que de leur livrer sa maîtresse. De ce fait, il bascule lui aussi, par procuration, dans le camp des oppresseurs.

> « Mais, mon juge [...], d'entrer ainsi chez nous grâce à tout un écheveau de mensonges que je lui imposais, c'était pour elle non seulement la pire humiliation, mais le sacrifice de tout ce qu'elle pouvait encore considérer comme sa personnalité. » (P. 137.)

La crise au cours de laquelle Alavoine mettra l'amour en balance avec l'exercice de la médecine ne durera pas longtemps. Avant de partir, pour maintenir l'ordre, il prévoit sa propre succession et répartit ses économies entre les ayants droit ; évadé, il surveille Martine en la mêlant à ses activités professionnelles. En somme, jamais il ne délaisse vraiment l'espace socio-économique bourgeois.

> « Avant de partir, nous avons arrangé fort convenablement les choses, Armande et moi [...]. Je lui ai laissé la voiture. Armande, ma mère et mes filles peuvent garder le même train de vie, car le petit Braille se contente

> d'un traitement fixe qui laisse une large marge de bénéfice [...]. En ne touchant qu'à une partie de nos économies, je peux reprendre un cabinet dans les environs de Paris. » (Pp. 164-165.)

C'est dans la confrontation entre l'intruse et la famille qu'apparaît, exacerbée, sa volonté de compromis. Alavoine veut tout préserver, en additionnant deux univers de valeurs antinomiques.

> « J'étais prêt à inventer n'importe quoi. » (P. 103.)
>
> « Or, ma maison *était*, ma famille *était* et, pour sauvegarder l'une et l'autre, je me suis astreint pendant des années à vivre comme un automate. » (P. 134.)
>
> « Parce que je me figurais que je pouvais être heureux sans rien retirer aux autres. » (P. 138.)

Il cherche la totalité. Il ne peut abandonner une classe pour une autre, il veut tout : un agglomérat, une *réunion*, une participation globale. Et le drame réside peu dans son absence de choix, il prend forme dans l'illusion tragique, dans le voilement face à une impossibilité de fait. Le narrateur croit en la conjonction de l'irréductible, il espère la prise tout entière des possibles, la vie totale.

Tout préserver. Ses armes sont le mensonge, l'hypocrisie, la lâcheté. En même temps, l'échauffement entre les deux mondes crée un éclatement qui rend le choix nécessaire. Le narrateur quitte sa maison ou plutôt — n'acceptant pas le compromis proposé par Armande qui est à l'image de la pseudo-déviance proposée par sa mère au sein de son univers de valeurs —, il se chasse, il est chassé. Serait-ce, une fois pour toutes, basculer, déclencher la déchirure ? Absolument pas. Il est mis ou se met au ban de la société et vit une certaine libération non à partir de son désir, de sa volonté propre, mais en respectant les conventions sociales.

> « J'ai tout vomi, tout ce que j'avais sur le cœur, toutes mes humiliations, mes lâchetés, mes désirs rentrés, j'en ai rajouté, et tout cela, je te l'ai jeté sur le dos, à toi seule [Martine], *comme si tu étais seule à devoir en porter désormais la responsabilité.* » (P. 161.)

Le narrateur recrée très précisément avec Martine le rapport de force qu'il subissait avec Armande. Comment ? Il a introduit Martine dans la structure familiale, nous l'avons vu. Les violences physiques exercées à son encontre sont encore un indice. Même sous-tendue par la rédemption, cette brutalité montre sa volonté de détruire sa partenaire, précisément cette part de l'*Autre* qui échappe au *Même*. Enfin, Alavoine utilise ses compétences médicales en exploitant les faiblesses psychologiques de Martine à des fins de domination : sa maîtresse devient aussi sa malade.

> « Nos entretiens ressemblaient parfois à la démarche de certains malades. » (P. 171.)

En matière sexuelle, un sentiment de culpabilité exacerbé, d'origine religieuse et paternelle, réfrène tous ses élans jouissifs. La femme recherche la punition infligée par le héros déviant, plus particulièrement par les images en fusion dont il se trouve chargé : celles de père et de confesseur.

> « Ce n'est pas chrétien, Charles. » (P. 157.)
>
> « Elle s'est chargée d'un surcroît de péchés, je m'en suis aperçu par la suite, tant elle s'était toujours sentie coupable. » (P. 154.)
>
> « Elle parlait bas, comme à confesse. » (P. 128.)
>
> « Pourquoi, sinon pour la délivrer, aurais-je passé des heures et des heures à la confesser ? » (P. 154.)

Il importe de voir que le narrateur exploite ce traumatisme avec un brio d'autant plus troublant que ce double rôle rejoint ses préoccupations intimes. En effet, jouer au père par substitution, c'est rejoindre un ersatz d'un modèle inatteignable : son propre père.

Dans le même temps, le narrateur vise aussi un retour à l'amour perdu, parfait, sublime, en réactualisant une scène amoureuse — fusion, soudure originelle — qu'il a vue un soir de sa jeunesse à Caen. On le voit, l'Autre n'est jamais considéré comme un être hétérogène, mais comme un support asservi à son propre imaginaire.

> « Je la questionnais sur la Martine enfant, à laquelle ressemblait chaque jour davantage la Martine que j'aimais. » (P. 174.)
>
> « La mauvaise Martine s'effaçait [...], ressemblait à une petite fille de seize ans. » (P. 155.)

L'amour d'Alavoine est fondamentalement tourné vers le passé, et sa partenaire réduite à un instrument de régression.

De son côté, Martine est en quête de celui qui portera le coup mortel : le justicier. Son amour s'inscrit dans une perspective sacrificielle, l'autre étant chargé de la vider de ses péchés. Clairvoyante, elle s'avance vers le terme ultime : l'exorcisme et la mort. Sans aucun doute, ce personnage représente la *déviante pure, totale et tragique*.

> « *Elle voyait plus loin, elle voyait un autre moi, le moi futur, comme je voyais en elle la petite Martine d'autrefois.* » (P. 159.)
>
> « Et pourtant, mon juge, cet amour-là, elle l'acceptait tel qu'il serait. » (P. 125.)

Cet amour fait se croiser deux routes, deux imaginaires à la recherche de moyens susceptibles d'assouvir leurs manques singuliers. Et l'union de leurs différences engendre une complémentarité de fait. Alavoine joue au père, Martine joue à la « petite fille » — ce dernier syntagme résonne comme un leitmotiv sous la plume du narrateur. L'association de ces deux fonctions crée une situation incestueuse. A la nomination « papa » répond l'expression « petite fille ». La boucle est bouclée. Chez Simenon, la rencontre amoureuse repose sur une conjonction d'intérêts psychologiques, le mâle cherchant toujours, sur le modèle œdipien décrit plus avant, à redevenir un fils, à prouver sa virilité et surtout à rivaliser avec le père.

L'amour et les mots

Il est important de remarquer que Simenon inscrit l'amour entre Martine et Alavoine dans la matérialité-même de son texte. Par les caractéristiques physiques, les traits contextuels, les décors..., se crée un système de référence lexical concernant d'une part le père du narrateur et de l'autre une scène contemplée durant sa jeunesse. Autrement dit, deux espaces de sens qui appartiennent en propre à son imaginaire. Et ce jeu relationnel entre les mots détermine tout un réseau cohérent au sein duquel nous voyons apparaître un rapport aux origines et à la mort, soutenu par un désir singulier.

Certains procédés techniques employés dans cette perspective, comme le retour cyclique de certains termes, l'utilisation de mots générateurs ou amorces, laissent entrevoir la grande modernité de Simenon[38].

L'expérience originelle

Jeune encore, le narrateur, qui se trouve à Caen chez son oncle et sa tante, assiste un soir à une scène déterminante (un couple se retrouve sous la pluie et « se soude » sur le seuil d'une porte), *originelle*, qui aura en lui des échos, parce qu'elle constitue l'image essentielle d'un amour, d'une fusion réalisés. Nous écrivons *originelle* car cette scène est la référence ultime du narrateur : remarquons toutefois que la scène se déroule « comme dans un rêve » (p. 17), c'est-à-dire qu'elle remonte symboliquement *aux origines*.

Voici les matériaux textuels que nous retenons :

> « Il pleuvait [...]. Il y avait une jeune fille vêtue d'un imperméable beige qui attendait, avec des cheveux blonds [...] et des gouttelettes de pluie sur ses cheveux. Le tram est passé, avec son gros œil jaune [...]. Un jeune homme [...] est descendu en voltige, juste devant le marchand de cannes à pêche [...]. Cela s'est fait

38. La plupart du temps, le même type d'adjectif est utilisé pour définir l'écriture de Georges Simenon. Qualifiée de blanche, de grise, de neutre, de lisse, de linéaire, de transparente — j'en passe — elle est censée s'effacer (car l'écrivain populaire ne peut se distinguer par le style), au profit d'une narrativité qui est à la fois le prétexte et la première caractéristique des œuvres dites populaires. Dans ce cas, comme dans celui de Jean Ray, c'est la conception classique de l'écriture qui prévaut : le langage ne constituant qu'un matériau capable de véhiculer un sens préétabli, il tendra à couler, à devenir muet et ce, au plus grand profit du lecteur, lequel est enclin par nature, comme le montrent les listes des meilleures ventes, à consommer des histoires et rien que des histoires. Privé de traits marquants, d'accrocs, d'aspérités, le récit suivra un cours rectiligne, durera longtemps, mènera loin (au cœur du livre : la peur, le suspense, l'excitation, l'aventure...).
Point de doute : l'écrivain populaire laissera les effets textuels au poète, au romancier, à l'essayiste ; il s'efforcera de ne pas montrer la langue en action, ni ses empreintes, ses traces, ses pépites. Au terme de « travail » sera préféré celui de « métier », c'est-à-dire la capacité de produire des textes narratifs ou discursifs au moyen, et seulement au moyen, de recettes élaborées (vocabulaire usuel, syntaxe simplifiée, clichés à la pelle, thèmes entendus...). Littérature populaire (lisible, lue avec profit par n'importe qui et donc peu marquée) contre littérature de classe (signe de reconnaissance socioculturel — Proust, Char, Borges...) : la méthode choisie pour aborder l'une et l'autre, la texture même du discours tenu à leur égard, en dit long sur l'idéologie implicite de certaines lectures critiques qui confondent le matériau brut du texte et la place qu'il est censé occuper dans le paysage socioculturel. Car l'utilisation de telle ou telle méthode critique permet de suggérer la qualité, l'intérêt, la modernité de l'objet étudié. Inutile donc de se demander pourquoi il n'existe pas ou peu de travaux sur Georges Simenon fondés sur la matérialité du texte ou, si l'on préfère, sur sa signifiance.

comme dans un rêve [...], la main de la jeune fille s'accrochait à son bras [...]. Sur le premier seuil, ils se sont soudés l'un à l'autre, avec leurs vêtements mouillés, leur peau mouillée. » (P. 17.)

A Caen encore, se déroule la première rencontre amoureuse d'Alavoine. Il avoue avoir voulu répéter le plus précisément possible l'expérience précitée. Toutefois, certains éléments manquent :

« Il n'y a pas eu de *tram* et on ne m'attendait pas. » (P. 18.)

« Nous sommes passés aussi devant le *marchand de cannes à pêche* et j'ai entraîné ma compagne dans la rue calme, jusqu'au *premier seuil*. Vous comprenez ? C'est là qu'elle a dit : "Attends que nous soyons chez moi." » (P. 20.)

On remarque que la vision primitive se trouve tout aussitôt privée de certaines caractéristiques que le narrateur cherchera, tout au long de son parcours amoureux, à combler. C'est l'impossibilité de répondre à ses propres manques originels qui alimentera la quête régressive de Charles Alavoine.

Nous trouvons dans la scène originelle un mot fondamental : « souder » (p. 17), occurrence unique, du moins sous la forme verbale. Ce sera *le mot manquant*. Et ce manque figure dans la perspective désirante, l'absence essentielle. De même que le sujet a perdu l'objet initial, de même le mot fondamental échappe-t-il à la récurrence. Le texte se trouve habité par un vide. Un vide à peine compensé par des mots de remplacement qui substituent au mouvement fusionnel des corps une relation de dévoration : « assimiler la chair » (p. 17), « absorber » (p. 176), « posséder » (p. 145). Certaines métaphores appuient cette interprétation cannibale :

« Je lui mangeais littéralement la bouche. » (P. 111.)

« J'avais faim de la connaître. » (P. 117.)

La volonté de domination d'Alavoine sur Martine s'accomplit jusqu'aux instants de prise amoureuse. Il cherche à la dévorer, à l'asservir totalement. A la crainte — la certitude ? — de la dérobade de l'objet, correspond, dans l'extase amoureuse, un désir inversement forcené de mainmise sur celui-ci.

De même, Alavoine déborde d'une jalousie féroce. Il supporte mal que sa maîtresse se soit, par le passé, donnée à quantité d'hommes et craint qu'elle ne lui échappe en partant, par exemple, avec Raoul Boquet, un commerçant de La Roche-sur-Yon chez qui Martine devait initialement se rendre. Curieusement, ce personnage rappelle le père du narrateur, ce père qu'il ne sera jamais :

> « Raoul Boquet boit pour boire, est grossier pour être grossier, parce qu'il s'emmerde, comme il dit, parce que tout l'emmerde et qu'il emmerde tout le monde [...]. Sorti pour une heure, sans pardessus, on le retrouve deux jours plus tard à La Rochelle ou à Bordeaux, avec toute une bande qu'il a racolée n'importe où. » (Pp. 97-98.)

La jalousie est aussi déterminée par l'impossibilité qu'il a de séduire, de prendre toutes les femmes, comme le faisait son père, de rivaliser vraiment avec le mâle souverain qu'il était.

La bonne Martine, c'est l'objet maniable, le média régressif, tandis que la mauvaise Martine, c'est l'objet du refus, à savoir la femme qui surprend l'impossibilité d'Alavoine d'égaler la figure mythique du père.

Le père

Issu d'une riche famille rurale, le père d'Alavoine est né en pleine campagne (Bourgneuf), dans la demeure ancestrale. Le narrateur le présente comme un être quasi mythique.

> « C'était un homme plus grand, plus large et plus fort que moi. On m'a raconté que, dans les foires, certaines fois qu'il avait bu, il pariait volontiers de porter un cheval sur son dos et des vieux du pays affirment qu'il lui est arrivé de gagner ce pari. » (P. 29.)

Il est à la fois cultivateur, chasseur et marchand. C'est un personnage marqué par une animalité souveraine qui s'inscrit dans une morale pour le moins dionysiaque.

> « Mon père est né pour ainsi dire un fusil à la main. » (P. 30.)

Cet attribut fonctionnel (le fusil) représente en quelque sorte l'emblème, la métaphore de ses écarts sexuels :

> « Car mon père, lui, les ''enceintait'' sans vergogne, quitte à être forcé ensuite de vendre un nouveau lopin de terre. Tout lui était bon, les jeunes et les vieilles, les putains et les pucelles. » (P. 49.)

Cette sexualité hypertrophiée se trouve-t-elle refoulée ou mise en cause ? Dans une certaine mesure, un rapport symbolique est établi entre la frénésie sexuelle et la réduction de l'avoir monétaire.

> « Un jour de foire, il avait dépensé le prix d'une vache avec les filles. » (P. 31.)

Il y a surtout une dramatique de l'être désirant toujours face à l'infini de son désir :

> « Un jour que je jouais près du puits, je m'en souviens encore, je l'ai aperçu, couché de tout son long au pied d'une meule, le visage tourné vers le ciel, et il m'a paru si long, si immobile, que je l'ai cru mort. » (P. 32.)
>
> « Mon père se taisait et parfois ses doigts se crispaient un peu sur mon épaule. Nous regardions le vide, tous les deux. Nos yeux devaient avoir la même couleur et je me demandais si mon père lui aussi avait peur. » (P. 33.)
>
> « C'était un de ces soirs glauques, avec un ciel d'un blanc uni. » (P. 32.)

Le drame ne réside pas dans l'objet observé ni dans le sujet. Il se situe dans la relation qui existe entre les deux termes. Le père est représenté comme un sexe au repos, par métaphore, n'étant ainsi plus à la mesure de son infini désir : sa perspective demeure, tandis que la possibilité d'y répondre n'existe plus.

> « Alors que je n'avais jamais envisagé que mon père pouvait mourir, je me le représentais mort, je le voyais couché de tout son long, au pied de la meule, comme deux ans plus tôt. » (P. 33.)

Simenon développe une métaphore brillante touchant magistralement au désir :

> « Un désir réduit à sa plus essentielle dimension, d'un *mouvement qui va au-delà, désir presque affranchi de la fascination de l'objet*[39]. »

39. Serge Leclaire, op. cit., *p. 49.*

Ce personnage, nous le voyons, est entièrement soumis au principe de plaisir. Cet hédonisme présuppose une hypertrophie de la personnalité, mettant le rôle social sous l'éteignoir. Le père adopte la morale libertaire de l'homme sauvage qui ira jusqu'aux limites de son désir. Et nous voyons que ces caractéristiques paternelles sont transmises au fils.

> « Souvent, il m'est arrivé, le soir, en regardant un ciel incolore, un ciel comme éteint, de penser à mon père étendu au pied de la meule. » (P. 49.)

Le père est ainsi figure catalysatrice du désir individuel, focalisée sur une sexualité sauvage. Son infinitude porte en germe la mort conçue comme le fléchissement du sujet dans la relation avec l'objet. Curieusement d'ailleurs, chez Simenon, ce fléchissement s'inscrit dans l'organe qui désigne métonymiquement le désir.

> « Il lui arrivait de plus en plus souvent de se lever la nuit et j'entendais des bruits d'eau, des chuchotements, après quoi, le matin, il paraissait fatigué. » (P. 33.)

Le lexique paternel

La séquence originelle se déploie en contrepoint avec la séquence paternelle et se double d'une perspective tragique : le père, saisi à travers l'image du désir débarrassé du leurre de l'objet, ceci juste avant de mourir. Simenon disperse dans la chair du roman des références charnières au passé inaccessible et au père incomparable. Ces dernières étant toujours associées à l'amour et à la mort. Voici les mots retenus :

> « Organiser des battues [...], un fusil à la main [...], un chien couché à ses pieds, le museau sur ses bottes... » (P. 30.)
>
> « Mon père buvait. » (P. 31.)
>
> « C'était un de ces soirs glauques, avec un ciel d'un blanc uni [...], il a semblé sortir d'un rêve. » (P. 32.)
>
> « Nous regardions le vide, tous les deux [...], supporter cette angoisse [...], il y a eu un coup de feu. » (P. 33.)

Le texte, la phrase fonctionnent à partir de séquences génératrices dont les composantes — les mots dispersés à travers le roman — engendrent elles-mêmes des événements, des transformations. On le voit : les références au domaine paternel envahissent la phrase dès qu'il est question de sexualité mortelle.

Jeanne, la première épouse, ne le satisfait pas sexuellement, ce qui l'amène à rechercher ailleurs des satisfactions. Celles-ci sont amorcées par des mots issus du registre paternel.

> « Dans mes moments libres, je préférerais me servir de ma moto pour aller à la *chasse* ou à la pêche. » (P. 37.)
>
> « Maman n'aimait pas me voir toujours en culottes et en *bottes* comme mon père, passant à la *chasse* le plus clair de mes moments de liberté. » (P. 48.)
>
> « Souvent, il m'est arrivé, le soir, en regardant *un ciel incolore*, un ciel comme éteint, de penser à mon père. » (P. 49.)

Autre exemple. Après déambulation dans les ruelles pluvieuses de Caen et beuverie dans différents bistrots, Martine et Charles se retrouvent dans une chambre d'hôtel. Ce sont les signifiants paternels qui amorcent la prise copulatoire : « corps couché en *chien de fusil* » (p. 92), « *comme dans un rêve* [...], je l'ai pénétrée d'un seul *coup* » (p. 92).

Et le meurtre est amorcé dans quelques pages où reviennent de façon alternée des réminiscences lexicales de l'image paternelle et de la scène fusionnelle. On le voit : ces séquences ambivalentes provoquent des associations cohérentes selon une logique déterministe.

Nous symbolisons la séquence paternelle par A et la séquence fusionnelle par B. Celles-ci dessinent un rythme binaire et sériel.

> A : « Pendant plusieurs jours, *le ciel a été gris, d'un gris à la fois terne et lumineux* qui m'a toujours attristé. » (P. 178.)
>
> B : « Je revois toute une famille qui *attendait le tram* et dont tous les membres [...] portaient des *cannes à pêche*. » (P. 179.)
>
> A : « Est-ce que la couleur du ciel y était pour quelque chose ? C'était une de ces journées, juge [...] où l'on est capable de *ne penser à rien*. » (P. 180.)

B : « J'ai refermé la porte de mon espèce de *boutique.* » (P. 180.)

A : « J'ai *bu* un vermouth au comptoir. » (P. 180.)

B : « Nous ne faisions qu'un *seul corps en mouvement.* » (P. 182.)

A : « Le même voile lumineux était toujours tendu sur le ciel et c'était justement une lumière qui ne faisait pas d'ombre. » (P. 182.)

A : « Le soir tombait mollement, trop lentement à mon gré. » (P. 184.)

B : « Il y avait des *rues*, des *trottoirs*, des gens qui se promenaient, d'autres assis sur une chaise devant leur *seuil.* » (P. 184.)

A : « Il y avait des lumières qui luttaient contre le faux jour du crépuscule. » (P. 184.)

B : « Sa nuque [...] avec *les petits cheveux follets.* » (P. 184.)

« Je voyais ma main autour de son cou et j'ai serré, juge, brutalement ; j'ai vu ses yeux s'ouvrir, j'ai vu son premier regard qui était un regard d'effroi, puis tout de suite l'autre, un regard de résignation et de délivrance, un regard d'amour. » (P. 186.)

Soulignons encore simplement la beauté de cette mort, où apparaît simultanément l'image des contraires fusionnés dans l'amour, prémisses du dépassement, au sublime simenonien.

La mort

Chez Simenon, la mort représente souvent un passage vers un ailleurs relié à la vie, où les tensions s'apaisent enfin. Dans *Lettre à mon juge*, elle constitue peut-être l'instant sacré où le narrateur échappe au compromis (être un bourgeois en même temps qu'un marginal) en rejoignant d'abord radicalement le pôle bourgeois, celui de l'oppression (par le meurtre de la déviante), puis en *s'absentant* définitivement du monde, après un dernier regard — l'écriture — qui est à l'image des yeux mourants et approbateurs de Martine.

Quand décide-t-il de tuer Martine ? Précisément lorsqu'elle accède au plaisir.

> « Alors elle a poussé un grand cri, un cri comme je n'en avais jamais entendu, un cri de bête et tout ensemble un cri de triomphe. » (P. 170.)
>
> « C'était réellement sa chair, cette fois, qui s'épanouissait, et mes yeux ne quittaient pas ses yeux. » (P. 170.)
>
> « J'ai pensé, presque sans m'en rendre compte : et dire qu'il faudra un jour que je la tue. » (P. 170.)

Martine franchit une étape, se débarrasse de ses fantômes et, en accédant à la plénitude sexuelle, met en cause la place qu'elle occupe dans sa relation amoureuse. Le déséquilibre est rompu : ne risque-t-elle pas d'échapper à Alavoine, fût-ce symboliquement ? Ne va-t-elle pas le forcer à la reconnaître autrement que selon des modalités fantasmatiques ? Comme un être indépendant, libéré ? L'éveil à la jouissance éveille la présence de la mort. « Que signifie l'érotisme des corps, sinon une violation de l'être des partenaires ? Une violation qui confine à la mort ? Qui confine au meurtre ? », s'interroge Georges Bataille. Il s'agit de franchir l'infranchissable, d'accéder à un lieu plein, de suggérer la volonté de dépassement et, par-dessus tout, de mériter l'héritage paternel en le débordant jusqu'au meurtre.

La vie totale voisine avec la mort. Martine accède au point ultime d'équilibre de passage de la vie froide, la frigidité enchaînée à la faute, à la mort chaude, ce lieu d'érotisme et de mort[40].

40. Le rapprochement entre Simenon et Bataille mériterait d'être poussé plus avant. En attendant, voici un large extrait d'un article de Dominique A. Grisoni, « L'amour et la mort » sur « La littérature et la mort » in Magazine littéraire, *n° 197, juillet-août 1983, consacré à Bataille et qu'il convient de lire en écho à* Lettre à mon juge *:*

« [...] Alors que dans l'érotisme, tout est réel. Trop même. Il y a des personnages de chair et de sang qui sont travaillés par un désir palpable, aux effets visibles, animés de pulsions où la violence meurtrière jaillit avec une vérité insoutenable. Et puis surtout, insigne avantage, l'érotisme se fonde dans une double relation à la mort. Mort de soi, mort de l'autre, il englobe les deux moments, les réunit en un même vertige de la conscience, réalisant une approche de la mort plus serrée, qui traîne les protagonistes de l'expérience presque aux bornes de leur propre dissolution.

« C'est d'ailleurs là que j'ai laissé tout à l'heure le couple de Madame Edwarda *: sur le fil d'une hésitation, à l'instant du chavirement. Juste dans cette fine suspension du temps où brusquement la conscience rejoint l'ineffable. Moment exceptionnel, où tout devient lumineux, aveuglant, et où plus rien ne résiste à la compréhension. L'homme voit tout et comprend tout. Tout de son statut dans le monde, de sa discontinuité constitutive, de sa fragmentation sociale. D'un seul regard, il embrasse l'essence tragique de sa condition et découvre qu'elle est sans remède... hors la mort. Qui peut-être résout, mais aussi annule tout.*

> « Il me semblait qu'il ne tenait qu'à moi de crever je ne sais quel plafond, de bondir soudain dans des espaces inconnus. » (P. 93.)
>
> « Il est difficile d'être plus *vide* que nous n'étions l'un et l'autre et nous devions faire sur les gens l'effet de deux *fantômes*. » (P. 95.)

L'économie paternelle, fondée sur le gaspillage mortel, se situe tout à fait à l'opposé de l'économie développée dans l'univers des valeurs dont l'emblème, le catalyseur, est Armande. A la frénésie sexuelle, à la mise en jeu fondamentale du désir, correspond à la fois la réduction de l'espace ancestral et le tarissement du corps. Le père ne compte pas, il décompte ; il se perd corps et âme.

Ce chemin hautement symbolique, ce chemin nécessaire au dépassement, à la perception ultime des choses, est aussi celui de Martine. Comme le père, à la recherche de l'impossible plénitude — puisque le désir ne s'abandonne pas à la fascination de l'objet mais avance sans cesse vers son horizon — elle se perd *essentiellement, irrésistiblement*.

> « Son arrivée à La Roche-sur-Yon [...] avec un crochet par Nantes pour y emprunter un peu d'argent, c'était, en somme, une sorte de suicide. Elle abandonnait la partie. » (P. 154.)
>
> « Martine était mal portante à cette époque. Elle payait. Elle payait beaucoup de choses. Elle payait sans se plaindre, sans croire à l'injustice. » (P. 142.)

« Attention : entendez bien ce que je dis. Je ne parle pas en termes de connaissance ni de savoir rationnels. Et ce serait un contresens de le faire. L'expérience érotique fonctionne à un autre niveau, du côté de l'intuition et de l'empirie. C'est la raison pour laquelle, dans le déroulement de son scénario, elle n'emprunte pas le processus habituel de la connaissance. La conscience qu'elle mobilise est une conscience primaire, instinctive, de même que les procédures mises en œuvre n'épousent pas la progressivité coutumière de l'expérimentation. De part en part l'érotisme est spontanéité, violence et radicalité. Parce qu'il s'enracine directement dans le monde du sacré. Et, renouant avec les plus lointaines expériences de l'homme, il réactive ses plus vieilles angoisses et relance ses pulsions les plus archaïques. En un sens, il réveille la mémoire de l'espèce enfouie sous des monceaux de culture et d'interdits, étouffée par des millénaires d'histoires. Voilà pourquoi il n'introduit pas un savoir formalisable ; il n'est qu'une fulgurance, un dévoilement subit de l'être qui en même temps se voile.

« L'obstacle de la traduction est infranchissable, il n'y a pas de langage adapté à l'épreuve de l'intériorité, et Bataille s'y heurte constamment. "Une fois, dit-il, que l'impulsion érotique est donnée, c'est-à-dire que l'individu a glissé d'un état normal dans le désir, immédiatement s'instaure une fascination fondamentale de la mort. La conscience n'a plus qu'une visée et une seule : détruire et se détruire. Elle veut atteindre le point limite de la fusion, se dissoudre dans un maelström primordial pour dépasser enfin l'insupportable discontinuité à laquelle la vie assigne l'être. »

Ainsi, le père et Martine poursuivent leur démarche désirante, fusionnelle, sans occulter les risques, tandis qu'Armande se contente de pratiquer l'échange bourgeois (*le transfert*), source de plus-value. Alavoine se raccroche au formalisme d'Armande en transférant son aliénation sur Martine, et cela jusqu'à la fin, puisque la décision de tuer correspond à la nécessité de détruire l'objet qui menace de lui échapper.

« Si Lacan insiste sur l'idée que la relation du désir est fondamentalement une relation à l'Autre, il conçoit cela selon une double direction : "C'est en effet très simplement [...] comme désir de l'Autre que le désir de l'homme trouve forme [...]. Mais aussi en rajoutant que le désir de l'Autre, où le *de* donne la détermination dite par les grammairiens subjective, à savoir que c'est en tant qu'Autre qu'il désire (ce qui donne la véritable portée à la passion humaine)."[41] »

Il me paraît que le narrateur au destin mortel abolit un des deux termes de la relation désirante (... de l'Autre : Martine), ce qui l'empêche de poursuivre son chemin. Tuer, c'est à la fois se débarrasser de l'objet rendu à une certaine indépendance et se priver de repoussoir.

Dès lors, il n'est plus d'autre issue que de mourir à son tour. Poussant la logique du transfert jusqu'à l'absurde, Alavoine se choisit lui-même pour cible. Simultanément, entraîné dans le sillage éblouissant de Martine, il rejoint, dans la mort, l'ombre de son père.

Conclusions

Au terme de *Lettre à mon juge* il apparaît clairement que l'enjeu majeur de l'œuvre de Simenon, c'est l'Autre. Le personnage n'est que rarement maître de sa destinée. Tout au plus s'empresse-t-il, avec les moyens du bord, de faire la roue, de déployer des trésors de séduction paradoxale avec l'obscur dessein de *conquérir le regard qui lui permettra d'exister*.

Il ne faut pas s'y tromper : chaque roman de Simenon met en scène la même angoisse viscérale : comment vivre en homme ? Comment

41. Raymond Jean, in Lectures du désir, *coll. Points, Le Seuil, Paris, 1977, pp. 9-10.*

trouver la sérénité du père ? Comment accéder à la plénitude libératrice ? A cette interrogation, il n'est en définitive qu'une solution : *devenir l'essentiel pour quelqu'un, quitte à lui voler sa vie.* Alavoine joue au père avec Martine ; monsieur Monde redevient un homme en sauvant sa première épouse de la déchéance ; Dave Galloway reste solidaire de son fils, pourtant accusé de meurtre (*L'Horloger d'Everton*) : d'une manière ou d'une autre, le personnage répond à son propre vide en se remplissant d'autrui. Et Maigret, au fond, ne fait rien d'autre, en volant des morceaux de vie à ces hommes, assassins ou victimes, qui sont allés jusqu'au bout de leur destinée.

Toute déviance doit s'entendre comme un appel des plus pressants, comme une tentative de contraindre autrui à poser le regard sur sa personne, de façon à recouvrer un statut autonome, qu'il soit paternel (*Lettre à mon juge*), filial (*Le Locataire*) ou marital (*Le Fils Cardinaud*).

Or, cet appel contient en germe la défaite du héros car, le plus souvent, l'autre refuse de le *reconnaître* et de l'*intégrer* dans le groupe. A moins, comme M. Bouvet, de vivre sous de fausses identités et de fuir la famille, le couple et la société. Tour à tour anarchiste entre Clichy et Barbès, agent secret (!) au service de l'Angleterre, exploitant d'une mine d'or au Congo et modeste pensionné installé dans un appartement du quai de la Tournelle, ce fils de famille réalise un vieux rêve de Simenon : *être quelqu'un* (à ses propres yeux) *tout en n'étant personne* (aux yeux d'autrui).

> « Il n'était ni triste ni gai, ni cafardeux, il n'avait besoin de personne[42]. »
>
> « Tout jeune, il avait l'air de se suffire à lui-même, de vivre en marge de nous et des autres[43]. »

Tout son secret réside dans cette autosuffisance absolue, indifférente au regard d'autrui. Bouvet s'encanaille à Pigalle, il s'encanaque au Congo et quand il ne feuillette pas les livres d'un bouquiniste des bords de Seine, il se rend place Maubert pour discuter avec celui que Simenon considère comme la pure incarnation de l'indépendance : un vieux clochard d'ailleurs surnommé « le Professeur ».

42. L'Enterrement de Monsieur Bouvet, *éd. Presses de la Cité, Paris, 1950, p. 83.*
43. Ibid., *p. 114.*

« “Je crois surtout qu'il avait envie de vivre dans la brousse, de s'encanaquer, comme nous disions là-bas. Vous ne connaissez pas ça. Il y a des Blancs qui restent des Blancs où que ce soit, des civilisés. Certains, comme les Anglais, se mettent en smoking pour dîner seuls sous leur tente. D'autres vivent avec une indigène ou avec plusieurs. Beaucoup boivent. Enfin, il y a ceux qui s'encanaquent, perdent le souci de leur toilette et de leurs manières et qui, après quelques années, se comportent à peu près comme des nègres [...]. Mettons qu'il vivait comme un roi nègre [...]. Je vous l'ai dit : il ne parlait pas. Il passait le plus clair de son temps avec les jeunes négresses dont il possédait tout un harem[44]. »

« Il me posait des questions. Il m'observait, observait les autres [clochards] [...]

« — Qu'est-ce qu'il voulait savoir ?

« — Si c'était difficile, si quelquefois l'envie me prenait de changer de vie... Comment on nous recevait sur la péniche de l'Armée du Salut... Si c'était vrai qu'il arrive à la police de nous passer à tabac... Je ne sais pas... C'est compliqué... Je n'ai pas l'habitude. Je sentais qu'il aurait bien voulu venir...

« — Où ?

« — Avec nous. Et puis, je me trompe peut-être. C'est à cause de ses questions... Et aussi parce que c'était toujours lui qui courait après moi... [...]

« — En somme, selon vous, si M. Bouvet recherchait votre compagnie, c'est parce qu'il avait le désir plus ou moins avoué de vivre de la même façon que vous ?

« — Peut-être. Je crois qu'il y en a d'autres dans le même cas[45].” »

Si M. Bouvet *fuit* les contraintes sociales, le Petit Saint trouve asile sous l'aile *protectrice* de sa mère. Le fait qu'elle se partage entre

44. Ibid., *pp. 79-83.*
45. Ibid., *pp. 73-74.*

ses nombreux amants et sa charrette de marchande des quatre-saisons ne l'étonne pas. Sa mère le préfère à ses frères et sœurs et il lui voue une tendresse éternelle.

« "Tu n'aurais pas préféré naître dans une autre famille. Il n'y a rien qui te manque ?

« — Je t'ai."

« Elle le regarde, stupéfaite, les yeux brillants.

« "Tu m'aimes vraiment ?"

« Si elle n'avait pas eu à pousser sa charrette et s'ils n'avaient pas déjà pénétré dans la rue des Halles, où il était impossible de s'arrêter au milieu du trafic, elle l'aurait sans doute embrassé ou serré contre sa belle poitrine. Elle fit mine de rire, d'un rire voilé.

« "Tu ne vas pas prétendre que je te suffis ?

« — Si, maman[46]." »

La reconnaissance maternelle et l'intégration dans la rue Mouffetard sont à la base de son rayonnement intérieur, de « son sourire doux, sans ironie, sans méchanceté, sans agressivité, que quelqu'un compara un jour au sourire de saint Médard ».

Fait rarissime chez Simenon, Louis Cujas est heureux, capable de laisser venir le monde à lui, d'absorber la fugacité du temps sans jamais se poser de questions ou attendre de réponses. Emerveillé, il accepte la vie comme elle vient, regarde des heures à la fenêtre « le mouvement de la rue, grouillante, pleine de bruits et d'odeurs, des cris des marchandes, des victuailles entassées et des détritus dans le caniveau ». A l'école, Louis n'écoute que d'une oreille distraite, comme si la vérité des autres ne le concernait pas. « Tout ce qui appartient à un monde qui n'est pas le sien, qui n'a qu'un lointain rapport avec sa réalité quotidienne » le laisse perplexe. Toujours, il reste en dehors sans souffrir ou se réjouir de quoi que ce soit, seulement attentif à la plénitude de l'instant, « en quête de ce scintillement de l'image qu'il recherche depuis si longtemps » et qu'à travers sa peinture, il recherchera toujours.

Cette joie d'être au monde en osmose avec la création, de savourer les émotions minuscules qui passent dans l'instant, rappelle

46. Le Petit Saint, *éd. Presses de la Cité, Paris, 1965, p. 84.*

évidemment la vision du monde de Désiré Mamelin. Né de père inconnu, Louis Cujas jouit auprès de sa mère d'une reconnaissance absolue, sans rival. « Enfin, je l'ai écrit ! », s'exclama Simenon, tout heureux de boucler son manuscrit après une gestation particulièrement douloureuse. Jamais sans doute, il ne sera allé aussi loin dans l'aveu : *Le Petit Saint* pousse jusqu'au paroxysme la logique contenue dans *Pedigree*. De mauvaise, la mère devient généreuse. Quant au père, il a disparu, laissant un espace vide occupé par le fils chéri.

Seule ombre au tableau : la sexualité. Fils, il l'est. Et amant, le sera-t-il ? Dans *Le Petit Saint*, l'obsession de la virilité « totale » prend des formes particulièrement limpides.

Louis Cujas, « ce petit garçon qui ne sait rien », rencontre « une de ces femmes à hauts talons qui arpentent les trottoirs des halles ». Elle l'emmène dans un hôtel borgne et se déshabille. Aussitôt, Louis craint de se découvrir impuissant.

> « Tout à l'heure, quand elle se déshabillait, il avait envie d'elle. Elle avait eu tort de se mettre entièrement nue, d'écarter les jambes, d'exhiber un sexe envahi de longs poils noirs.
>
> « *Celui de sa mère était entouré d'une mousse roussâtre qui se détachait délicatement sur la blancheur du ventre*[47].
>
> « *L'autre sexe, qu'il avait souvent vu, qu'il voyait encore à l'occasion, celui de sa sœur, était à peine ombré d'un duvet blond.*
>
> « ''Qu'est-ce qu'il t'arrive ?
>
> « — Je ne sais pas.
>
> « — Je te dégoûte ?
>
> « — Non.
>
> « — Tu viens ou tu ne viens pas ?''
>
> « Il hochait la tête en reculant vers la porte, balbutiant :
>
> « ''Je vous demande pardon[48].'' »

Quelque temps plus tard, il croise une prostituée occasionnelle, « qu'on aurait pu prendre pour une vendeuse d'un magasin des grands boulevards ou pour une dactylo ».

47. *Je souligne.*
48. Le Petit Saint, op. cit., *pp. 117-118.*

« Il n'avait encore découvert que *sa poitrine aussi belle que celle de Gabrielle [sa mère]*, sauf qu'elle n'en avait pas les reflets nacrés.

« ''Viens t'asseoir ici.''

« Sur le canapé recouvert de tissu jaune, qu'on retrouvait souvent dans ses toiles.

« ''Tu aimes les seins ?

« — Oui.

« — Qu'est-ce qui t'excite dans une femme ?''

« Elle lui parlait gentiment, comme s'ils étaient de bons camarades, se connaissant depuis longtemps [...].

« Il lui caressait les seins en regardant le canari dans la cage et elle ne le bouscula pas, continua de parler sur un ton léger. Elle lui avait déboutonné peu à peu ses vêtements et il n'eut pas honte de se trouver nu avec elle sur le lit [...].

« Elle ne se rhabilla pas, plus tard, revêtit une *robe de chambre du même bleu que l'ancienne robe de chambre de sa mère*[49]. »

De toute évidence, la puissance sexuelle de Louis Cujas est fonction de l'image dont sa partenaire se trouve chargée. Différente de la mère, elle provoque l'impuissance ; proche, le plaisir. Est-il besoin d'expliciter une évidence ? Englué dans la répétition du même, le Petit Saint va jusqu'au bout de la logique simenonienne, en fusionnant avec la mère, par personne interposée, ce qui le rapproche de l'interdit majeur : l'inceste.

On le voit : chacun à sa manière, Bouvet et Cujas portent en eux une certaine image du bonheur. Le premier se rapproche de Léopold Peters, le second de Désiré Mamelin, ces images matricielles du père[50].

49. Ibid., *pp. 155-156.*

50. *On pourrait imaginer que le type de lecture basé sur la matérialité-même de* Lettre à mon juge *ne trouverait pas d'autre écho parmi les autres productions de Simenon. Ce serait commettre une erreur. Pour ne prendre qu'un exemple, citons la chaîne d'associations libres (textuelles) qui traverse* La Maison du Canal. *Elle comprend les mots : aiguilles (de feu, de pin), rouge (du sang, du feu, du béret, des joues malades, de la défloration...), sang (des écureuils, d'Edmée, de l'enfant assassiné), chaleur (du feu, du poêle, du corps...).*

Simenon et l'institution littéraire

Qu'en matière de littérature, la reconnaissance passe par l'exigence textuelle, nul ne l'ignore. Encore faut-il que l'écrivain arbore les signes de sa condition, qu'il prenne en charge la somme des traits distinctifs qui rappellent le rôle qu'il a choisi d'incarner[1], sous peine de sombrer dans l'oubli ou de subir l'indifférence.

Une fois sélectionnés et mis en place, ces traits distinctifs composeront rien de moins qu'une manière d'être. Des émissions récurrentes de signes permettront de tresser un lien symbolique entre l'écrivain et le rôle qu'il a choisi de jouer et d'implanter une image de marque au sein du public et parmi les instances de reconnaissance (la critique, l'université, les pairs...). Bien évidemment, ce rôle ne sera pas présenté tel quel — ce qui détruirait le charme et ruinerait l'effet à produire — mais suggéré à l'abri du bouclier prestigieux de l'art.

A chacun de saturer son image de marque selon les règles en vigueur. Dans cette perspective, on aura recours à la famille des

1. Quelques-unes parmi ces fonctions portées aux nues par l'institution littéraire et que nous examinons dans les pages qui suivent :
L'irruption, le surgissement (Rimbaud). La misère, la pauvreté (Richaud, Léautaud). L'insuccès (Kafka). La malédiction (Artaud, Frédérique). La mort (Lautréamont, Alain-Fournier). Le suicide (Roussel, Montherlant). L'illisibilité (Dada, Isou, le « nouveau roman »). La discrétion (Gracq, Beckett). La drogue (Michaux, Crevel). La maladie (Proust, Bousquet). L'excentricité (Sâr Péladan, Barbey d'Aurevilly). La folie (Nerval, Artaud). L'engagement (Zola, Malraux, Sartre). La pensivité (Sartre). La bohème (Henry Miller). La contestation (Genet). L'enfermement (Sade, Artaud). L'exil, l'isolement (Céline, Robin). La parcimonie (Vaché, Cravan). La sainteté (Rimbaud). L'exotisme (Cendrars, Segalen). Le lieu propre. Etc.

valeurs distinctives et électives. Il convient de jouer le jeu en plaçant ses pions dans les cases adéquates. Quoi qu'il arrive, les rôles sont déterminés d'avance. Il suffira d'apprendre et de respecter les comportements en vigueur, de confirmer les stéréotypes, de trouver une place stratégique parmi les images d'Epinal. Comme on le voit, l'institution littéraire procède à la fois de la mythologie et du jeu de l'oie.

Quelque brève, diffuse ou morcelée que soit sa carrière, l'écrivain ne se contentera pas de tracer des mots sur la page blanche ; il prendra soin de *s'écrire* lui-même. Sa crédibilité en dépend, au même titre que sa pérennité.

Paradoxal donc, ce retour du refoulé biographique. Le monstre que d'aucuns avaient cru enterré (conformément aux vœux pieux de la nouvelle critique) rôde parmi les instances de reconnaissance, moins cependant pour expliquer l'œuvre au moyen d'on ne sait quel jeu de miroirs que pour mettre son auteur en scène sur les tréteaux de l'institution littéraire.

En cas de litige, la sanction tombe quoi qu'il en coûte, par la voix des tribunaux, avec leurs hommes de loi — critiques et essayistes — et leur code — les anthologies, les revues (spécialisées ou générales) et les histoires de la littérature.

Où se situe Simenon, dans le dédale des fonctions valorisées par le siècle ? Partout et nulle part : jamais où on l'attend, toujours là où on ne devrait pas le trouver. Quelque part à l'intérieur d'une zone vierge, entre littérature de salon et littérature de gare. Car Simenon ne respecte pas les règles. Curieusement, ce réactionnaire, ce zélateur de l'ordre et des vertus provinciales se trouve en porte-à-faux. Un comble pour quelqu'un qui a tout misé sur le lieu commun ! Toujours à l'étroit parmi les classements convenus, ce pipeur de dés brave les grilles d'identification et de reconnaissance traditionnelles.

Qui plus est, l'institution littéraire se voit contrainte d'expliciter son système de représentation alors que son pouvoir de séduction repose précisément sur un camouflage d'idées reçues.

C'est ce malentendu qu'il convient d'examiner dans le détail et par le biais d'une série non exhaustive de fonctions mises en exergue par l'institution littéraire et auxquelles *systématiquement* Simenon n'adhère pas.

La question est d'importance. Il s'agit d'éclaircir les rapports entre Simenon et les instances de reconnaissance, de s'interroger sur la résistance vivace, quoique atténuée par le temps, que d'aucuns opposent à une œuvre pourtant très lue, et dès lors de décrire quel profil, quelle représentation déformée celles-ci renvoient de Simenon et de ses livres auprès du public. Pourquoi n'est-il pas reconnu à sa vraie valeur, celle d'un des artistes majeurs du XXe siècle ? Sur quels critères les instances de consécration se basent-elles pour semer le doute quant à la littérarité de ses livres ? Pourquoi en somme n'est-il pas consacré à l'égal d'un Balzac ou d'un Camus ?

L'irruption, le surgissement

D'un coup, il fait irruption dans le monde littéraire. Lui, c'est Rimbaud — la grâce, la révolte, le génie. A vingt ans et quelques poussières, son œuvre céleste est achevée. Escamotant toutes les barrières hérissées entre Charleville et la Pléiade, l'apôtre du Verbe crache aux fourbes les stigmates de la littérarité — à une telle hauteur qu'un siècle après sa mort, sa correspondance se verra conférer le statut d'objet littéraire.

Tout au contraire, Simenon renvoie l'image du parvenu laborieux. Pour s'implanter en littérature, il a, très tôt et en parfaite intelligence, élaboré un véritable plan de carrière.

> « Je suis conscient ! Horriblement conscient ! Conscient au point que depuis mon plus jeune âge, j'ai annoncé, avec les dates, les étapes de ma carrière[2]. »

En somme, après la maladie de son père, c'est la nécessité matérielle qui le pousse à faire ses premiers pas de journaliste à la très catholique et conservatrice *Gazette de Liège*. Et même son premier roman, *Au pont des Arches*, publié à compte d'auteur, ne trahit pas, contrairement à la norme adolescente, l'impérieuse nécessité de l'expression. Rejetant d'emblée la poésie ou le journal intime, Simenon entre en littérature par la petite porte. Et il progresse très vite, en véritable professionnel.

2. *Francis Lacassin et Gilbert Sigaux,* Simenon, *éd. Plon, Paris, 1973, p. 397.*

Dès 1922, Simenon découvre Paris au service du romancier Binet-Valmer avant de gagner la province, sous les ordres du marquis de Tracy.

Pendant ses loisirs, sous le buvard, il rédige des contes qui paraissent, au rythme d'un bon millier en dix ans, dans les journaux pour midinettes et vieux messieurs de l'époque : *Froufrou*, *Sans Gêne*, *Paris-Plaisir*, *Paris-Flirt*..., ainsi qu'au *Matin* (*La Petite Idole*, 1923) où Colette lui prodigue ses précieux conseils[3]. *Le Roman d'une dactylo* voit le jour en 1924. Suivront deux cent onze romans d'amour, d'aventure et d'érotisme[4] qui permettront à leur auteur de franchir une nouvelle étape.

Son étourdissante facilité d'écriture (quatre-vingts pages dactylographiées par jour), toute en contraste avec la vacuité des contenus,

3. *« Lorsque vous proposez vos premiers contes au quotidien* Le Matin, *vous recevez quelques conseils de Colette...*

« — Ses avis m'ont été fort utiles, ce qui est d'autant plus surprenant qu'elle écrivait elle-même de la manière la plus précieuse et la plus ornée qui soit ! N'oubliez pas qu'à cette époque, Anatole France était considéré comme le pape des écrivains français ; tout le monde ne jurait que par lui. Personnellement, j'en avais horreur, je considérais ses œuvres comme de la dentelle, avec la phrase pour la phrase, le mot pour le mot, l'adjectif rare, ce qu'on appelle le style. Et moi, je cherchais au contraire déjà à m'en débarrasser, tout en n'étant pas encore allé assez loin dans ce sens. J'ai apporté mes deux premiers contes à Colette, qui me les a rendus la semaine suivante, en me disant : "Méfiez-vous, mon petit Sim, c'est trop littéraire : évitez de faire de la littérature..." C'est ce que j'ai fait ! Toute ma vie, j'ai cherché à simplifier l'écriture. Je préfère risquer l'incorrection, ce qui m'arrive encore maintenant, plutôt que raffiner mon style. Quand je révise un manuscrit, je n'ajoute jamais rien, je coupe, j'enlève les adjectifs, les adverbes, les phrases trop bien filées, ce qu'on appelait jadis les vers blancs. » Henri-Charles Taux, Georges Simenon, de l'humain au vide, *éd. Buchet-Chastel, Paris, 1983, pp. 96-97.*

4. *Voici quelques titres, à reclasser selon l'humeur du moment...*

Christian Brulls, La Prêtresse des Vaudous, *Tallandier, 1925. Gom Gut,* Aux vingt-huit négresses, *Prima, 1925. Gom Gut,* Plaisir charnel, *Prima, 1925. Christian Brulls,* Se Ma Tsien, le sacrificateur, *Tallandier, 1926. Jean du Perry,* Que ma mère l'ignore !, *Ferenczi, 1926. Gom Gut,* Liquettes au vent, *Prima, 1926. Gom Gut,* Voluptueuses étreintes, *Prima, 1926. Gom Gut,* Orgies bourgeoises, *Prima, 1926. Luc Dorsan,* La Pucelle de Benouville, *Prima, 1927. Jean du Perry,* Un tout petit cœur, *Ferenczi, 1927. Georges Sim,* Le Secret des lamas, *Tallandier, 1928. Georges Sim,* Le Monstre blanc de la Terre de Feu, *Ferenczi, 1928. Georges Sim,* Chair de beauté, *Fayard, 1928. Jean du Perry,* Trois Cœurs dans la tempête, *Fayard, 1928. Georges-Martin Georges,* Un soir de vertige, *Ferenczi, 1928. Kim,* Le Chéri de tantine, *Prima, 1928. Georges Sim,* La Panthère borgne, *Tallandier, 1929. Luc Dorsan,* Un Drôle de coco, *Prima, 1929. Christian Brulls,* Un drame au pôle Sud, *Fayard, 1929.* Les Mémoires d'un prostitué par lui-même, *préface de Georges Sim, Prima, 1929. Georges Sim,* Le Pêcheur de bouées, *Tallandier, 1930. Georges-Martin-Georges,* Bobette mannequin, *Ferenczi, 1930. Georges Vialis,* Lili-Sourire, *Ferenczi, 1930. Jacques Dersonne,* Baisers mortels, *Ferenczi, 1930. Jean Dorsage,* Cœur de jeune fille, *Ferenczi, 1930. Georges Sim,* La Maison de l'inquiétude, Tallandier, 1932. Christian Brulls, Le Lac des esclaves, *Ferenczi, 1933. Christian Brulls,* L'Héritier du corsaire, *Ferenczi, 1934. Christian Brulls,* Seul parmi les gorilles, *Ferenczi, 1937.*

lui garantit à la fois l'apprentissage sur le vif et la renommée. Quand on ne le trouve pas à la place des Vosges, c'est que son chauffeur le conduit en limousine dans son château charentais. On gage même que le Tout-Paris d'alors, Vlaminck, Foujita, Derain, Joséphine Baker..., l'accompagne au cours de libations tumultueuses.

On le voit : la matière vive dont se nourrira l'œuvre est patiemment engrangée au fil des voyages et des rencontres. Fruits de la sueur et des transes du virtuose studieux, les contes, les nouvelles et les romans à cinq sous se vendent comme des petits pains, enrichissant considérablement leur auteur.

Quant à l'écriture, n'en parlons point encore : d'abord la technique sans laquelle aucune œuvre ne se construit :

> « D'abord le métier. *Gâcher du plâtre.*[5] »
>
> « Je m'ingéniais ici à apprendre le dialogue, là tel raccourci, là tel genre d'action,...[6] »

Il ne faut pas brûler les étapes. Artisan apparemment peu doué pour les envolées savantes, Simenon apprend son métier avec une sorte de frénésie laborieuse.

L'étape suivante ? Après un tour de France accompli par les rivières et les canaux à bord de la *Ginette*, Simenon fait construire à Fécamp l'*Ostrogoth* qui les emmènera, lui, sa femme Tigy, sa servante Boule et son chien Olaf, sur la Meuse, les cours d'eau hollandais et dans les ports allemands.

En septembre 1929, lors d'une escale à Delfzijl, aux Pays-Bas, Simenon crée la version définitive du commissaire Maigret[7].

5. *F. Lacassin et G. Sigaux,* op. cit., *p. 398.*
6. Ibid., *p. 379.*
7. *« Je me suis dit : tiens, pourquoi n'écrirais-je pas un roman policier, pour changer, ce sera un roman semi-littéraire. Semi-littéraire parce que pas tout à fait libre. Il fallait un mort, une énigme et un policier. Alors j'ai écrit le premier qui s'appelait* Pietr le Letton, *à bord de l'*Ostrogoth, *à l'endroit où se trouve maintenant la statue de Maigret, à Delfzijl. C'est là que j'ai écrit le premier Maigret. Je ne croyais en écrire qu'un et voir s'il marchait. Je l'ai envoyé à Fayard. Le père Fayard m'a dit : "Ecrivez-en deux ou trois que je puisse juger." Je lui en ai écrit deux ou trois. Il m'a dit : "Venez me voir à Paris, nous en discuterons." Je vais voir le père Fayard à Paris et il me reçoit très gentiment. C'était un monsieur fort imposant, qui passait pour avoir un flair extraordinaire en matière d'édition. Il me dit : "Vous savez, vos romans, ce n'est pas mal, mais ça ne marchera pas. — Ah, pourquoi ? D'abord, ce ne sont pas de vrais romans policiers. Il n'y a pas de problème en quelque sorte mathématique que le public puisse résoudre. Deuxièmement, il n'y a pas de personnages sympathiques ou antipathiques. Troisièmement, il n'y a pas de sentiment amoureux. Quatrièmement, ça ne finit pas toujours bien, ça finit même souvent mal. — Bon, lui dis-je, je reprends mes manuscrits". Il me dit : "Non, non, je vous signe un contrat pour douze romans, mais il me les*

« La formule policière me permettait de toucher et le grand public et l'argent » pour « apprendre à vivre, c'est-à-dire de rentrer dans la peau de n'importe quel homme » et « d'étudier mon métier dans les conditions les plus faciles, c'est-à-dire avec un *meneur de jeu*[8]. »

Autrement dit, après le conte et la nouvelle, genres au souffle court, après le roman de gare, tout autant mésestimé, Simenon s'attaque à la « semi-littérature[9] » bien que, selon son propre aveu, il ne se sente pas encore en pleine possession de ses moyens.

Voilà pourtant une production revendiquée comme telle ! A la place des Tom Gutt, Germain d'Antibes, Jean Dorsage, Kim, Gémis, Aramis, Plick et Plock, Poum et Zette et autres pseudonymes, le nom de Georges Simenon s'étale sur les fameuses jaquettes illustrées de *Pietr le Letton* ou du *Pendu de Saint-Pholien*. Désormais, Simenon s'appellera Simenon et l'apprenti qu'il fut sera jeté aux oubliettes comme si, parvenu à mi-chemin, l'auteur de *Pedigree* pût revendiquer quelque reconnaissance.

Mais cet homme à l'appétit insatiable continue d'absorber de la matière romanesque au gré de ses voyages. Entre 1932 et 1935, il parcourt l'Afrique[10], accomplit une croisière en Méditerranée sur l'*Araldo*, puis entreprend un périple autour du monde qui le conduira successivement à New York, à Panama, en Colombie, aux Galapagos, à Tahiti, en Nouvelle-Zélande, sur le continent australien, aux Indes...

faut dans les douze mois qui viennent, parce que je veux les publier à raison d'un par mois." Je lui ai écrit douze romans en huit ou neuf mois. Il a fait un grand lancement publicitaire, et voilà comment je suis devenu pour la plupart des gens un auteur de romans policiers, alors que je les fabriquais par-dessous la jambe, si je puis dire, en sifflotant à ma machine et sans les prendre au sérieux. Je savais que j'écrirais d'autres livres. D'ailleurs, quand je suis arrivé au dix-huitième Maigret, j'ai été trouver Fayard et je lui ai dit : « J'arrête la collection Maigret — Pourquoi ? C'est déjà traduit en cinq ou six langues. — Parce que j'ai envie d'écrire ce qui me plaît. — Vous êtes comme Conan Doyle. Il a réagi comme vous. Il était vexé d'être toujours appelé le père de Sherlock Holmes et il a écrit une vingtaine de romans soi-disant littéraires, qui sont tombés dans l'oubli le plus total. — "Tant pis, je vais essayer". Et j'ai essayé. Je lui ai d'ailleurs apporté les trois premiers romans qui étaient L'Ane-Rouge, La Maison du Canal *et* Le Coup de Lune, *qui se passe en Afrique. » Maurice Dubourg, « Simenon » in revue* Cistre, *éd. L'Age d'homme, Lausanne, 1980, p. 23.*

8. *F. Lacassin et G. Sigaux,* op. cit., *p. 398.*

9. Ibid., *p. 419.*

10. *Peu connaissent les photographies pourtant passionnantes qu'il a prises en Afrique. Elles sont déposées au Fonds Simenon.*

Dès que les mécanismes du genre policier sont acquis, il gravit un échelon supplémentaire, celui du roman « tout court », ne cessant par la même occasion de promettre à Gide, avec lequel il entretient une fructueuse correspondance, de composer un jour ce que « le Maître[11] » attend de lui, à savoir de grands romans *vraiment littéraires*.

« Vous nous devez des merveilles. Je les pressens ; je les attends. » (21 août 1942[12].)

« C'est aussi que j'attendais beaucoup et que vous ne tenez guère vos promesses — ou du moins ce que vous m'avez fait espérer : un roman. » (12 et 16 février 1948[13].)

De son propre aveu, Simenon n'arrive à porter qu'un personnage à la fois. En écho, Gide répond :

« J'attends encore que vous m'apportiez, dans un *roman* à nombreux personnages, la perfection et la maîtrise dont vous avez fait preuve dans la construction d'un personnage unique. » (2 mai 1948[14].)

Et voilà ! Si le modeste gratteur de copie siège au conseil d'administration, il n'y est pas totalement intégré, reconnu. Et cet apprentissage par paliers ne va pas éveiller le soupçon : à la progression laborieuse, l'institution littéraire préfère la génération spontanée[15], le surgissement *ex nihilo*, quitte à ce que l'impétuosité, l'inspiration juvénile, voire les premières imperfections soient corrigées par la maturité. Alors, comment voudrait-on que ce parvenu laborieux, qui a pataugé dans la boue des genres grossiers, revendique

11. F. Lacassin et G. Sigaux, op. cit., *p. 436.*
12. Ibid., *p. 419.*
13. Ibid., *p. 436.*
14. Ibid., *p. 430.*
15. Pourquoi, direz-vous, une telle attention à la spontanéité ? Si l'on excepte cette forme d'art hébété par les sirènes du discours scientifico-phénoménologique (genre « nouveau roman ») dont l'enjeu réel consiste sans doute en l'élimination de la vie et de la sensibilité par la fuite dans l'abstraction hautaine et stérile, je dirais que la grande utopie de l'art au XXᵉ siècle, c'est la spontanéité. Par opposition au métier, au respect des traditions nécessitant un apprentissage obligé (même Rimbaud ! Qu'on se rappelle les discours composés directement en latin ou les premiers poèmes : sa virtuosité, sa technique linguistique éblouissante prennent leurs racines dans un artisanat, une tradition — quitte à ce qu'elle soit contestée par la suite). Le XXᵉ siècle privilégie l'immédiateté du geste, du mot. Tirer de soi, du plus profond, quelque chose qui est censé donner instantanément un résultat qui corresponde au plus vite, au plus essentiellement, au plus vraiment à l'unicité, à la singularité de l'être. A cette esthétique du lieu propre, Simenon répondra par celle du lieu commun, tout en renouvelant la tradition réaliste du XIXᵉ siècle.

le titre d'écrivain ? Simenon, on sait d'où il vient et comment il est arrivé. Ses bouquins, qu'on les glisse entre Jean Ray, Jules Verne, Eugène Sue et Frédéric Dard, parmi les soldes, dans le coin des occasions paralittéraires !

La misère, la pauvreté

Admettons qu'il ne couche pas sous les ponts, mais qu'au moins une modeste chambre de bonne le trouve égaré entre ses murs pelés, à taquiner la muse. Si, par on ne sait quel coup du sort, un prix ou un à-valoir décent lui procurait de quoi s'offrir un manoir en Touraine, qu'il le fasse passer pour un héritage, ou mieux, que l'affaire ne s'ébruite pas. L'écrivain gardera le nez à l'abri des miasmes monétaires.

Vu sous cet angle, Simenon, cette incarnation de la réussite matérielle, n'a jamais eu la plume olfactive. Agatha Christie, aussi, dira-t-on, ou Barbara Cartland. Mais les Anglaises demeurent à leur place. Peu importe que ces dames devisent autour d'une tasse de thé, l'une de sa compagnie internationale de produits alimentaires, l'autre des roses potins de Buckingham. Le roman policier ou sentimental fait partie de cette infralittérature à laquelle on pardonne de transmuter les mots en pièces d'or. Mais la littérature ! Que l'immatériel, que l'impalpable, que l'évanescent, que la valeur symbolique se muent en valeur concrète, en papier-monnaie, qu'une équivalence, voire une assimilation, soient imaginables entre le texte et l'argent, ce serait confondre l'eau et le feu.

Le cinéma et la télévision, à l'égard desquels Simenon a pourtant toujours éprouvé un malaise, le comblent de leurs royalties. Autant dire qu'il a vendu son âme au diable. La preuve ? Plutôt que de rester discret, ce parvenu affiche sa réussite sociale par un étalage de luxe inouï. Et sa faute, il l'exalte jusqu'à jeter l'argent par les fenêtres[16]. Or, s'il ne crève pas de misère, l'écrivain méprise le papier-monnaie : c'est qu'une fortune ne peut se bâtir qu'avec des livres fabriqués.

16. *« J'aime l'argenterie, les belles matières, le bois, le fer forgé, le bronze, la laine ; je ne demande jamais le prix de ce que j'achète. Ce n'est pas un geste fastueux de ''nouveau riche'', c'est simplement que l'argent, pour moi, n'a pas de valeur. J'en ai laissé énormément dans toutes les maisons que j'ai eues... avant de les abandonner. ». Henri-Charles Tauxe,* op. cit., *p. 201.*

Sur le tard toutefois, Simenon se démunira volontairement de tout ce qu'il juge superflu : les tableaux de maître, les livres, les manuscrits... Retiré dans sa modeste cellule lausannoise en compagnie de Teresa, le vieillard retrouve les joies élémentaires de l'enfance. La boucle est bouclée : l'homme désormais purifié peut rejoindre le mythe.

La rareté

Laisser la page blanche ou à peu près et se voir octroyer les palmes noires de l'écrivain en vertu de l'adage : ce qui est rare a du prix...

J'exagère, mais à peine. Il n'est qu'à considérer certains surréalistes tels Cravan ou Vaché, pour lesquels la vie tient lieu d'œuvre[17].

Chez Simenon, pas de tracts, quelques lettres, surtout des romans, si nombreux que sa production approche celle de Lope de Vega, le champion toutes catégories.

Cette fécondité ne plaiderait pas en sa faveur. A force de produire en série, intensivement et à bas prix, des bouquins eux-mêmes conçus dans un moule usé, Simenon, à la fois prolétaire et patron, replonge en plein siècle de la vapeur, quand le culte de la quantification, jailli des cervelles utopistes, érigeait la machine en veau d'or. Mais voilà, l'institution littéraire vénère d'autres dieux. La mécanisation et la quantification, ce ne sont là qu'opiums pour le peuple.

L'insuccès, la malédiction

Mise à part la Bible, au Verbe particulier, seuls les idéologues, Mao, Lénine et Staline ont écoulé plus d'exemplaires que Simenon, tandis que les populaires Earle Stanley Gardner, Agatha Christie et Barbara Cartland se coudoient sur la même ligne des quatre cents ou cinq cents millions d'exemplaires vendus.

17. *A propos de Crevel : « Avec Antonin Artaud, il est un des surréalistes dont la vie authentifie l'œuvre. » Jacques Brenner,* Paris-Normandie.

Les soirs de beuverie, un long pardessus surmonté d'un chapeau bossué zigzague en solitaire sur la route d'Attigny, avant qu'une bourrasque l'étale au revers d'un fossé. C'est Verlaine. Des cinq cents exemplaires de *Sagesse*, imprimés à compte d'auteur, huit seulement seront vendus.

En octobre 1873, n'ayant pu honorer son éditeur bruxellois, Rimbaud renonce à l'édition d'*Une saison en enfer*, après avoir adressé quelques exemplaires à des amis. Combien sont-elles, sur cette liste, les gloires littéraires exposées au pilori de l'insuccès ?

Simenon n'arbore aucune caractéristique du poète incompris. De son vivant déjà, les bouquins partent comme des petits pains — du jambon-beurre en cave, ambiance gare du Nord ou port des brumes. De la littérature au rabais. Populiste. Un incongru nivellement par les bas-fonds.

Néanmoins, Simenon a le souci d'effacer la qualification. Ce saboteur essaye de court-circuiter les catégories traditionnelles en déplaçant certains traits populaires vers la littérature tout court. Non content de rendre les classifications poreuses, il prétend s'adresser à tous, indistinctement, et sous l'appellation pourtant contrôlée de littérature. Et cette reconnaissance par une multitude hétérogène, à une échelle jamais atteinte auparavant, introduit dans le champ littéraire, sinon l'impossible référendum, du moins le plébiscite. Vendus, traduits, diffusés, adaptés, ses bouquins le sont à l'envi, grâce aux faveurs du public.

Dans ce contexte particulier, à quelle nécessité les instances de consécration répondent-elles encore ? Est-il encore vraiment nécessaire de faire œuvre critique devant cet exemple de lisibilité optimale ? (Vocabulaire usuel, syntaxe simplifiée, clichés et thèmes entendus...)

Que la critique choisisse l'éloge ou l'opprobre, *Les Pitard*, *L'Homme de Londres*, *Feux rouges*, *Les Clients d'Avrenos*, *L'Aîné des Ferchaux* continueront d'être achetés, lus, relus, revendus, rachetés, attendu que Simenon se consomme aussi bien en bouquinerie qu'en librairie. Une garantie de succès. Le livre, matière à courte espérance de vie, y compris en format de poche, lance ici un défi relatif au temps et à l'espace par sa capacité de durer et de circuler.

En vérité, quoi qu'il arrive, rien ni personne n'échappe à l'institution littéraire : avec la même ferveur que le système économique rodé à n'importe quel imprévu, elle rentabilise n'importe quoi, même la contestation.

Partant du postulat que l'écrivain maudit sera dans et par l'exercice de ses *fonctions* mis au ban de la culture (et de la société), les instances de reconnaissance se donneront pour mission sacrée de le dénicher, de le dépoussiérer, de l'évaluer, avant de répandre la bonne nouvelle de sa résurrection. Si un nuage d'éternité enveloppe l'écrivain d'exception, la mise à l'écart de l'auteur maudit sera convertie en valeur de réintégration et de prestige après sa mort.

En ce qui concerne Simenon, ce déterminisme est censé fonctionner en sens inverse : choyé de son vivant, un tel mythe irait, selon toute probabilité, en faiblissant[18].

Pour l'heure, le rôle d'une certaine critique consistera à nuancer ses qualités, à omettre ses mérites, à semer le doute quant à sa valeur littéraire, tout en repoussant sa production vers le roman policier, ce galopin culturel qui le revendique comme un de ses fleurons majeurs !

Mais comment cette critique procède-t-elle vis-à-vis de Simenon ?

La plupart du temps, la même famille d'adjectifs est sollicitée pour définir son écriture. Qualifiée de blanche, de grise, de neutre, de lisse, de linéaire, de transparente — j'en passe — elle est censée s'effacer (car l'écrivain mineur ne se distingue pas par le style) au profit de l'atmosphère (ce fourre-tout brouillardeux) et de la narrativité à la fois prétexte et première caractéristique des œuvres dites populaires.

Dans ce cas, c'est la conception classique de l'écriture qui prévaut. Le langage constituant tout au plus un matériau capable de véhiculer un sens préétabli, il tendra à s'effacer, à devenir muet, et ce au plus grand profit du lecteur enclin par nature, comme le montrent les listes des meilleures ventes, à consommer des histoires et rien que des histoires. Privé de traits marquants, d'aspérités, d'accrocs, le récit, baigné dans une brume glauque, suivra un cours

18. Avant de s'éteindre tout à fait ? Quel plaisir de ressusciter après deux ou trois décennies de repos. Comme on le voit, la critique peut aussi, à l'occasion, investir sur du long terme.

rectiligne, durera le temps de quelques trajets de métro, mènera loin. Dès le premier chapitre, la plongée sous hypnose, le saint malaise *de se lire*[19].

Point de doutes, le romancier populaire laissera les effets textuels au poète, au romancier, à l'essayiste ; il s'efforcera de ne pas montrer la langue en action, de voiler ses empreintes, ses traces, ses effets. Au terme de *travail* sera préféré celui de *métier*, à savoir la capacité de produire des textes narratifs ou discursifs au moyen, et seulement au moyen, de recettes élaborées.

Ces considérations seront répétées jusqu'à la redondance par l'utilisation de différents procédés. Soit l'usage spécieux de la typologie des genres classera toute l'œuvre de Simenon — par métonymie — dans la poubelle paralittéraire, soit, plus subtilement, on le promènera entre les rayons littéraires et populaires, c'est-à-dire nulle part, dans un lieu indistinct, hésitant, peu sécurisant car sujet à variations, à chutes. A ce propos, les *Dictées* jettent un fameux pavé dans la mare. En effet, ces dernières productions sont pour le moins gênantes : les amateurs ferment les yeux ou les considèrent comme des malencontreuses erreurs de vieillesse, cependant que les détracteurs n'y puisent que des confirmations. En tout cas, il y a peu de risques que le monde littéraire éprouve à leur égard, ainsi que pour les contes, les nouvelles et les romans de gare, le plaisir nécrophilique de l'exhumation.

Il en est d'autres, tout aussi jouissifs : expliquer, analyser, classer, vilipender, encenser, offre certes quelque utilité. Mais la critique simenonienne trouve son ultime raison d'exister dans certaines finalités : celle de figer, ne fût-ce que provisoirement, la qualification, et surtout, quand la réserve d'explications se tarit, menace de tourner fou, de tourner court, celle de refuser que sorte de son chapeau le signe ultime et indicible qui permet de proclamer la littérarité sans tache de tel ou tel texte. *In cauda venenum.*

19. « J'ai lu Simenon lorsque j'avais dix ans, je l'ai relu à vingt. Je le relis encore. Aucun de ses héros — qui n'en sont pas — ne m'accompagne. Toujours en face des meilleures pages, cependant, je me dis : c'est ainsi qu'il faudrait écrire. Mais, le livre fermé, je l'oublie. Je pourrais le rouvrir : il sera comme neuf malgré sa patine. Je n'attendrai de lui que ce divertissement un peu terne, cette mélancolie sans éclat, l'écho sourd d'une musique facile, l'image fuyante d'un univers simplifié, quoique toujours mystérieux, la lente pesée du quotidien. » Jean-Claude Pirotte, préface au Bourgmestre de Furnes, *éd. Labor, Bruxelles, 1983.*

Cette grâce structurelle, Simenon s'en trouve à jamais privé. Et quelque raison de le défendre que proposeront ses admirateurs, aucune ne se substituera au vide creusé par l'égarement du *signe de la littérarité*. Par conséquent, bien que sa légitimité d'écrivain soit reconnue, il y a fort à parier que la canonisation ne sera jamais prononcée ; quelque chose lui manquera toujours pour côtoyer les Proust, les Faulkner, les Kafka, les Beckett. Le souhaiterait-il que le garçon prierait Monsieur de redescendre à l'entresol où l'attendent les dames que l'on sait — je veux parler du célèbre duo britannique des Christie et Cartland.

Et encore, si l'auteur de *Lettre à mon juge* ne s'était pas préoccupé d'une hypothétique reconnaissance ! Tout au contraire, le piège s'est refermé sur lui comme sur personne. Car le petit garçon qu'il est resté recherche la complicité des pairs et les bravos de la critique. Même si Brasillach, Jacob, Bernanos, Mauriac, Cocteau, Morand, Martin du Gard, Colette, Fellini ou Céline[20], pour ne citer qu'eux, ont tous salué son immense talent, la référence obligée en la matière demeure la fameuse sentence gidienne, dont on ne retient habituellement que la première partie[21] :

« Georges Simenon est le plus grand romancier de tous, le plus vraiment romancier que nous ayons en littérature. »

A quoi il ajoute :

« J'ai dévoré et dégusté tout à la fois *La Veuve Couderc* (merci !) [...]. (Extraordinaire analogie de ce livre avec *L'Etranger* de Camus, dont on a tant parlé ; mais je trouve que votre livre va beaucoup plus loin, *sans en avoir l'air* et comme sans le savoir, ce qui est le comble de l'art[22]. » (14 juillet 1945.)

20. *La présentation d'une œuvre classique en format de poche — ce qui est déjà une forme de consécration — ne requiert en principe aucune justification. On mesure le fossé avec Simenon qui, dans la collection Folio, se trouve souvent légitimé par des pairs. Au hasard :*

La Marie du port *: « Il y a donc un style Simenon, comme il y a un style Empire [...]. » Paul Morand, de l'Académie française.*

L'Assassin *: « Ce qui me plaît en vous, c'est "l'homme dans la foule", cette manière unique de voir l'être dans la fourmilière humaine, qui ne peut venir que d'un très grand esprit. » Max Jacob.*

Les Pitard *: « J'ai quelques confrères admirables ; je ne les cite pas tous, je ne veux pas leur faire du tort. Tenez, Simenon des* Pitard, *on devrait en parler tous les jours. » Louis-Ferdinand Céline.*

21. *Même remarque pour la critique, mais ici on cite André Therive qui, le premier, dans* Le Temps *du 1er janvier 1939, s'écriait : « Un chef-d'œuvre à l'état pur ! Quel grand romancier que Simenon ! »*

22. *F. Lacassin et G. Sigaux,* op. cit., *p. 430.*

Quelle formidable reconnaissance, dira-t-on ! En apparence ! Car, mis à part l'admiration pour le côté forgeur de récits, inventeur de personnages, créateur d'univers, comment se précise l'attitude de Gide ? Ses lettres en disent long sur un état d'esprit, et sur une quantité de présupposés et de stéréotypes, trop souvent implicites.

En face d'un Simenon tout effaré d'entretenir une telle correspondance avec sa personne, Gide, le cher Maître, s'intéresse d'abord à ce que l'on nomme le cas Simenon, puis à son style.

« A vrai dire, je ne comprends pas bien *comment* vous concevez, composez, écrivez vos livres. Il y a là, pour moi, un mystère qui m'intéresse tout particulièrement. Je ne crois pas volontiers aux phénomènes (et pour moi, vous en êtes un[23]). » (6 janvier 1939.)

« Vous passez pour un auteur populaire et vous ne vous adressez nullement au *gros public*. Les sujets mêmes de vos livres, les menus problèmes psychologiques que vous soulevez, tout s'adresse aux délicats ; à ceux qui, précisément, pensent, tant qu'ils ne vous ont pas encore lu : "Simenon n'écrit pas pour nous[24]." » (31 décembre 1938.)

« Conseil : méfiez-vous des phrases inachevées, des ... ; procédé facile et qui perd toute vertu par l'abus que vous en faites. En général : très bon travail, à continuer sans défaillance[25]. » (21 août 1942.)

N'allons pas plus avant, on croirait entendre les commentaires satisfaits d'un instituteur[26] !

Force est de constater que son trajet éditorial répond parfaitement à son ambition. Prisma, Rouff, Tallandier, Ferenczi publient ses romans de gare, puis Fayard prend la relève peu avant la naissance de Maigret. Dix-neuf volumes paraîtront jusqu'en 1934. Après une interruption due à l'écœurement, à la lassitude que doivent affronter certains auteurs aux prises avec un personnage trop envahissant (tels Conan Doyle ou Maurice Leblanc), la série des Maigret redémarre aux Presses de la Cité.

23. Ibid., *p. 394.*
24. Ibid., *p. 392.*
25. Ibid., *p. 418.*
26. Quoi de plus relatif qu'une citation ? Quel crédit accorder aux contradictions de Gide à propos du Testament Donadieu. *En 1938, avis mitigé. En 1948, plus aucun souvenir d'une première lecture, encensement, émerveillement : « Livre considérable », écrit-il (p. 438)...*

Les romans « de la destinée[27] » verront le jour chez Fayard, alternativement avec Gallimard, avant que les Presses de la Cité offrent des conditions plus avantageuses. Double trajectoire donc que celle-ci : l'ascension jusqu'au faîte éditorial, la N.R.F. étant sans doute la seule édition de consécration dans toute la francophonie, puis le passage chez un éditeur aux connotations plus populaires, comme si l'escale au phare Gallimard[28] jetait une lumière prestigieuse sur l'artiste et, par voie de contagion, sur toute sa progéniture littéraire. Simenon regagne sa place[29]. L'homme d'affaires une fois encore, dira-t-on, prend le dessus sur le romancier.

Les autres instances de consécration se distinguent par leur caractère périphérique[30]. Quand bien même François Mauriac veut le faire entrer à l'Académie française, c'est l'Académie royale de langue et de littérature française de Belgique qui l'accueille, ainsi que l'American Academy of Art and Letters. Au lieu de présider le Goncourt, Simenon exerce ses talents mondains à Bruxelles ou à Cannes, à l'occasion de festivals cinématographiques. Paris aurait pu ériger la statue de Maigret au sommet de la Coupole ou à droite de la tour Eiffel ; las ! elle trône à Delfzijl, aux Pays-Bas, depuis 1966. Il a ses rues à Liège et au Canada ! Et quand l'université le place sous son aile, le même décentrage apparaît, qu'il s'agisse d'Amsterdam, de Montpellier ou de sa ville natale, Liège, qui

27. *Pour reprendre la judicieuse terminologie de Maurice Piron.*
28. *« Je suis allé chez Gaston Gallimard, le père. Il m'a dit : "Je voudrais vous avoir comme auteur. Un de ces jours, nous déjeunerons ensemble et nous fixerons les conditions à table." Je lui ai répondu : « Ecoutez, monsieur Gallimard — tout le monde l'appelait Gaston dans la maison —, premièrement, je ne vous appellerai jamais Gaston ; deuxièmement, je ne discuterai jamais affaire avec vous dans un restaurant ; troisièmement, je désire qu'une dactylo assiste à notre entretien et le dactylographie ; quatrièmement, je souhaite que votre téléphone soit coupé pendant notre entretien afin de ne pas être interrompus. » Il était éberlué. C'était une sorte de pape de la littérature. La* Nouvelle Revue française, *à ce moment-là, avait opéré une véritable révolution dans le monde littéraire. Eh bien, on a rédigé le contrat, on l'a signé et, par la suite, il est venu tous les ans — c'était un contrat annuel, renouvelable chaque année — à une date déterminée, soit à Nieul-sur-Mer, en Charente-Maritime, ou dans le Midi, pour renouveler le contrat. Je ne suis plus retourné dans son bureau depuis lors. » Maurice Dubourg,* op. cit., *pp. 23-24.*
29. *Simenon avance une explication psychologique à ce départ. « Pourtant, chez Gallimard, je ne me sentais pas à ma place parmi une bonne partie des auteurs qu'il publiait. ». Pierre Assouline,* Gaston Gallimard, *Balland, 1984, p. 187.*
30. *Une révolution copernicienne tarde à ouvrir les espaces culturels. L'institution littéraire, centrée sur Paris, récuse tout ce qui est provincial, étranger,* différent, *alors que la position périphérique d'un éditeur (pour preuve : Le Temps qu'il fait, Actes Sud, Rivages ou La Manufacture) ou d'une université n'a strictement rien à voir avec la qualité intrinsèque du travail qui y est réalisé. (Pour preuve, les travaux universitaires sur Simenon...)*

a vu en 1976 la création d'un Centre d'études Georges Simenon, placé jusqu'à son décès sous la direction du professeur Piron, et qui compte en ses murs quelques-uns parmi les plus fins lecteurs de Simenon[31].

L'excentricité

Il n'est qu'à évoquer la fin du siècle dernier : l'excentricité ne messied point à l'artiste, a fortiori en plein crépuscule des dieux. Bourgeonnant avec le siècle, Simenon fuit les débordements dans bon nombre de domaines, si l'on excepte la production romanesque évoquée ci-avant et la sexualité : « J'ai connu dix mille femmes ! », proclame-t-il devant Fellini qui, dans *La Cité des femmes*, ne se fera pas faute d'exploiter la révélation avec le sarcasme et l'ironie qui le caractérisent.

Loin de se démarquer, sa vision du monde et son style fleurent bon la retenue et la mesure. Un reste de bon goût populaire, quelque peu défraîchi par une complaisance assidue à déflorer les bas-fonds. Et la neutralité le bercerait tout entier si sa bouche n'arborait une pipe.

Or, mieux que quiconque, Simenon a médité la sentence picturale de son compatriote Magritte : « Ceci n'est pas une pipe. » C'est bien plus que cela : puisque Maigret la fume, pourquoi ne ferais-je pas de même ? Boutade ? Point de rencontre plutôt, car l'écrivain profite du rapport métonymique établi au fil de la série entre le commissaire et son attribut pour se l'approprier par analogie. De la sorte, grâce à la pipe et par la vertu du déplacement, Simenon se voit pourvu de l'aura, du prestige et du mystère de sa créature. Recours autant que confirmation, la figure de style revêt l'écrivain d'une armure signifiante et creuse (comme toutes les armures vénérables). D'ailleurs, n'est-il pas surprenant que l'écrivain

31. Le décentrage culturel de la Belgique, d'ailleurs assez mal vécu, ne l'a pas empêchée d'enfanter Henri Michaux, dans un genre noble, ainsi que quelques maîtres dans des genres réputés mineurs, comme la bande dessinée (Hergé et toute l'école classique belge), la chanson (Jacques Brel), le fantastique (Jean Ray), le policier (Simenon).
Autre marque de décentrage : le foisonnement de grammairiens que compte la Wallonie (Grévisse, Hanse, Goosse...), comme si aux régions culturellement périphériques, qui fonctionnent sur le mode du retard, était dévolue la mission sacrée de préserver les valeurs périmées, parmi lesquelles une certaine idée de la langue.

réaliste puise une partie de sa force dans la fiction ? Dans son cas plus que dans n'importe quel autre, c'est le réel qui imite la fiction et non l'inverse.

A propos du motif du cigare dans *Le Bourgmestre de Furnes*, Jacques Dubois écrit ceci — qui vaut pour la pipe :

« Sans parler des connotations sexuelles dont il est porteur, le cigare est comme le blason de l'existence du héros : feu (action et ardeur), cendre (usure, échec) et fumée (rêve, évasion[32]). »

Hormis sa fonction sociale qui associe la tradition, la bonhomie et la rusticité à la pensivité, la pipe joue aussi le rôle magique de protecteur (ne fût-ce que par l'écran fumigène) et surtout d'échangeur (nuage diffuseur et antenne renifleuse). S'imprégner d'une atmosphère et sentir les personnages sont des activités communes au détective et à l'écrivain, pour autant qu'un canal leur serve de relais. Les cinq sens seront mis en alerte et alimentés par la fameuse pipe, aussi bien réceptacle magique que filtre diffuseur qui retiendrait les indices, refoulerait les erreurs d'interprétation et gonflerait l'atmosphère d'un nuage aux origines troublantes, celles d'une intériorité à la fois *opaque* et *sans fond* (Maigret !) ; cette qualité le rendrait absolument suggestif et mystérieux, tant il paraît évident que chez Simenon, le décor, les personnages et l'atmosphère s'éclairent mutuellement et avec une parfaite cohérence.

Si la pipe de Simenon renvoie l'image valorisante de Maigret, elle représente sans conteste un des maillons de la chaîne signifiante qui soutient la fameuse atmosphère Simenon. Comme par association d'idées, l'évocation du maillon rappelle la chaîne, celle de la pipe fait resurgir le réseau des autres indices suggestifs. En sorte qu'au départ d'un trait marquant, le lecteur se retrouve tout enveloppé par la chaleur douceâtre et le charme intime de cet univers sensible et sensuel. Par l'intermédiaire d'une double opération métonymique, le port de la pipe transforme Simenon en *homme-sandwich* avec, en sus, le goût et l'odeur, sans omettre une diffusion médiatique à la mesure d'un champ culturel fortement dévalué.

Pourquoi ne pas rêver d'une série d'interviews de la pipe en train de fumer au coin d'un zinc, menées par un journaliste imaginatif,

32. Jacques Dubois, postface au Bourgmestre de Furnes, *éd. Labor, Bruxelles, p. 188.*

et destinées à l'élite socioculturelle ? La discrétion en matière de littérature constitue dans les meilleurs cas (Gracq, Beckett...) un excellent investissement, meilleur de toute évidence que la logorrhée simenonienne dont l'humilité atténue le pouvoir mystificateur de la pipe et retarde l'ascension vers la gloire.

Le lieu propre

Dans quelques siècles, un historien de la littérature à l'œil poussiéreux et à la plume vibrante, surgissant des obscures travées de la bibliothèque centrale, s'écriera devant un parterre de confrères médusés que le XXe siècle n'a jamais existé, ou tout le moins qu'il ne s'y est jamais rien passé. La crise de 1929, le Front populaire, la montée des totalitarismes, les persécutions juives, les procès de Moscou, le pacte germano-soviétique et tout le reste, ce n'étaient que fadaises et balivernes.

C'est qu'il aura fondé sa thèse sur Simenon, le bougre. Et que l'histoire événementielle n'a aucune prise sur sa progéniture littéraire. Aucun souci apparent des faits historiques, pas de didactisme ni de prise de conscience sociale, mais une représentation des comportements spécifiques d'une période troublée et les effets sur les « petits gens » — la petite bourgeoisie traditionnelle —, comme le démontre Dubois[33], de leur relégation hors du champ de reconnaissance sociale et statutaire. Si les années trente à soixante-dix ne sont pas présentées telles quelles, du moins le sont-elles en creux. L'individu, livré aux trombes du temps, subit de plein fouet le malaise d'exister dans son corps (sexualité aliénée, immature), dans sa tête (morale étranglée et perspective philosophique ébranlée), dans son cœur (relations humaines muselées), dans sa classe (espace de responsabilité et de décision morcelé). Cependant, cette souffrance s'abat de façon abrupte, sans conscience de ses causes.

Cette humanité soi-disant aux prises avec son destin (ce dernier appelé en renfort afin de suppléer au vide explicatif), on peut sans doute l'examiner dans la perspective des psychobiologistes. Soumis aux décharges de l'histoire et privé de toute possibilité d'affronter

33. Jacques Dubois dans "Statut littéraire et position de classe" in Lire Simenon, op. cit., *Bruxelles, p. 41.*

les racines de son malheur, le personnage peut adopter trois types d'attitudes, en fonction de sa singularité. Omer Petermans (*Le Clan des Ostendais*) ou Marie Le Flon (*La Marie du port*) représentent des exemples très rares, chez Simenon, d'un comportement de combat. De leur côté, un Marcel Viau (*Au bout du rouleau*), un François Mahé (*Le Cercle des Mahé*) ou un Albert Bauche (*Le Temps d'Anaïs*) se réfugient dans *l'autodestruction*. Outre ces attitudes caractéristiques, le personnage simenonien aura recours à la fuite réelle ou imaginaire, souvent par l'entremise d'une tentative de marginalisation. C'est le cas d'un Norbert Monde (*La Fuite de M. Monde*), d'un René Bouvet (*L'Enterrement de M. Bouvet*) ou d'un Kees Popinga (*L'homme qui regardait passer les trains*).

Quant à Charles Alavoine (*Lettre à mon juge*), René Maugras (*Les Anneaux de Bicêtre*) ou Frank Friedmaier (*La neige était sale*), ils combinent ces deux dernières attitudes dans des œuvres tout à fait remarquables.

Voilà donc une humanité en vase clos, chahutée, brimée, broyée en dehors de l'histoire. C'est du moins ce qu'elle se figure, alors qu'en vérité, elle en subit les secousses, d'autant plus sournoisement qu'elle ignore d'où le mal provient.

Le lecteur lui aussi se croit à l'abri du monde. On trouvera mille raisons de lire Simenon : la réalité peu exaltante, l'obligation de produire, de se battre, de supporter ses voisins, le manque de moyens et de volonté pour s'anéantir dans Proust ou Stendhal, le rêve d'une existence plus *divertissante*, que sais-je ? Or, il n'est point innocent qu'à une époque où un nouveau public apparaît sur le marché, fraîchement instruit et en appétit de distractions culturelles accessibles[34], des figures de proue comme Musil, Joyce ou Faulkner désertent le champ du réalisme[35], champ que ne tarde pas d'investir un Simenon[36].

Ce qu'il reflète à l'intérieur de sa production, c'est précisément le malaise historique qui touche ce public moyen et donc une frange assez large de lecteurs. Pas de miroir qui renverrait l'inacceptable mais une construction textuelle qui *représente* les propres angoisses

34. Ibid., *p. 32.*
35. Jacques Dubois, postface au Bourgmestre de Furnes, op. cit., *p. 179.*
36. Sans doute y verra-t-on un commencement d'explication du succès de l'auteur ?

du lecteur. L'acte de lire subit dès lors une curieuse mise en abyme : au mouvement traditionnel de fuite et de régression (accentué ici comme nulle part ailleurs) s'ajoute un véritable élan sublimatoire. Et pour cause : *Simenon exorcise le réel en le déplaçant*[37].

Cet état du monde et des êtres est perçu moins par le filtre rationalisant, scientifique, explicatif, que par le modeste compte rendu d'un vécu au sein d'un espace revenu à une certaine intelligibilité (espace d'ailleurs observé par un narrateur extérieur ni juge ni expert) et envisagé sous l'angle exclusif des émotions et des pulsions.

Qu'est-ce à dire ? Entre 1930 et 1980, période au cours de laquelle se manifeste Simenon, les systèmes économiques, idéologiques, moraux, philosophiques, religieux opèrent en leur sein la remise en question que l'on sait, jusqu'à la perte de sens contemporaine. Parmi ces codes fracturés, ces significations morcelées, ce réel tuméfié, quelle stratégie applique-t-il ? Bien que dépourvu d'ambitions intellectuelles, le créateur de *Maigret* suit la troupe avec, aux basques, un nuage d'existentialisme vulgarisé, sous un ciel pesant prompt à se déverser sur une humanité privée de Dieu : l'absurde est sans aucun doute venu faire un tour, en particulier durant la période américaine, mais pas au point d'en faire un précurseur de l'existentialisme.

*

Evidemment, Simenon n'a pas raté le wagon de l'inconscient ! Dans ce domaine non plus, pas de théorisation ou d'intellectualisme mais une prise directe sur les puissances souterraines. Que certains personnages soient des névrosés ou des psychopathes, qui le niera ? Qu'obsessionnellement, la même histoire soit reproduite à travers une large partie de l'œuvre n'est un secret pour personne. Simenon toutefois vulgarise, civilise, codifie, inscrit l'innommé dans le réseau prévu, celui des stéréotypes tranquilles, poussant parfois jusqu'aux frontières du supportable sans jamais en franchir les limites, à la différence des surréalistes.

*

37. On objectera que tout Simenon contient une terrible désespérance existentielle. Ceci importe peu : ce n'est pas le désespoir qui produit le désespoir mais la manière de le mettre en scène.

Au spectacle de cette civilisation mutilée, inscrite dans une ère de décadence, Simenon se range dans le camp de la réaction. Contre les mouvements de déstabilisation en vigueur, ce mercenaire investit le champ délaissé du réalisme traditionnel[38], pas en vaincu mais en conquérant. L'élite socioculturelle, quantité négligeable, dévoratrice de valeurs reconnues et peu lues, il la laisse filer, faute de moyens pour la retenir. Au contraire, la classe moyenne désorientée au point de se réfugier parfois dans les bras musclés de l'Ordre nouveau, et qui s'ouvre, après 1945, à des couches de plus en plus larges de la société, il l'investit. A la hussarde. Car, bouleversée, elle claque des dents, prise à revers par un monde chaotique : au refus de l'insécurité répondront des mécanismes de fuite comme le conformisme, l'autoritarisme, le goût de la destruction. Dans une certaine mesure, le fascisme canalisera ces forces agressives à son profit, sous les bannières que l'on sait.

Mais notre diablotin culturel a, au fond de sa pipe, retrouvé l'œuf de Colomb. Après évacuation de l'Histoire et déplacement des histoires, il se propose à présent d'accorder quelque divertissement. Que demande le lecteur ? Ce qu'il est requis de qui apaise et rassure (le devin, le médecin, la voyante, le rebouteux, le pape...), à savoir la description des symptômes, le constat d'une situation, l'apprivoisement de la réalité. En un mot, la *confirmation du réel dans son statut de réel.*

Faisant fi des modes d'appréhension du réel sécrétés par la modernité, Simenon opère une régression culturelle qui consiste à rajeunir les grilles de lecture du XIXe siècle, encore vivaces parmi les classes moyennes, lectrices de ses livres. Contre un monde qui produit de l'inacceptable à jets continus et après un maquillage savant, il replonge la plume dans l'encrier balzacien, récupérant ici une pincée de physiognomonie, là une espèce de déterminisme spatio-temporel ou encore un fond de psychologie scientiste, le tout soigneusement mariné dans un bain de psychanalyse douteuse. En habile stratège, Simenon reconstruit du neuf à l'aide du vieux, afin de rassurer et de restructurer son lecteur.

38. Par le biais simenonien d'une esthétique du lieu commun, c'est-à-dire en produisant des images qui évacuent les problèmes, quels qu'ils soient.

Pour séduire, ce mode d'appréhension devait être mis en forme. C'est pourquoi son système de représentation s'inscrira lui aussi dans la plus pure tradition du roman bourgeois, qui tente, comme chacun sait, de proposer au consommateur une représentation mimétique du monde, au moyen d'une technique de reproduction basée, entre autres, sur la chronologie, la description de l'espace, le vraisemblable des personnages et le découpage de la narration en trois temps (exposition, nœud, dénouement). Simenon respectera le confort du lecteur par l'utilisation de ces catégories déjà vues, déjà lues, jusqu'à insister. En effet, à l'intérieur même de sa production, s'instaure un système de *répétition*. Mêmes décors (à vrai dire, les décors changent, mais le climat reste), mêmes ambiances (cités mesquines et médiocres mises sous surveillance par le jeu social), mêmes histoires (les six temps mis en évidence par Dubois : la rupture, le crime, l'évasion libératrice, la rédemption, la rentrée dans le rang, l'échec lucide), mêmes personnages (père mollasson, sous la coupe de la mère castratrice, épouse dévoratrice, (anti- ?) héros lâche, en situation d'échec, petite femme légère en proie aux coups bas de la vie, etc.), mêmes quêtes (l'impossible remise en question d'une identité étouffée au profit d'une déviance faussement libératrice), mêmes écritures et atmosphère. Par conséquent, le lecteur laboure un terrain déjà semé par les habitudes culturelles externes (la continuité du roman populaire) et internes (*ouvrir un Simenon, c'est quasi déjà l'avoir lu*[39]).

Doté d'un sens aigu des mutations en cours, Simenon participe au passage d'une culture de classe à une culture de masse, la raison faisant place à la sensation, la compréhension à l'émotion. Le substrat émotionnel servira à la fois de réservoir inépuisable, de lieu d'échange commercial et d'espace de reconnaissance réciproque. Une partie de la magie de l'implicite qui caractérise son style trouve d'ailleurs sa source dans ces zones interdites à la rationalité. En effet, Simenon n'explique jamais le pourquoi et le comment d'une situation, son narrateur se borne à constater, tout en surdéterminant les phrases et les paragraphes avec une telle habileté

39. La série à succès est fondée sur la répétition des schèmes narratifs, situationnels et relationnels identiques. A croire que le plaisir a son origine dans la fixation névrotique sur le même (cf. les feuilletons américains, les émissions sportives...).

qu'au fur et à mesure de la descente dans l'abîme obscur, le livre sécrète l'appel pressant du senti au senti.

*

Depuis la révolution d'Octobre, le langage a perdu peu à peu son pouvoir de signification, sous l'effet de l'écartèlement du signe. Un code équivoque est forgé, accessible aux adeptes convaincus, aux cyniques de tous bords, et muet pour les naïfs, les idéalistes et les pleutres. C'est ce que l'on appelle la *langue de bois*, dont l'expansion décisive au cours des années trente correspond très exactement avec celle de l'œuvre de Simenon. Hasard ou nécessité ? Au moment où le langage divorce du réel, Simenon s'attaque à la mission inverse, celle de rapprocher le mot et la chose, d'annuler l'arbitraire du signe. A cette fin, il convenait d'ignorer, voire de renier l'Histoire et ses créatures au profit d'un retour à la tradition, d'élire la séduction consolatrice et conciliatrice en lieu et place de la distorsion idéologique. Simenon crée comme si de rien n'était, en dépit de toutes les désillusions historiques et de tous les ukases intellectuels : l'ère du soupçon n'aura eu décidément jamais de prise sur cet avocat de l'empirisme et de la sensualité.

*

De toutes ces pertes, Simenon soulage comme un comprimé d'aspirine, sans chercher à peser sur les événements. Ce thérapeute propose un exutoire à la peur, le temps d'une gueule de bois au beaujolais nouveau ou d'une plongée dans la quiétude écœurante du *Même* — le temps de dévorer ses deux cents pages.

Inventer le vrai ne sert pas à connaître mais à rassurer et à communiquer. Mieux que quiconque, Simenon a mis à l'honneur la fonction relationnelle du livre, contribuant d'ailleurs à réconcilier l'art et le public. Dans notre société, dite de communication, sa prose témoigne du passage ontologique d'une conception classique de la personne autonome et indépendante à une vision plus moderne, celle de l'individu relationnel. Une des facettes primordiales de « l'homme mis à nu » ne consiste-t-elle pas en la réduction de cette fracture, à laquelle Simenon identifie l'essence humaine, grâce au rétablissement magique de la communication ?

De même, le lecteur n'éprouve-t-il pas de loin en loin le sentiment de maintenir le contact avec un édifice et de se contenter, par on ne sait quel mystère, de la fonction purement répétitive de la lecture ?

Simenon nous ramène en notre enfance, dans le cadre mythique de l'Age d'or, au creux d'un refuge familier et protecteur, où la connaissance immédiate de toute chose était naturelle, et dans celle du siècle aussi, comme si l'on rendait visite à l'ancêtre, ce gardien du « bon vieux temps », ce reflet d'un ordre immuable, *in illo tempore*, quand la culture, cette mauvaise mère, ne s'était pas encore superposée à l'état originel : celui de nature. Par cet *exotisme familier* à quoi s'apparente la nostalgie inguérissable, Simenon continue d'enchanter les foules.

L'illisibilité

Au lettrisme fumeux d'Isidore Isou, Simenon oppose la lisibilité universelle. Là où la puissance déductive permet à Agatha Christie — traduite en cent trois langues — de traverser les frontières linguistiques, la quête de l'homme nu — en substance l'exhumation du fonds commun d'instincts et de pulsions — concerne tout le monde. Traduit en ouzbeck ou en kirghiz, Maigret restera toujours Maigret. En définitive, par-delà les clivages linguistiques, idéologiques ou culturels, cette œuvre tient par l'écriture, alors que, paradoxalement, on la dit manquer de *style*.

Est-ce parce que la culture de classe se sent menacée par le déluge populaire que les formes artistiques modernes n'ont cessé d'escalader les cimes jusqu'à se couper du public ? Il va sans dire que l'irruption toujours croissante d'une masse scolarisée sur le champ culturel risquait de porter ombrage aux élus. Comment se distinguer ? A cette interrogation cruciale, il fallait une réponse définitive. Les modernes ont séparé l'art du public, selon deux principes apparemment contradictoires : en plébiscitant toujours davantage l'illisibilité et en instituant l'ère du tout-culturel et de la confusion des valeurs[40].

40. *Cf. Alain Finkielkraut,* La Défaite de la pensée, *éd. Gallimard, Paris, 1987.*

L'illisibilité est un refuge en même temps qu'un repoussoir. Les productions littéraires de Simenon sont trop lisibles pour ne pas susciter la méfiance des clercs. Sa prose manquerait de profondeur, de sens du détail, d'argumentation réfléchie, de complexité lexicale, de descriptions enlevées, de subtilité narrative, de finesse de pensée, de parenthèses magistrales, de considérations métaphysiques, de formes novatrices... En somme, *Le Destin des Malou* ou *Les Sœurs Lacroix* auraient gagné à devenir barbants et Simenon à perdre son identité d'écrivain intuitif.

Pourquoi faut-il à tout prix, comme l'exige la mode, confondre le récit et l'essai, justifier le répit par le prestige et le plaisir esthétique par l'apport intellectuel ? Soulignons ce qui dérange : tout le monde peut consacrer du temps à Simenon, mais personne ne s'en trouvera *marqué*. Régression et distraction réunissent tous les milieux socioculturels dans un même élan, autour d'une œuvre lisible et lue avec profit par n'importe qui. Lire Simenon ne sert à rien, sinon à jouir en parfaite innocence, sans recherche ni appui, ni même besoin d'une quelconque reconnaissance. Aucune autre œuvre — hormis l'une ou l'autre à vocation de passe-temps — n'a réussi cette gageure : contre la littérature de classe (signe de ralliement socioculturel : Char, Borges, Proust...), d'être foncièrement *non distinctive*, de réunir dominants et dominés culturels (mis à part les enfants) autour d'un *lieu commun*.

Quant à parler de style, que répondre à François Mauriac qui écrit à Simenon : « Vous avez à travailler beaucoup, non pas votre style au sens profond (vous avez le "style") mais au point de vue "correction", quand ce ne serait que pour décourager les chercheurs de poux. » (Lettre du 23 avril 1937[41].)

Lesdits chercheurs de poux feraient-ils encore la fine bouche ? C'est qu'à leur avis, le verbe se forge en haute voltige plutôt qu'en rase-mottes. Pour s'imposer, un style doit se couper de la langue commune, rompre avec les habitudes linguistiques. Sa définition : le résultat d'une somme d'écarts à la norme, écarts qu'agrémenterait une pincée d'indescriptible. Une rébellion contre l'usage commun, menée au nom de la *représentation*. Une rupture qui se montrerait du doigt comme pour signaler qu'elle sécrète de l'or.

41. Cette lettre est déposée au Fonds Simenon.

Tout à l'opposé, Simenon évite de faire de la littérature. La phrase pour la phrase, le mot pour le mot, la virgule bien posée et l'adjectif rare. Il faut sabrer et retrancher, car les raffinements aériens et les circonlocutions embaumées enferment la plume dans le ghetto de la forme.

Simenon sacrifie au culte du réel. Le style doit servir ses desseins : simple matériau capable de décrire le monde, cet instrument se mettra au service de la recherche de l'homme nu. Sans fioritures ni ornements, car l'ambition de refléter la réalité suppose l'utilisation de moyens discrets, effacés. En effet, le moindre écart linguistique risque de détourner l'attention du lecteur et de mettre en péril la mission de l'écrivain. Faire sobre, efficace, naturel. Que s'impose, pour aborder la réalité, un style neutre, aux desseins réalistes. Voilà le gage de la réussite : cinq cents millions d'exemplaires vendus aux quatre coins du monde.

Comme Céline feint d'imiter le parler populaire, Simenon invente un style qui n'existe nulle part ailleurs que dans ses livres, mais que chacun peut revendiquer comme sien : *le style de la majorité silencieuse*.

Atmosphère et régression

Georges Simenon n'a jamais été emballé par la fameuse notion d'atmosphère qu'à toutes les lunes la critique littéraire ressort de son chapeau pour évoquer le mystère suintant qui imprègne ses romans. A l'allusion climatique, il préfère la référence culturelle : avec ses connotations avantageuses, la notion de « climat poétique » rend un son aérien, plus en harmonie avec le niveau de langue habituellement requis pour signifier la littérarité sans équivoque de telle ou telle production écrite.

Malgré cela, le public, sans doute moins friand de distinction que de jubilation, continue de colporter cette notion poisseuse dans le même sac que la figure emblématique du commissaire Maigret : toute intuitive et vague qu'elle paraisse, l'atmosphère fait mouche chez n'importe quel lecteur, du plus candide au plus érudit. Pour une raison bien simple : aucune définition ne lui a jamais été attribuée, mais son évocation interpelle tout le monde. Simenon, additionné à Maigret et à l'atmosphère : le retour à la sainte et fatale trinité, agissant comme une formule magique, donne l'impression paradoxale de tout dire — ou du moins de retenir la substance de l'œuvre — alors qu'on baigne dans le brouillard.

Sitôt formulée, l'expression en appelle aux ambiances de pluies, aux pavés luisants sous le halo des réverbères, aux silhouettes imprégnées de brume, aux ruelles sordides sur lesquelles flotte un parfum d'interdit. Comme si, à elle seule, l'évocation des conditions climatiques pouvait rendre compte d'une identité poétique ! En réalité, même galvaudée, l'atmosphère multiplie les acceptions en vertu de sa nature métonymique. Faut-il le rappeler ? L'œuvre d'art est toujours plus et autre chose que la somme des procédés qui la composent. L'atmosphère n'échappe pas à la règle, du moins si on admet qu'elle forme le noyau dur de la poétique simenonienne.

Dès lors, sa pérennité est acquise : en l'évoquant, on induit la richesse incomparable d'un univers par le biais d'un poncif usité planétairement. Et sans jamais nommer ni détailler les composantes de la stratégie littéraire mise en œuvre pour nous séduire. On le voit : l'atmosphère Simenon, c'est une figure de style, une marque de fabrication, une auberge espagnole ouverte aux courants d'air, le tout baignant dans une matière trop simple — en apparence — pour être dénudée vraiment.

Quelle piste emprunter pour en circonvenir le noyau dur ? La notion d'atmosphère est à mettre en relation avec l'image que Simenon se fait du langage conceptuel. Partant du principe que la culture a consommé le divorce entre les mots et les choses, il estime que le romancier a pour mission première de réconcilier les composantes du signe. Dans cette perspective, l'atmosphère serait le résultat poétique de l'effort entrepris pour rapprocher le langage de la matière par la voie d'un *transfert somatique*, d'un centrage discret de l'espace référentiel sur le corps.

Les pages qui suivent posent les jalons d'une réflexion sur la faillite du langage conceptuel et sur l'approfondissement du transfert régressif et somatique qui en résulte.

La mort du Verbe

Qui suis-je vraiment ? Qu'est-ce que la réalité ? Quel langage utiliser pour rendre compte de la vérité ? La plupart des romans de Simenon débutent par l'une ou l'autre de ces questions. Durant deux cents pages, le personnage n'aura de cesse d'y répondre, quitte à y perdre la vie, la raison ou la liberté.

Quand l'inattendu fait irruption dans son existence confinée entre le conformisme et la soumission, le héros s'éveille à sa destinée riche en expériences diverses, nouvelles et singulières[1]. Qu'il côtoie les

1. *Cf. chapitre II.*

hôtels borgnes (*La Fuite de Monsieur Monde*), les hôpitaux (*Les Anneaux de Bicêtre*) ou la cambrousse (*La Maison du Canal*), sa vie gagne en qualité et en intensité. Le vécu s'emballe. Sa sensibilité correspond de moins en moins avec celle de la majorité. En règle générale d'ailleurs, cette quête de l'authenticité menée avec la complicité de l'instinct et de l'intuition produit une accélération existentielle qui propulse le héros aux frontières de l'indicible, loin du commun des mortels.

> « C'était un calme épouvantable que le sien, un calme comme il n'en avait jamais connu, un calme qui ressemblait à du vide. Il faisait des gestes comme un homme ordinaire mais il sentait bien qu'il n'était plus un homme comme les autres. Il avait franchi une frontière inconnue, sans pouvoir dire à quel moment cela s'était passé. [...] Cela lui fit hausser les épaules. Est-ce que les choses qu'on imagine de la sorte ont un rapport avec la réalité, la vraie, celle que les gens ne soupçonnent même pas[2] ? »

> « Il venait de faire en quelques heures, peut-être en quelques minutes, il ne savait même pas exactement quand, un bond tellement prodigieux qu'il regardait avec une lucidité froide l'homme et la femme chuchotant sur un palier d'hôtel à l'heure où le jour n'allait pas tarder à naître. [...] Or voilà que, dans les rayons lunaires, il voyait soudain la vie autrement, comme à l'aide de prodigieux rayons. Tout ce qui comptait auparavant, toute l'enveloppe, la pulpe, la chair, n'existait plus, ni les faux-semblants, ni presque rien et ce qu'il y avait à la place[3]... »

Simenon a toujours souligné qu'en matière de communication, l'efficacité reposait sur la similitude existentielle des partenaires. On mesure les enjeux du drame : fort d'une expérience exceptionnelle, le héros se retrouve seul, avec le désir de transmettre sa vérité profonde à un corps social qui baigne dans les poncifs. Dès lors, la question qui s'impose à lui se présente en des termes brûlants :

2. L'Homme de Londres, *éd. Arthème Fayard, Paris, 1934, pp. 154-155.*
3. La Fuite de Monsieur Monde, *éd. de la Jeune Parque, Paris, 1945, pp. 168-169.*

comment rendre compte de sa singularité à l'aide d'un matériau aussi commun que le langage verbal ?

A cette interrogation, centrale chez les écrivains de la tradition et qui recoupe les préoccupations de ses personnages, Simenon apporte une réponse dramatique. Le langage courant répond mal aux sollicitations singulières. A la moindre secousse, il se vide de sa substance, sonne creux, tourne fou, sans jamais se montrer à la hauteur de leurs découvertes existentielles.

Ce manque de moyens est véritablement crucial : la plupart des personnages mis en scène par Simenon se débattent gauchement dans la jungle du langage, parfois jusqu'à l'aphasie, souvent jusqu'à l'échec. A quoi se raccrocher quand il ne subsiste qu'un isolement extrême dû à l'impossibilité d'accéder à une vérité tangible, d'entrer réellement en communication avec les autres et de juger ? Tous, ils s'acharnent à débusquer leur vérité propre, arrachant au passé des fragments d'innocence, peinant comme des forçats, sans jamais atteindre leurs objectifs. Certains s'accrochent à la plume comme à une planche de salut : Popinga prend des notes dans son agenda (*L'homme qui regardait passer les trains*), Steve Adams écrit ses souvenirs (*Le Passager de la ligne*), Alain Lefrançois compose une lettre pour son fils (*Le Fils*), Lucien Gobillot tient un journal intime (*En cas de malheur*), Félix Allard fait le récit de sa vie (*L'Homme au petit chien*).

En vérité, tous ces narrateurs piétinent, multiplient les fausses pistes et les impasses et donnent à leurs confessions les allures d'un procès. Piètre résultat, même s'il arrive que cette verbalisation pratiquée à l'aveuglette agisse à la manière d'une purge.

On comprend mieux dès lors pourquoi certains récits fonctionnent comme des suspenses psychologiques, sur le mode du retard : durant deux cents pages, le lecteur attend que la vérité éclate en pleine lumière. Or, la révélation demeure dans les ténèbres. Fidèle à une tactique largement épurée, Simenon préfère suggérer quelque vérité indicible plutôt que de décevoir son auditoire en explicitant ce qui n'existe que par la magie du style. Chaque fois, comme pour compenser cette absence d'expression, il fait appel au mystère sécrété par l'expérience personnelle du personnage, expérience dont la qualité intrinsèque dépasserait toute possibilité de dire. En d'autres mots, l'auteur du *Président* creuse un abîme entre la compétence supposée du sujet et son inaptitude à en expliciter les composantes : le « non-dit », le mystère, la densité équivaudront à cette différence.

On le voit, l'œuvre de Simenon repose en partie sur le vide[4]. Le narrateur prétend en effet qu'il a conquis la vérité inaccessible, mais sans jamais l'expliciter ou très rarement.

L'un des rares à risquer une explicitation en affrontant directement le mystère de l'indicible, c'est Charles Alavoine. Le narrateur de *Lettre à mon juge* a tué et son meurtre l'écarte du corps social tout en affinant l'acuité de son regard. Sur la base du procédé que je viens de décrire, il prétend avoir saturé l'espace déviant au point de disposer d'un supplément d'âme qui lui donnerait accès à la vérité.

> « Il y a tant de choses que j'ai comprises, que vous savez que j'ai comprises ! Parce que, voyez-vous, j'ai un immense avantage sur vous, quoi que vous fassiez : moi, j'ai tué[5]. »

Or, dans *Lettre à mon juge*, l'écriture (revivre, se révéler et communiquer) est inapte à franchir la barrière dressée entre l'assassin et ce juge qui est resté de « l'autre côté » — à l'image des autres personnages, des lecteurs. C'est l'échec. La parole du narrateur se fait lentement dévorer par le discours en place, alors que, de son propre aveu, elle devait rendre compte de l'indicible : au lieu d'expliquer les comportements, elle les justifie et comble les vides dans la représentation (l'écriture), comme dans l'aventure amoureuse (le vécu), son amour fonctionnant comme texte copie d'un autre texte (la somme des histoires d'amours mortelles présentes dans notre culture).

> « Une phrase prononcée la veille, par exemple, au moment de se quitter [...]. Elle me hante toute la nuit. Des heures durant, je l'ai tournée et retournée dans mon esprit pour en tirer la quintessence[6]. »

4. Si cette distanciation critique se trouve privée, auprès de l'intelligentsia, du moindre prestige, c'est parce que cet intuitif ne dispose pas de grilles de références existentialistes, marxistes ou autres.
5. Lettre à mon juge, *éd. Presses de la Cité, Paris, 1947, p. 12.*
6. Ibid., *p. 144.*

> « Nous avions commencé par la fin. Il était urgent, indispensable, de combler les vides qui nous donnaient une sorte de vertige. Par exemple, rien que de lui tenir la main, sans mot dire[7]... »

Comme ses frères, Alavoine se révèle incapable d'échapper aux codes convenus et de trouver une voix propre à exprimer une quelconque identité. Son impuissance le contraint à parler comme tout le monde, à répéter le discours de l'Autre, à subir jusqu'à l'autodestruction finale l'aliénation qui fonde sa trajectoire existentielle.

*

Exposer une destinée singulière aurait pu comporter le risque de se couper du public. Simenon, au contraire, parvient à s'attacher un peuple de fidèles. Qu'est-ce à dire ? Tout simplement que ce sont toujours les mêmes personnages qui nous sont présentés avec leur destinée morne, leur faim d'évasion et leurs singularités douloureuses. Mais surtout que le créateur de Maigret comble, grâce à une stratégie de communication très habile, le fossé creusé entre le personnage et le lecteur, effaçant les différences pour afficher ce que les partenaires ont de semblable, d'interchangeable.

La description d'une humanité moyenne, le large écho fait aux sensations, l'appel à l'instinct, la manière de composer les décors, le recours aux potentialités déviantes du lecteur... confortent cette stratégie d'identification.

A force de travailler sur une base très répandue, il parvient d'ailleurs à susciter une sorte de contagion cérébrale. Avec une particularité toutefois : en allant jusqu'au bout de sa destinée, le personnage échappe dans une certaine mesure à l'ordinaire voire à la médiocrité, mais sans jamais frayer avec l'héroïsme traditionnel.

La conclusion s'impose. Quoi qu'on en dise, l'incomparable banalité de l'œuvre se trouve habitée par un mystère. Tout ce qui façonne son univers mélange avec un indéniable génie les platitudes héritées de la tradition populaire et les trouvailles suscitées par la modernité. En quelque sorte, Simenon réconcilie les traditions

7. Ibid., *p. 118*.

du XIXe et du XXe siècle, louvoyant entre le lieu commun et le lieu propre pour créer une œuvre identifiable entre mille.

Le moindre paradoxe n'est d'ailleurs pas que Georges Simenon, cet écrivain à la prose accueillante, accrocheuse et accessible, mette en scène la faillite du langage conceptuel, au moyen des vieilles recettes du roman de gare : une fois de plus, le serpent se mord la queue.

Le corps originel

Le système de représentation imposé par l'autorité sociale a pour but d'établir autour de la réalité un consensus susceptible de maintenir, voire de renforcer la docilité de la majorité silencieuse. De toute évidence, ce consensus dessert l'homme au lieu de favoriser l'éclosion de sa singularité. Pour un motif au demeurant fort simple : signé d'avance sans consultation préalable, le contrat social se fonde sur l'étouffement pur et simple des seuls instruments capables d'embrasser l'essence des choses : l'instinct et le désir individuels[8].

L'événement inattendu qui met fin à l'aveuglement du héros symbolise précisément le refus de perpétuer ce consensus détestable. Depuis toujours, on l'a pris pour un autre. Or, le héros ignore qui il est. A peine soupçonne-t-il que sous sa carcasse d'homme siège l'âme d'un petit garçon. Etrange paradoxe qui l'aurait livré pieds et poings liés aux mâchoires sociales, si l'affirmation de sa singularité n'encourageait pas l'éclosion d'une vision du monde plus fiable, basée sur une rencontre épidermique avec de la réalité grâce au réveil des cinq sens.

S'il existe un point commun entre tous les personnages de Simenon, c'est bien leur goût des vérités élémentaires. L'être profond ne se reconnaît aucunement dans son image sociale d'adulte éduqué et civilisé. Or, la fracture entre sa conscience et le monde le dote soudain d'une capacité de distanciation critique : attardé dans

8. *Dans ce contexte, la déviance, ce déchaînement des forces souterraines, représente un des rares moyens mis à la disposition du personnage pour ébranler la légitimité du système. En prenant si fréquemment le contrepied des comportements auxquels on le forçait d'adhérer, il en montre les limites et les prétentions, avant de succomber définitivement sous ses crocs.*

les rets de l'existentialisme, ce Roquentin des boulevards se met à décaper les références communément admises. Toutes les valeurs qui cimentaient son parcours existentiel s'effritent. Le vernis des conventions s'écaille. Et le vide menacerait de l'engloutir si l'épluchage des apparences ne laissait entrevoir la possibilité d'un retour au paradis perdu. A tout prix, il veut redécouvrir l'innocente créature qu'il serait resté si la culture ne l'avait pas arraché à l'état de nature.

Comment ? Les difficultés qu'il éprouve, tant à verbaliser qu'à transmettre l'indicible, produisent un effet radical : étouffé par sa propre aphasie, le sujet remet intuitivement en cause la fiabilité du système de représentation échafaudé par l'autorité sociale en exploitant un nouveau mode d'appréhension de la réalité plus en adéquation avec sa propre sensibilité. Inutile de restaurer le miroir éclaté : pour répondre au vide des mots, le personnage se penche du côté des sens et entame une sorte de plongée vertigineuse au cœur des valeurs élémentaires et universelles. Son but ? La réconciliation des composantes du signe ou, si l'on préfère, une collusion avec la matière, un contact assez vif pour ramollir le concept, ce fauteur de préjugés et de poncifs.

Ce souci synchronique de marier le mot et la chose recoupe une préoccupation diachronique : réunir le passé et le présent. « Je suis resté un enfant de chœur », professe Simenon. Avant de l'admettre, il s'est passé du temps : un vide abyssal sépare l'âge adulte de cette enfance magique où sont enclavées les vérités consolatrices.

Alors, pour échapper au néant, le personnage s'impose une double démarche de réconciliation linguistique et temporelle : de même qu'il veut rencontrer la vraie réalité, de même il essaye de court-circuiter le temps, de forcer le verrou du passé, de retourner aux origines, dans la béatitude du paradis perdu, afin de recomposer sa personnalité intime en *redevenant ce qu'il n'aurait jamais dû cesser d'être* : une âme innocente intégrée dans la nature et reconnue par ses proches.

Et ses armes, quelles sont-elles ? Les sens, on l'a dit, par le biais notamment de la sexualité et de la maladie.

La sexualité

Combien ne sont-ils pas, ces mâles immatures, dotés d'un sexe envahissant et pressés d'en finir, en train de guetter les filles perdues au fond des ruelles sombres ou de prendre une servante sur le coin de la table ? Des centaines ? Des milliers ? Bon nombre pratiquent une sexualité de transfert, brutale et agressive. Leurs étreintes rapides et fonctionnelles ont pour but de canaliser sur un être plus faible toute leur hargne et leur mal de vivre.

Frank Friedmaier, par exemple, le héros de *La neige était sale*, répond seulement aux sollicitations narcissiques, sans jamais se soucier de l'impact moral ou psychologique de ses actes. Comme sa mère dirige un bordel, il couche au gré de sa fantaisie avec les filles de la maison quand il n'épie pas les clients par le vasistas de la cuisine.

> « Avant de prendre son bain, il renverse sur le pied du lit Bertha qui, comme tous les matins, n'a que son peignoir sur son corps de gros bébé, et il lui fait l'amour. Cela ne dure que trois minutes. On dirait qu'il est furieux, qu'il se venge. Il ne frôle pas la joue de la fille. Leurs têtes ne se touchent pas. Quand c'est fini, il la laisse, sans un mot[9]. »

Sous sa carcasse d'adulte, Frank est resté un enfant malheureux en train de hurler pour attirer l'attention, quitte à faire le mal. Vol, viol par procuration, meurtre, délation, tout y passe. Comment, dès lors, ses accouplements dépourvus de tendresse, tout entiers sacrifiés à l'urgence de la perforation violente et instantanée, ne ressembleraient-ils pas à une série de meurtres symboliques ?

Dévoré par ses démons, comme beaucoup d'autres créatures simenoniennes, Frank s'est arrêté en chemin, sans percevoir la fin ultime de l'activité sexuelle.

Au-delà du sentiment de domination que procure la sexualité agressive pratiquée seulement avec des filles légères, de condition socioculturelle inférieure, certains cherchent en effet à opérer une fusion immédiate, dépourvue d'intermédiaire abstrait, avec le monde, s'abîmant jusqu'à la meurtrissure dans la chaude matière des origines.

9. La neige était sale, *éd. Presses de la Cité, Paris, 1948, pp. 95-96.*

Tout est question d'intensité : la carrière, la réputation, les passe-temps n'ont, au regard de la curiosité charnelle, aucun degré de réalité. Tandis que la jouissance refait la soudure avec les choses, tout en sublimant l'espace et le temps. Sans compter qu'elle brise l'isolement foncier des individus et force la connaissance intégrale de l'autre sexe.

> « J'ai rejeté la couverture. Comme dans un rêve, sans réfléchir, sans penser, sans savoir au juste ce que je faisais, d'un geste irrésistible, je l'ai pénétrée, d'un seul coup.
>
> Au même instant, j'ai eu l'impression d'une révélation, il m'a semblé que pour la première fois de ma vie, je possédais une femme. Je l'ai aimée furieusement, je vous l'ai dit.
>
> J'ai aimé tout son corps à la fois, dont je sentais les moindres frémissements. Nos bouches n'en faisaient qu'une et je mettais une sorte de rage à vouloir m'assimiler cette chair qui, un peu plus tôt, m'était presque indifférente[10]. »
>
> « Plus elle était mienne, dis-je, et plus j'éprouvais le besoin de l'absorber davantage.
>
> De l'absorber. Comme de mon côté, j'aurais voulu me fondre entièrement en elle[11]. »
>
> « Et voilà que d'y penser, il se sentait soulevé d'une puissante colère, d'un besoin de tout effacer, de tout absorber, de tout rendre sien[12]. »

« Rencontre de deux errants, malades de solitude et qui avaient obtenu enfin la grâce d'un contact humain », la sexualité décrite dans *Trois Chambres à Manhattan* ou dans *Lettre à mon juge* présente une constante, celle de « rendre sien », « d'assimiler », « d'absorber », de « se fondre » dans le corps de l'Autre.

En somme, le mâle s'imprègne de la chair, en même temps qu'il l'imprègne, qu'il s'imprime en elle. D'une part, son sexe marque la partenaire, laisse sa griffe dans son corps, envahit à nouveau

10. Lettre à mon juge, op. cit., *p. 92-93.*
11. Ibid., *p. 176.*
12. Trois Chambres à Manhattan, *éd. Presses de la Cité, Paris, 1946, p. 45.*

le ventre élu. De l'autre, il disparaît dans la cavité originelle, régresse aux sources vives, à ces territoires bénis où tout semblait possible, dans l'unité de la création, pur continuum entre les particules du grand univers.

Dans *L'Eloge de la luxure*, texte méconnu, lu en 1956 à la radio française, Simenon s'explique librement sur la relation immuable qu'il conçoit entre la sexualité pure et le pèlerinage aux lieux de l'enfance.

> « La luxure dont je voudrais parler, c'est ce que j'appelerais la sexualité à l'état pur, c'est-à-dire débarrassée de tout sentiment, de toute sentimentalité, de tout romantisme ou romanesque, la sexualité naturelle, serais-je tenté de dire, ce qui ne signifie pas que, sur un autre plan, les protagonistes ne puissent s'aimer profondément.
>
> « C'est pour cette luxure-là, pour cette recherche d'un plaisir qui ne doive rien qu'aux sens, que je me risque, sinon à plaider non coupable, tout au moins à réclamer les circonstances atténuantes.
>
> « Ce qui m'en a donné l'idée, c'est une petite phrase, banale en apparence, de Gobillot : "*L'homme mûr, le vieillard, ne sont jamais que des enfants qui ont grandi.*"
>
> « Or, cet homme couvert de respectabilité, placé chaque jour en face de problèmes plus ou moins angoissants, retrouve parfois, en lui-même, l'enfant qu'il a été.
>
> « La nostalgie de l'enfance, le besoin de se replonger dans une sorte d'innocence naturelle, sont d'autant plus forts que le poids du monde devient plus lourd à ses épaules. [...]
>
> « Or, la vie merveilleuse et secrète de l'enfant n'est pas seulement dans un rayon de soleil, dans des images colorées d'un univers encore neuf, mais elle réside aussi dans les joies qu'il tire, *sans remords*, de son propre corps, de ses sens qui s'éveillent, du froid et du chaud, du manger et du boire, d'excitations plus subtiles encore dont il ne cherche pas à s'expliquer la nature.
>
> « L'enfant, comme le jeune animal, chacun le reconnaît aujourd'hui, est *un être luxurieux*.

« Pourquoi, devenu jeune homme, ne chercherait-il pas à retrouver le chaud apaisement de la sexualité ? [...]

« N'est-ce pas comme si l'homme, harassé ou inquiet, cherchait à échapper, pour quelques instants au moins, à des problèmes qui l'écrasent, en retrouvant, ou en cherchant — peut-être en vain ? — à retrouver les joies de l'âge innocent ? [...]

« Je ne crois pourtant pas que la luxure dont j'ai parlé soit une dépravation mais bien, dans beaucoup de cas, une tentative d'évasion.

« De sorte que, à la barre d'un tribunal, je plaiderais volontiers :

« Cet homme (ou cette femme), à qui vous avez donné des tâches disproportionnées d'avec ses forces, fait ce qu'il peut pour se croire une grande personne, pour se comporter en grande personne. Il arrive pourtant que, fermant les yeux, il retrouve les effluves d'un monde perdu et qu'il s'efforce d'y retourner.

« Il n'y réussit pas toujours. Peut-être n'y réussit-il jamais[13] ? »

Faire resurgir les bribes du paradis terrestre grâce à l'apaisante luxure : l'idée ne manque pas de sel, surtout dans un contexte judéo-chrétien. Elle souligne en tout cas le rôle prépondérant de la sexualité dans la quête de l'Eden, cet espace de l'enfance.

*

Cette soif d'accoster aux rivages du paradis perdu (le temps) ne peut être dissociée d'une démarche globale de réconciliation avec la création (l'espace), de ressourcement dans l'intimité des débuts, comme le montre *Les Anneaux de Bicêtre*.

« Aucun souvenir du petit chemin. Ils se sont perdus. Marcelle avait mal aux pieds. Ils ont abouti dans des roseaux, dans de la terre molle, et s'impatientaient de ne pas apercevoir la Loire.

13. « Eloge de la luxure », daté Cannes 1928 et lu à la Radio française fin 1956. Conservé au fonds Simenon.

« Ils l'ont eue soudain devant eux, fraîche et miroitante, avec ses bancs de sable et de petits cailloux. D'où ils étaient, ils ne voyaient rien d'autre que la rive d'en face et un homme, très loin, coiffé d'un chapeau de paille, qui pêchait, assis sur un pliant, dans un bateau plat.

« Ils avaient soif. Ils ont bu à la bouteille du vin tiédi. Ils avaient déjà bu en mangeant à l'auberge. Engourdis par la chaleur, ils se sont étendus sur le sable, parmi les roseaux qui bruissaient.

« Il revoit la bouteille de vin trempant dans l'eau de la rivière, son col seul émergeant. Il avait retiré son veston, sa cravate. Marcelle avait enlevé ses souliers et ses bas. Après avoir pataugé dans l'eau en essayant de l'éclabousser, elle est venue s'étendre près de lui.

« Cela a-t-il un sens ? Cette image mérite-t-elle d'avoir pris place dans sa mémoire ?

« Sa peau, presque brûlante, avait cette bonne odeur que la sueur prend à la campagne. Tout sentait bon, les roseaux, la terre, le fleuve. Le vin aussi avait, une fois rafraîchi, un goût qu'il n'a pas retrouvé depuis.

« Il a mâchonné un brin d'herbe, couché sur le dos, les mains sous la nuque, le regard perdu dans le bleu du ciel traversé parfois du vol d'un oiseau.

« A-t-il dormi ? C'est improbable, mais tout son corps était imprégné de bien-être et de paix. Il est improbable aussi qu'ils aient parlé. Il se rappelle un geste, sa main tâtonnant à son côté, touchant du sable, puis le corps de Marcelle. Il était si paresseux qu'il a mis longtemps à se décider et à glisser sur elle.

« Il n'a pas aimé Marcelle, pas vraiment ? Il l'a épousée pour ne plus être seul, pour être deux, peut-être aussi pour avoir quelqu'un à protéger. C'est une autre question, dont il ne tient pas à s'occuper trop vite.

« Ils sont restés longtemps quasi immobiles, comme certains insectes qu'on voit accouplés, et il sentait le soleil sur son dos, entendait le clapotis de l'eau, le frémissement des roseaux.

« Il n'était pas ivre, mais il avait assez bu pour que son corps, des pieds à la tête, devienne plus sensible. Une odeur de salive et de sexe s'est mêlée aux autres odeurs.

« C'est tout. Après, ils ont fini la bouteille. Ils ont essayé de s'étendre à nouveau, de retrouver cet état de grâce qu'ils venaient de connaître sans l'avoir cherché[14]. »

« Image lumineuse du bonheur parfait, du bonheur gratuit qu'on reçoit en toute innocence et qu'on vit sans s'en douter », cette page mémorable extraite des *Anneaux de Bicêtre* concrétise le rêve de se fondre dans la nature, de vivre en tête à tête avec elle, à l'abri des méfaits de la civilisation : l'accouplement s'inscrit dans l'ordre des choses, en harmonie avec le tout, dans une immobilité presque contemplative, au lieu de sombrer dans la frénésie et dans l'agressivité coutumières d'un Frank Friedmaier ou d'un Steve Adams. En état de grâce, le sexe s'introduit dans le noyau de la création et, durant quelques instants — mais ils donnent le goût de l'éternité —, il permet au sujet de crever l'opacité du réel et de retrouver sa place au sein du cosmos.

L'homme s'enfonce dans les lieux originels, aux sources du monde, le long de la Loire. Il s'imprègne d'eau, de terre, d'odeurs, comme engourdi dans le ventre de l'univers, captif de ses sens, seuls capables de palper l'ordre immuable de la création. Figé comme la pierre ou la plante, imprégné de bien-être et de paix, le personnage devient, un temps, un animal harmonieux, ce dieu élémentaire à la taille d'insecte. Proche de ses racines biologiques.

*

« Ce qui ruisselait de son être par ses deux yeux, c'était toute la fatigue accumulée pendant quarante-huit années, et si ces larmes étaient douces, c'est que maintenant l'épreuve était finie.

« Il avait abandonné. Il ne luttait plus. Il était accouru de loin — le train n'existait pas, mais seulement un immense mouvement de fuite —, il était accouru vers la mer qui, vaste et bleue, plus vivante que quiconque,

14. Les Anneaux de Bicêtre, éd. Presses de la Cité, Paris, 1963, pp. 155-156.

âme de la terre, âme du monde, respirait paisiblement près de lui. Car, en dépit de l'oreiller dont la réalité était sans importance, il s'était, en bout de course, étendu près de la mer, il était tombé près d'elle, épuisé et déjà apaisé, il était couché de tout son long sur du sable tiède et doré, et il n'y avait plus rien d'autre dans l'univers que la mer et le sable, et que lui qui parlait.

« Il parlait sans ouvrir la bouche, car il n'en était pas besoin. Il disait son infinie courbature qui n'était pas celle du voyage dans un wagon, mais celle de son long voyage d'homme.

« Il n'avait plus d'âge. Il pouvait laisser ses lèvres se gonfler comme celles d'un enfant.

« "J'ai accompli, toujours, aussi loin que remonte ma conscience, un si grand effort." [...]

« Mon Dieu ! Qu'il était las maintenant ! Et pourquoi était-ce ses épaules à lui, qui n'avait fait de mal à personne, qu'on avait choisies pour les charger des poids les plus lourds[15] ? »

Monsieur Monde n'épilogue guère. « Les lèvres gonflées comme celles d'un enfant », il s'abandonne aux retrouvailles avec l'espace originel, cesse de se battre, perd sa raideur d'adulte.

*

Pour Simenon, l'homme n'est pas une entité fermée, séparée du reste de la création, au-dessus des pierres, des animaux ou des plantes. Au contraire, son désir le plus cher, c'est de perdre sa supériorité factice, d'oublier la précarité de sa condition, au travers d'un vaste échange entre l'être et une nature à l'échelle de la mer, du sable et du soleil.

Cette osmose avec la nature, à la faveur d'un retour à l'ordre mythique des origines, comporte un objectif double, synchronique et diachronique : rapprocher l'être de la matière et confondre les valeurs temporelles du passé et du présent. Il s'agit de s'enfoncer dans le maelström primordial, parmi les références familières, de trouver refuge au sein du cocon originel.

15. La Fuite de Monsieur Monde, *op. cit., p. 142.*

Dans ce but, Simenon utilise toute une gamme de motifs sélectionnés précisément en raison de leur nature sensorielle et de leur charge régressive. Le long de cette chaîne d'associations libres, on rencontre le motif de la sexualité, déjà évoqué ; celui de la terre, qui encourage l'enfoncement, le repli régressif d'un Frank Friedmaier (*La neige était sale*) :

> « Cependant que Frank le fait exprès, voluptueusement, d'enfoncer son ventre dans la terre comme dans une femme[16]. »
>
> « De sentir bon lui. De sentir bon la terre, la chose qui vit, qui sue. Il le fait exprès de fourrer son nez à l'endroit qui sent le plus fort, sous les bras. Il voudrait puer, comme les gens disent dehors, puer comme la terre pue, car les gens du dehors trouvent que l'homme pue, que la terre pue[17]. »

Celui des odeurs, explicitement reliées à la terre par Frank Friedmaier, à l'enfance par monsieur Monde et à la couche par un Marcel Viau (*Au bout du rouleau*) ou un Emile Lannec (*Les Pitard*).

> « Il se retournait lourdement sur son lit dur qui sentait la sueur. Il s'était réhabitué à l'odeur de sa sueur, comme quand il était enfant. Pendant trop d'années, pendant la plus grande partie de sa vie, il avait oublié l'odeur de la sueur, l'odeur du soleil, toutes les odeurs de la vie que les gens ne reniflent plus parce qu'ils vont à leurs affaires, et il se demandait si ce n'était pas à cause de cela[18]... »
>
> « D'ailleurs, il n'était pas ivre. Il était seulement saoul de fatigue et d'exaspération. Il avait besoin de s'écraser sur le matelas, n'importe comment, de s'étendre sur le ventre, comme une bête à bout de course, et de ronfler, de suer toute sa lassitude. [...]
>
> « Il avait besoin de boire, puis de s'étendre. C'était une idée fixe. D'ailleurs, c'est toujours ainsi qu'il s'y était pris quand il se trouvait dans une situation difficile. Il

16. La neige était sale, op. cit., *p. 237*.
17. Ibid., *p. 197*.
18. La Fuite de Monsieur Monde, op. cit., *p. 138*.

ne sert à rien de s'agiter. Il faut se coucher, s'enfoncer en soi-même, sombrer, comme il disait déjà quand il était petit[19].

« A ce moment-là, il voguait encore à mi-chemin du sommeil et de la veille, il baîllait ; ses membres restaient gourds. Et l'odeur du liquide chaud et sucré ne faisait qu'en remplacer une autre qui avait sa place, elle aussi, dans le déroulement monotone des journées, l'odeur de la couchette qu'il quittait. Il n'aurait jamais osé l'avouer à quelqu'un mais, en s'étendant pour la sieste, il la reniflait avec plaisir, tel un cheval qui retrouve son écurie et, quand il restait quelques jours à terre, il était dérouté de dormir dans un autre lit, qui était pourtant celui de sa femme[20]. »

Le recommencement

On le sait, par leur structure, les romans d'investigation psychologique ont des airs de famille avec les enquêtes criminelles ou les cures psychanalytiques. La vérité enfouie dans le passé se dévoile au fur et à mesure que le verbe écarte les refoulements et entrevoit l'objet recherché. Mais, dans tous les cas, en dépit d'efforts surhumains, la vérité à cerner reste en suspension. Ruse du narrateur simenonien, faiblesse des moyens d'expression ou difficulté à formuler l'inavouable ? Quelle que soit la réponse, le retour aux origines peut se répéter, sur le mode sériel, jusqu'à l'infini, réservant parfois quelque surprise, à l'occasion de tel ou tel approfondissement de la quête régressive.

Dans *La neige était sale*, Frank Friedmaier ne fait rien d'autre que de réactualiser une situation problématique (quête du père absent et fuite de la mère omniprésente) qui prend ses racines dans l'enfance. On pourrait même affirmer qu'il *recommence* sa vie, au départ de son emprisonnement.

19. Au bout du rouleau, *éd. Presses de la Cité, Paris, 1947, p. 7 et p. 10.*
20. Les Pitard, *coll. Folio, Gallimard, pp. 46-47.*

Dès le moment où les Allemands l'enferment dans une école aménagée en geôle, Frank, réduit à la plus stricte nudité intérieure, entreprend de se reconstruire jour après jour, à partir de rien, au contact de l'élémentaire, dans une solitude entrecoupée par les interrogatoires d'un vieux soldat à lunettes — son juge — et par les apparitions à sa fenêtre d'une jeune mère occupée à son ménage. Jour après jour, il panse ses plaies de bâtard, aux prises avec une virilité menacée. Rien ne compte que d'être *reconnu* comme le fils spirituel de Holst, un voisin de palier qu'il a élu comme substitut paternel, et comme partenaire de Sissy, la fille du même Holst, bien qu'il l'ait fait violer par un comparse au cours d'une scène particulièrement odieuse.

Et, dans le lieu clos de la cellule, il réapprend l'essentiel, comme un enfant sur les bancs de l'école, non pas avec le langage commun qui ne signifie plus rien, mais à l'aide d'associations d'images et de sensations puisées en partie dans l'inconscient, à l'aide d'odeurs, reliées ici aussi à la femme, à la terre fondatrice, à la couche, voire même, de manière explicite, à des réflexes infantiles (cf. *supra*).

> « Il a appris à dormir. Il a appris à s'écraser à plat ventre sur les planches de son lit et à renifler sa propre odeur dans les manches de son veston. [...]
>
> « Il faut avant tout se faire son coin, s'enfoncer profondément dans son coin[21]. »
>
> « Il ne pense à rien. Il pleure comme un bébé. Il a sommeil. Sa nourrice, dans ces cas-là, lui mettait un biberon entre les lèvres, et il reniflait deux ou trois fois, se mettait à téter et s'apaisait[22]. »

La paix et le pardon, Holst les lui offre lors d'une visite, en posant une main paternelle sur son épaule, « exactement comme Frank a toujours pensé que le ferait un père », et en lui donnant Sissy, qui n'a cessé de l'aimer malgré le viol dont elle a été la victime.

La chute fascine autant qu'elle sauve, car c'est seulement à la fin de l'épreuve initiatrice, au creux de l'abjection — et sans doute grâce à elle puisque le mal constitue le préalable obligé de la

21. La neige était sale, op. cit., *p. 184*.
22. Ibid., *p. 237*.

La couverture de l'édition originale du Fou de Bergerac, *paru en 1932 chez Fayard. Coll. Fonds Simenon.*

Portrait de Georges Simenon par Maurice de Vlaminck (feutre noir, 25 × 40 cm, sans date). Coll. Fonds Simenon.

Georges Simenon, le Citroën de la littérature, caricaturé par Soupault. Coll. Fonds Simenon.

Georges Simenon avec Michel Simon, l'un des interprètes de Maigret, *le 4 avril 1952. (Cl. Krip-Paris.)*

Georges Simenon à la police judiciaire de Paris, en 1952. (Cl. Photo Buisson.)

Georges Simenon respirant l'atmosphère de la rue Large (Liège), en 1952. (Cl. Daniel F. Lipacchi, Paris-Match.*)*

Portrait de Georges Simenon par Bernard Buffet (pointe sèche, 30 × 40 cm, 1957). Coll. Fonds Simenon.

Portrait de Georges Simenon par Jean Cocteau (pointe sèche, 25 × 40 cm, 1957). Coll. Fonds Simenon.

eorges Simenon écrivant Le Passage de la ligne. *Echandens, 1958. Coll. Fonds Simenon.*

Georges Simenon dans son bureau d'Echandens, 1960. Coll. Fonds Simenon.

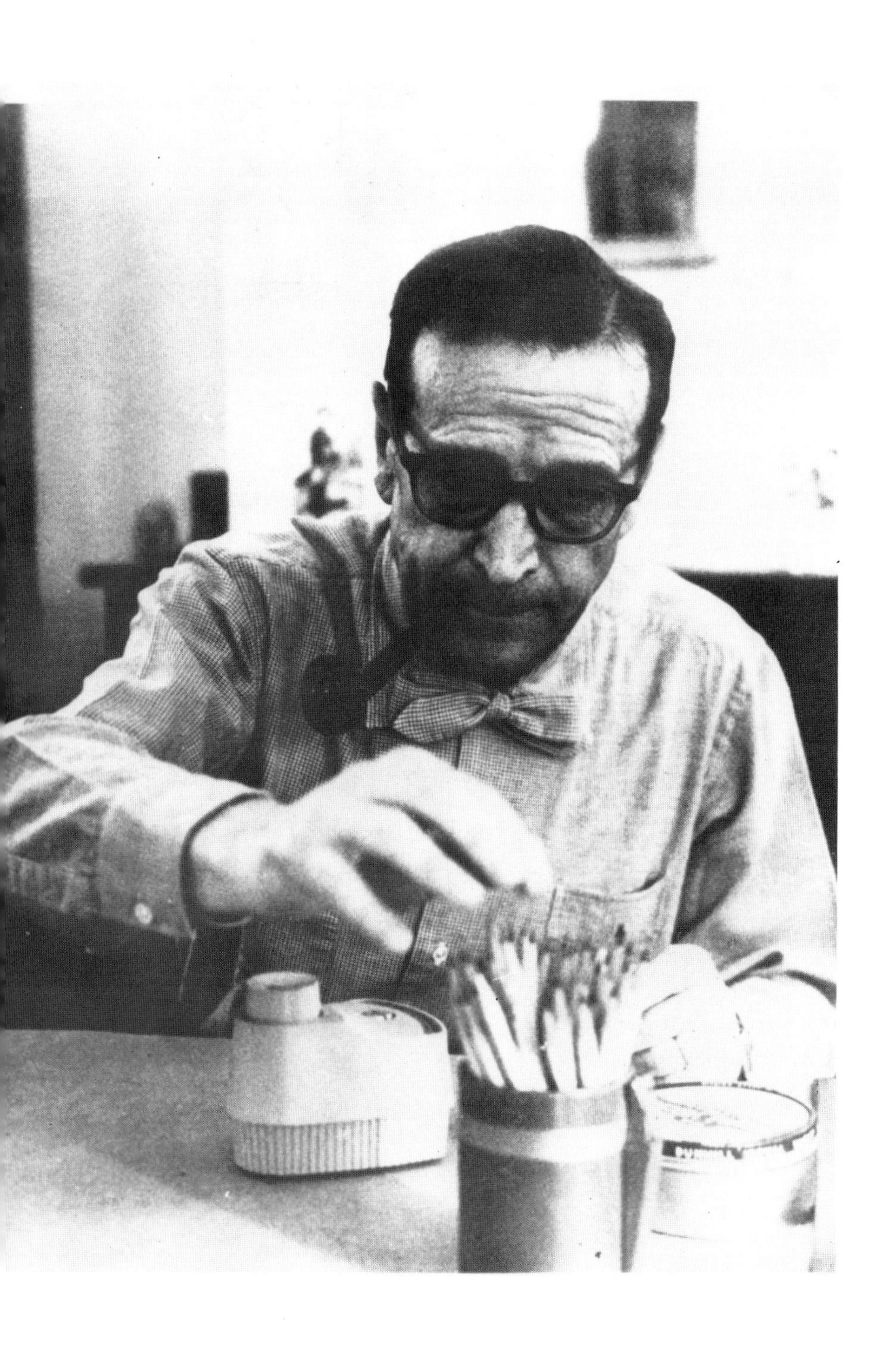

Georges Simenon taillant ses crayons avant l'écriture d'un roman en 1963. (Cl. Gastore Bosio.)

Georges Simenon à Echandens. (Cl. Jerry Bauer.)

rédemption —, qu'une sorte de pureté première apparaît. La boucle est bouclée : d'une certaine façon, Frank peut commencer à vivre vraiment.

*

Les Anneaux de Bicêtre raconte aussi l'histoire d'un *recommencement*, d'une renaissance à la faveur d'un séjour en hôpital, dû à une hémiplégie dont Maugras, un magnat de la presse, a été frappé dans les toilettes du Grand Véfour.

Un certain matin, à Fécamp, devant la mer, le jeune Maugras est saisi à la gorge par la sensation du vide. D'une seconde à l'autre, il se sent exclu de la création, littéralement aspiré au dehors des choses.

> « Or, ce matin-là, et ce matin-là précisément, il avait été envahi tout à coup par un découragement qui lui paraissait irrémédiable. Il regardait la petite ville grise, les enseignes, les goélettes et les chalutiers qu'il voyait depuis son enfance dans les bassins, le chantier de construction, de l'autre côté de l'écluse, la mer, au loin, qui se soulevait et s'affaissait avec indifférence, son père enfin, portant son humilité ou sa médiocrité avec une satisfaction tranquille, et d'une seconde à l'autre, il avait découvert l'inutilité de tout.
>
> « Un monde sans signification l'entourait, dont il lui semblait qu'il ne faisait plus partie, qu'il n'avait peut-être jamais fait partie. Il l'observait, non plus du dedans, mais du dehors, en étranger.
>
> « — A quoi bon ? [...]
>
> « Il avait connu plusieurs fois, depuis, le même vide, alors même qu'il dépensait le plus d'énergie et que sa réussite était la plus tangible.
>
> « A quoi bon vivre ? A quoi bon retrouver chaque premier mardi du mois, au Grand Véfour, une dizaine de personnes qu'il appelait ses amis et qui ne lui étaient rien ? [...]
>
> « Vivre pour quoi ? Pour le journal, pour deux hebdomadaires qui flattaient le plus mauvais goût du

public, pour le poste de radio dont il présidait le conseil d'administration ?

« Pour les dimanches d'Arneville, qui ressemblaient en moins intime, aux déjeuners du Grand Véfour, sauf qu'on y parlait davantage de politique et de finances ?

« Pour son appartement du Georges-V, aussi anonyme, malgré son luxe, qu'une gare ou un aéroport[23] ? »

Comme on le voit, Maugras passe son temps à se *divertir*, dans le but d'échapper au néant. Trente ans plus tard, à son grand soulagement, l'incident du Grand Véfour met en pièces sa prétendue réussite socioprofessionnelle et lui offre enfin l'opportunité de renouer avec ses origines modestes, avec son entourage et surtout avec lui-même.

Au propre comme au figuré, Maugras revient de la mort à la vie. Comme un enfant, il réapprend à parler, puis à marcher et à réoccuper l'espace physique et social. Fort de cette réappropriation, il pousse jusqu'à son terme l'examen de sa destinée, pour finalement réintégrer les rails de son existence passée.

« Au terme de cette profonde reconquête dans l'épreuve, Maugras a appris la patience de la compréhension et le prix de chaque instant de la vie. Réconcilié avec lui-même, il est prêt à rentrer dans la peau de René Maugras, certain qu'un jour, il ira revoir son père à Fécamp, avec Lina[24]. »

Dès les premières lignes, Simenon met un point d'honneur à confondre les temps de l'enfance et de la maladie, grâce notamment aux cercles concentriques que les cloches lancent dans l'espace, ces fameux anneaux dont les vagues font remonter à la surface de la mémoire les délices du temps perdu. Grâce aussi à l'exacerbation des sens, à l'enfoncement dans la cavité originelle, au repli sur soi, à la nostalgie de l'enfance, au renoncement au verbe. A tous ces motifs typiques, déjà relevés dans *La neige était sale*, dont Simenon use une fois encore pour régler ses comptes avec son passé, pour *recommencer* son enfance sur de nouvelles bases — idéales, faut-il le préciser, quand, à son chevet, on a Blanche, l'infirm(i)ère

23. Les Anneaux de Bicêtre, *op. cit., pp.49-50 et 52.*
24. M. Piron in L'Univers de Simenon, *éd. Presses de la Cité, Paris, 1983, p. 219.*

modèle, symbole de l'angélisme maternel — au lieu de la reconstituer, avec son cortège d'horreurs, comme dans *Pedigree*.

« Le premier signal qui lui parvient du dehors a la forme d'anneaux, des anneaux sonores qui vont en s'élargissant et forment des vagues de plus en plus lointaines. Les yeux fermés, il essaie de les suivre, de comprendre, et alors se produit un phénomène dont il n'osera jamais parler à personne : il reconnaît ces vagues et a envie de leur sourire.

« Lorsqu'il était enfant, il avait l'habitude d'écouter les cloches de l'église Saint-Etienne et, montrant gravement le bleu du ciel, il disait :

« — Les nanneaux ! [...]

« Cet engourdissement ne lui est pas inconnu non plus. Il l'a déjà vécu et, pendant un temps plus ou moins long, une confusion se produit. Peut-être est-il encore le garçonnet de huit ans qu'on a transporté d'urgence de l'école à l'hôpital de Fécamp et à qui, tandis qu'il se débattait en hurlant, on a appliqué un masque sur le visage pour l'opérer de l'appendicite ?

« Il y a eu un trou, puis, beaucoup plus tard, un étrange goût dans sa bouche, une lassitude de tout le corps, et enfin, comme il commençait à flotter, les anneaux sonores des cloches familières.

« Il voudrait sourire, maintenant, parce que l'idée qui lui passe par la tête lui paraît drôle. Sans y croire vraiment, il ne se résigne pas à la rejeter tout à fait. N'est-ce pas le petit garçon de Fécamp qui est en train de se réveiller dans une chambre d'hôpital et son premier regard ne se posera-t-il pas sur une grosse infirmière blonde et rose occupée à tricoter ? Dans ce cas, tout le reste aurait été un rêve. Il aurait rêvé sous l'anesthésie, près de cinquante ans d'existence. [...]

« Il ne souffre pas. Son anéantissement est assez agréable, un peu comme s'il n'était plus personne. Il n'a plus de problèmes, de responsabilités. Une seule raison le pousse à poursuivre son effort, il a besoin d'être sûr, tout à fait sûr, que la grosse infirmière blonde et rose ne tricote pas à son chevet. [...]

« Ce n'est pas la sienne et il referme les yeux, déçu. Il est vraiment trop las pour poser des questions et il préfère se laisser glisser au fond de son trou. [...]

« On chuchote, dans le couloir. Il a les sens en éveil, certains sens à tout le moins, puisqu'il perçoit une odeur de cigarette. [...]

« Tout lui est égal et il préférerait plonger dans son trou, retrouver peut-être les anneaux sonores des cloches[25]. »

L'atmosphère

En guise de réponse à la faillite du langage conceptuel, Simenon bâtit une stratégie régressive fondée sur les organes sensoriels et alimentée par une chaîne d'associations libres comprenant notamment la maladie, la sexualité, l'alcool, la terre, la couche... tous motifs cohérents qui suggèrent la fermeture sur soi, l'enfoncement dans la cavité originelle et l'osmose avec l'élémentaire.

Car le véritable centre de gravité auquel l'auteur de *L'Assassin* ne cesse de faire référence, aussi bien dans les *Maigret* que dans les romans durs, et qui donne à l'ensemble sa cohérence magique, c'est le *corps*, à la fois nœud sensoriel et point de rassemblement majeurs.

Les conventions morales ou religieuses ne satisfont ni son désir d'authenticité ni sa faim de l'homme nu ? Simenon retourne le gant, opère un élargissement référentiel : au lieu d'épingler les vérités extérieures, produites en dehors de l'homme, à des fins idéologiques, de les suspendre bien haut, au vu et au su de tous, entre les obligations et les habitudes, il gomme les différences et rassemble ses lecteurs autour de leur dénominateur commun. Non pas le corps métaphorique reconstruit pour l'occasion, symbole d'un quelconque message transcendental transmis en vertu d'on ne sait quel apport de la civilisation, mais un corps viscéral, objet parmi les objets, masse de chair en activité, qui ne renvoie à rien d'autre qu'à ses racines organiques et sensitives.

25. Les Anneaux de Bicêtre, op. cit., *pp. 11 à 15.*

Poussant à bout la logique du *Même*, Simenon crée un système de référence autosuffisant, enclos sur soi-même et doté d'une fiabilité inouïe, inscrite à la fois dans l'immuable et dans l'universel.

Au cours de ses enquêtes, Maigret ne fait rien d'autre que déglutir, digérer et rejeter. Plongé dans l'inconnu, au milieu des suspects, il s'applique à renifler, à flairer décors et personnages, grâce à une intuition particulièrement fine. En somme, il aspire la réalité et s'en gonfle comme une éponge avant de la ruminer, puis de se soulager définitivement du poids de l'enquête en expulsant la vérité. On le voit : le commissaire procède à des échanges, aspirant et refoulant les particules porteuses de vérité. En un mot, il *digère*.

*

Ce corps voué à l'immanence, Simenon l'expose en filigrane, du dedans, en étroite relation avec ses origines enfantines.

Dans *Le Petit Saint*, par exemple, Louis Cujas élargit son espace vital par cercles successifs[26], passant de l'utérus au lit, puis à la chambre, à la cuisine, à la maison, à la rue, au quartier, à la ville... Et chaque fois, son intégration progressive à l'intérieur du cercle imaginaire lui procure un intense sentiment de bien-être, de bonheur, faisant de lui un des personnages les plus épanouis de toute l'œuvre.

Le corps s'inscrit parfaitement dans cette logique imaginaire : en effet, toute l'entreprise régressive du personnage peut se lire comme une tentative de réintégrer le cercle et, par-delà, *le contenant perdu*, de retrouver sa place entre le microcosme utérin et le macrocosme cosmique ; dans le sein maternel, la famille, la classe sociale, le milieu professionnel, le quartier... voire dans l'univers.

Une telle régression supposait une mise en forme raffinée. Et notamment l'emploi de procédés cohérents, aptes à matérialiser cette descente vers l'élémentaire. Ce sera la description de la liquéfaction charnelle ou plutôt des états intermédiaires entre le solide et le liquide, au cœur du moite, du collant, du flasque, du gluant,

26. *En réalité, le motif du cercle est ambigu. Dans* Le Cercle des Mahé, *par exemple, il signifie l'impuissance du héros à se libérer du carcan maternel. A l'occasion, le cercle peut être remplacé par d'autres motifs, celui des anneaux sonores, par exemple.*

du poisseux, du visqueux, de l'humide, du gras, du mou, du mouillé, de l'imbibé, du ruisselant.

Cette liquéfaction concerne l'intériorité, envahie par une sorte de laisser-aller psychosomatique, mais aussi la surface corporelle, victime d'émanations telles que les odeurs, la sueur, les sécrétions, les larmes..., ainsi que le décor, et les conditions météorologiques qui s'y rapportent, envisagés dans une continuité parfaite avec l'organique. L'être se défait, établit une osmose entre le dedans et le dehors. Peu à peu le bloc de chair perd de sa raideur et de sa consistance avant de connaître un ramollissement visqueux. La sexualité ou la maladie n'ont pas d'autre fonction : un moment arrive où le corps cesse de lutter, accepte de flotter entre deux eaux, se laisse glisser entre les draps moites ou les ruelles poisseuses, dans les conduits suintants de la grotte originelle.

Et cette glissade vers l'élémentaire commun, ce ramollissement familier qui imprègne les sens et hèle l'inconscient, le Simenon transforme en signes linguistiques de la plus somptueuse efficacité. *L'effet poétique ininterrompu* qui en résulte porte un nom : l'atmosphère.

L'écriture

Déblayer le livre de tout ce qui peut focaliser l'attention du lecteur sur la forme et gêner sa plongée dans les eaux profondes de l'inconscient, avant de la capturer — de le *captiver*. Ce projet — une méthode — montre combien l'art de Simenon procède de l'imprégnation. Faire table rase : à force de surcharger les âmes à l'aide d'artifices prolixes et de salmigondis adipeux, le début du siècle donnait des haut-le-cœur. Contre Bourget, Barrès et consorts, grignotés du bout des lèvres pendant sa jeunesse, Simenon prend le parti de distiller un nectar de sa composition, purifié de sa lie et de son écume. En somme, de faire de la littérature dépourvue de tout subterfuge littéraire. Sa règle d'or, c'est d'aboutir à la plus grande discrétion possible, selon un parti pris pour la suggestion que la modernité ne désavouera pas.

A condition d'éviter la sécheresse, la nudité à peine voilée suggère plus que tous les habillages savants. A fortiori lorsqu'il s'agit de débusquer l'homme nu. L'efficience passant par la simplicité, Simenon entreprend très tôt, avec une patience de forçat, de blanchir sa prose jusqu'à la sobriété. Le resserrement stylistique, tout au long des années d'apprentissage, a porté ses meilleurs fruits : l'auteur du *Président* joue sur un tempo sourd, diablement efficace et insinuant.

En matière littéraire, la discrétion exige de la force, de la sagesse et une panoplie très large de moyens, ce que les fins esprits négligent ou feignent d'ignorer. Simenon n'en a cure. Par défi ou par conviction, il a entrepris de débarrasser son écriture de toutes ses scories et de récurer les conventions du roman français, tissant autour de ses nombreux lecteurs une toile assez large pour accueillir leurs investissements émotionnels et/ou fantasmatiques. Pour ce faire, il parsème sa prose de trappes habilement dissimulées sous le dépouillement et la grisaille. Faire sobre, concis, élémentaire : la rareté des écarts par rapport à ce qu'il est convenu d'appeler la norme, l'absence relative de marques distinctives, tant lexicales que syntaxiques, confèrent au récit une neutralité et une souplesse à même de nous hypnotiser. De nous charmer. Ceux qui tiennent le style de Simenon pour quantité négligeable commettent une lourde erreur : c'est précisément sous sa fausse innocence que réside une bonne part de son mystère.

Lecture pour tous

L'arsenal cartésien des maîtres à penser d'outre-Quiévrain — n'oublions pas que le père de *Bergelon* est issu de la principauté de Liège — détourne le lecteur du monde palpable au lieu de l'y conduire. Or, nul n'ignore que Simenon sent plutôt qu'il ne pense, que ses phrases procèdent du constat, tout en dédaignant l'analyse. Trop d'aspérités logiques, de circonlocutions cérébrales brouillent l'acuité du regard et gèlent les virtualités suggestives du récit. L'effacement des traces d'énonciation combiné avec un mode de représentation purement descriptif confère à son œuvre une sorte de neutralité. Il convient que le texte surgisse de nulle part, tombe des nuages. Qui parle ? Tout le monde et personne, une voix impersonnelle dont la réserve confine à l'abstraction. Une voix qui constate sans jamais donner d'avis.

Au lecteur de suppléer le vide du sens par une activité critique à la mesure de ses capacités, de son état et de sa tournure d'esprit. Simenon fait tout pour lui faciliter la tâche. Pas de références culturelles, un parcours balisé par les poncifs, une simplicité d'écriture : rien qui ne provoque d'interférences entre la réalité et sa représentation littéraire. En somme, l'on pourrait presque soutenir que la seule vertu vraiment requise, pour lire du Simenon, c'est de savoir déchiffrer les mots alignés sur la page.

La prise de *L'Aîné des Ferchaux* ou des *Sœurs Lacroix* s'accompagne d'une sorte de bonhomie de l'âme incompatible avec cette crispation intellectuelle qui préside aux lectures prétendument sérieuses. Avec Simenon, on progresse en terrain connu, familier. Et cette familiarité apaise comme une paume maternelle. Le lecteur sent que sa confiance est placée en de bonnes mains. Il est rassuré, parce que sa dérive dans le quotidien encourage l'immersion glaireuse, le repli sur les origines.

L'occasion est trop rare de s'aventurer ainsi, vierge de culture, débarrassé de son armure conceptuelle et de ses harnachements sociaux, pour son seul plaisir, *dans* le livre. Vierge et rassuré sur ses facultés d'assimilation, car Simenon, en habile stratège, balaye d'un geste l'inculture de la majorité, en lui procurant à peu de frais l'illusion de domestiquer un objet culturel et, par voie métonymique, de maîtriser une partie de la connaissance.

Cette liberté interprétative, appuyée par l'absence de prérequis autres que techniques (lire) et le saupoudrage de poncifs puisés dans la tradition, a des effets non négligeables sur les attitudes du lecteur. Les uns trouvent la fierté de consommer de la culture d'égal à égal, sans jamais subir de pression référentielle. Les autres perdent en componction ce qu'ils gagnent en plaisir.

Et tous éprouvent, le bonheur de se restaurer aux sources tièdes de l'élémentaire, bonheur accentué par le sentiment égalitaire d'appartenir à une communauté internationale. Faut-il rappeler que Simenon a investi l'imaginaire planétaire au même titre que ses compatriotes Hergé, Magritte et Brel ? Du Caucase aux Rocheuses, en passant par le mont Fuji, on se réfère à l'atmosphère et à Maigret comme à la pluie et au beau temps. En somme, il n'aura pas fallu attendre sa mort pour que son nom tombe dans l'escarcelle commune : le genre de consécration qui n'échoit qu'aux géants.

Une œuvre ouverte

Colette lui réclamait moins d'emphase et de fioritures. Simenon l'a comblée au-delà de ses espérances. Dès les années vingt, sans jamais en démordre, son crayon élague comme une serpe, coupant court aux tournures savantes, aux raretés lexicales et aux métaphores inusitées.

Le résultat ? Une platitude de bon aloi, accueillante et discrète, dont les manuscrits portent les stigmates. Adjectifs, adverbes et autres cancrelats y succombent sous les ratures, jusqu'à l'indigence. Car le miracle poétique — son objectif prioritaire — est à ce prix. Simenon applique une tactique de défrichage avec un but éclairé : la neutralité — pour ne pas dire le naturel — tout à l'opposé des formes oratoires (Proust) ou populaires (Céline) que les instances de reconnaissance, friandes de classements, de hiérarchie et de récompenses, présentent comme des réussites, les seules dignes en tout cas de figurer dans les palais de la culture.

Accessibles, ses romans le sont d'autant plus que Simenon, au contraire des grenouilles d'anthologie, dissimule, avec une finesse hors du commun, sa nature d'écrivain. Paradoxe ? Ceux qui ne voient en lui qu'un parvenu des lettres retardent d'un siècle. Pour une raison très simple : au lieu d'insister sur la cassure entre le livre et les choses, grâce à l'étalage ostensible des signes conventionnels par lesquels le texte sous-entend d'habitude sa propre littérarité, Simenon joue sur la continuité entre la vie et l'art. Pas de changement de registre lexical et syntaxique comme chez Flaubert, Balzac ou Zola ; une mise en place subtile des conventions romanesques : Simenon pousse jusqu'à la perfection les virtualités d'une certaine langue commune, celle qui appartient à la ménagère, au travailleur, au cadre. Sa force, c'est d'assurer la continuité entre le quotidien et sa représentation, son charme de faire de la littérature sans le dire.

Car l'auteur du *Fils* a une façon pareille de créer le contact. Les détails qu'il aligne comme des pièces précieuses, n'importe qui pourra les isoler mais personne n'arrivera comme lui à les coucher sur le papier. On entre dans *Maigret* de plain-pied, sans s'apercevoir qu'on a quitté un après-midi venteux ou une soirée pluvieuse. Et cette plongée dans une œuvre où l'intelligibilité se dispute à la familiarité produit une littérature de la connivence, proche du peuple, de toutes les banalités qui tissent les destinées ordinaires. Le café brûlant avalé sur le zinc avec la première pipe, en regardant la pluie ruisseler sur les vitres, la soupe qui chauffe sur le coin de la cuisinière, pendant que la ménagère astique ses cuivres en se frottant parfois les mains à son tablier, la bière moussue et les sandwiches apportés par le garçon de la brasserie Dauphine dans le bureau enfumé du commissaire. Des petits riens en somme. Le lot des existences sans relief. Les nôtres sans doute.

Un cocon rassurant

La forme ne constitue qu'un lieu de transit obligé, le plus neutre possible, sur le chemin du réel. Sous ce prétexte instrumental, commun s'il en est, Simenon fomente la plus habile des escroqueries. Pendant que les sirènes de la *mimêsis* se déhanchent sous ses yeux médusés, le lecteur néglige la dimension poétique de son écriture. Acheter du Simenon, c'est frémir d'avance à l'idée d'effeuiller les choses, au fond d'une impasse mal famée.

Ce culte de la réalité a une conséquence notable : l'écriture devient objet de mépris, alors que sa discrétion lui confère la propriété de s'amollir jusqu'à la transparence et d'absorber les projections mentales du public.

Une fois de plus, Simenon déplace dans le rayon littéraire une qualité paralittéraire. En effet, certaines productions commerciales, construites en fonction des lecteurs (chansonnettes, romans-photos, prédictions astrologiques, spots publicitaires...) possèdent la faculté de se prêter à tous les investissements compensatoires et autres fantasmes des consommateurs. Le texte ou l'image *se creuse*, affaiblit les défenses, encourage l'abandon.

A peu de chose près, Simenon réussit la gageure de proposer au lecteur une œuvre accueillante (un objet-caméléon), toujours en adéquation avec ses désirs et emplie on ne sait trop par quoi : le matériau textuel ou les projections du lecteur. Les deux sans doute, unis par une connivence parfaite. Si bien que la brume capiteuse du style s'immisce dans les consciences et aspire littéralement le lecteur dans la représentation, sans trop que l'on sache comment. Toutefois, il est sûr que le piège fonctionne. Le nombre de lecteurs en atteste, au-delà même de la francophonie.

On le voit, Simenon exprime peu pour sous-entendre beaucoup. Nivelée jusqu'à l'indigence, sa prose gagne en suggestion ce qu'elle perd en expression. La lire, c'est plonger sous hypnose dans une matière dont la dimension accueillante se trouve encore renforcée par des procédés cohérents : cette manière typique, et qui déplaisait tant à Gide, de laisser flotter le sens au bout des points de *suspension*, ou cette technique qui consiste à *retarder* la résolution de l'énigme psychologique en poussant le lecteur vers les confins du livre — « Il n'y a pas de vérité, n'est-ce pas ? » (*L'homme qui regardait passer les trains*) ; « Même s'il n'a guère trouvé de réponses, il s'est posé des questions, trop de questions peut-être, qu'il continuera à porter en lui. [...] On fait ce qu'on a à faire, voilà tout. On fait ce qu'on peut. » (*Les Anneaux de Bicêtre*) — et parfois au-delà, par la mort — « Mais quand il atteignit cette vérité-là, quand il s'incorpora à elle comme une bulle d'air, sa vie d'homme était finie et il ne pouvait plus transmettre son message. » (*Le Cercle des Mahé*) ; « Adieu juge. » (*Lettre à mon juge*).

Une écriture magnétique

Les qualités d'accueil et d'accessibilité dont il vient d'être question se doublent d'une consistance particulièrement accrocheuse, modelée à l'aide de ce que Simenon nomme lui-même des mots matières. L'auteur du *Président* n'a pas son pareil pour alourdir le matériau lexical au point de le faire tenir dans la paume, tiède et collant, gorgé de pesanteur agissante, pour sélectionner le trait typique ou pittoresque et pour le répéter, lui ou sa variante, à intervalles soutenus.

Etroitement associés, le rythme et la densité accrochent les relais de perception dressés entre le monde et la conscience, éveillant toute une gamme d'émotions infinitésimales en soi, mais dont la récurrence entretient le trouble.

A force d'emphase et de redondance, les tableaux descriptifs traditionnels sentent l'artifice et brisent la fluidité du récit — ce qui ne manque pas d'ennuyer bon nombre de lecteurs modernes. Or, Simenon, tout en préservant la portée réaliste de la description, en supprime les enflures décoratives. De l'efficacité avant toute chose : l'auteur de *Pedigree* procède par dissémination, à l'aide de touches légères, subtiles et insinuantes. Plus précisément, il enroule autour du canevas narratif les notations puisées dans l'univers familier du lecteur, sans jamais retarder l'action.

A cet égard, les premières pages du *Fils Cardinaud* sont particulièrement évocatrices. Le héros sort de l'église, son fils à la main, et sur le chemin du retour, dans la lumière de midi, éclate un univers de formes, de bruits, de saveurs, de couleurs et de senteurs.

> « Un grincement de fonds. Le suisse ouvrait la grande porte. L'air changeait de qualité, la lumière devenait plus crue et les pas sur les dalles de l'église donnaient une impression de marée, les orgues jouaient à plein souffle, les cloches sonnaient à la volée tandis qu'une petite main se glissait dans la main de Cardinaud, celle de son fils qui disparaissait dans la pénombre des jambes et des jupes.
>
> « — Bonjour, monsieur Mandine...
>
> « — Bonjour, madame Béliard...
>
> « On ne prononçait pas les syllabes, parce qu'on était à l'église, puis sur le parvis, mais on voyait que les gens les articulaient mentalement en s'inclinant avec un rien de solennité dominicale.
>
> « Tous étaient satisfaits. Les jeunes filles portaient des robes blanches, des rubans et sentaient l'eau de Cologne. Les garçons étaient passés chez le coiffeur. Des groupes se formaient sur la place de l'église, en face du marchand de meubles. La Charcuterie parisienne était fermée. Un Italien à la petite charrette jaune vendait des glaces.
>
> « — Bonjour, monsieur Cardinaud...
>
> « On le saluait, non seulement les gens du quartier qui l'avaient connu enfant ou jeune homme, mais des personnages importants comme le notaire Bodet, l'adjoint au maire, le propriétaire de la glacière qu'une auto découverte attendait au coin de la rue des Halles.
>
> « L'enfant butait.
>
> « — Regarde devant toi, Jean...

« — Où va-t-on ?

« — Acheter un gâteau...

« Comme tous les dimanches matin. Lentement, gravement. Auparavant, on faisait le tour traditionnel par le Remblai. La mer était d'un bleu virginal de mois de mai, les garçons s'affairaient aux terrasses et on respirait en passant des odeurs de bière ou d'apéritif.

« — Bonjour, Cardinaud...

« Plus tard... Enfin, dans quelques années... Pourquoi ne ferait-il pas, lui aussi, bâtir une villa du côté des pins, comme M. Mandine et comme tant d'autres ? Pourquoi la mer serait-elle exclusivement réservée aux estivants ?

« Il marchait toujours, comme dans une procession, et il s'arrêtait machinalement à une terrasse. C'est là qu'il y avait le meilleur orchestre et le patron lui serrait la main en passant.

« — Ça va ?... Et ce petit bonhomme ?... Julien ! Servez M. Cardinaud...

« Julien savait ce qu'il devait apporter, un vermouth pour Cardinaud, un petit verre de sirop de groseille pour le gamin.

« — Merci, monsieur Cardinaud...

« Des bateaux, très loin. Un grouillement de baigneurs dans les premières vagues d'une blancheur éblouissante. Une valse. Un violon insistant.

« Il tira sa montre de son gousset, une montre en or, et il était sûr d'avance qu'à quelques secondes près, il était onze heures et demie.

« — Viens, Jean...

« L'enfant se heurte aux passants. Ils tournent à gauche, gravissent quelques marches. Une odeur sucrée. Les trois demoiselles Dufour, en blanc, cheveux blonds comme de la pâte à choux, s'affairent.

« — Comme d'habitude, monsieur Cardinaud ?

« Comme d'habitude aussi, il y a une madeleine pour Jean.

« C'est toi qui le portes, mon petit bonhomme ?

« Il dit oui. On passe son index dans la ficelle rouge, mais un peu plus loin, son père lui reprend le paquet parce que l'enfant le tient penché et que la crème...

« — Ne traîne pas tes pieds.

« Les rues deviennent moins animées. On atteint la place de la Liberté, vaste et sans ombre, où de petites vagues d'air surchauffé alternent avec des bouffées plus fraîches.

« C'est là, à cent mètres, avenue de la Gare. Il pourrait y aller les yeux fermés. Machinalement, il lâche la main de son fils et, tout en marchant, il tire sa clef de sa poche. Il a le cou rouge et luisant, à cause du col trop raide. Il va pouvoir retirer son veston, le pendre au portemanteau de bambou, à droite dans le corridor.

« On dirait que ce qui est déjà vécu de son dimanche l'accompagne encore, les orgues, l'encens, la voix du doyen et la valse plus profane du Remblai, le bruissement aérien de la mer sur le sable...

« La maison est neuve, en briques roses. La porte est en chêne verni, chêne naturel, et c'est lui qui l'a voulue ainsi, avec une poignée de cuivre et deux vitraux légèrement teintés de jaune, derrière un motif en fer forgé. Une plaque de cuivre discrète : ''Hubert Cardinaud''... Il n'a pas ajouté ''assurances'', parce que son bureau n'est pas ici, mais sur les quais. Sans compter qu'il n'est pas encore tout à fait assureur. Il n'est pas non plus tout à fait un employé de M. Mandine, puisqu'il est question de l'associer à l'affaire... Certains disent déjà :

« — L'associé de M. Mandine...

« Il sourit. Il se penche un tout petit peu, une vieille habitude qui remonte à son enfance, pour voir par la serrure : la porte du fond, qui donne sur la cour, est ouverte, de sorte que le corridor est très clair, avec sa mosaïque jaune et rouge, la porte en pitchpin, à droite, qui est la porte du salon, puis celle de la salle à manger. Il sait que vont l'accueillir l'odeur du rôti, le grésillement des pommes frites dans l'huile bouillante ; il sait...

« — Passe...

« L'enfant gravit les deux marches.

« — Qu'est-ce que tu attends ?

« Soudain, de l'impatience dans sa voix. Il ne pourrait pas dire pourquoi. Ou plutôt...

« — Marthe ! appelle-t-il.

« Cela ne sent pas le rôti mais le rôti brûlé, et une vapeur bleue sort de la cuisine. En outre, on devine un courant d'air, là-haut, dans les chambres. Pourquoi les chambres seraient-elles ouvertes ?

« — Marthe !... Avance, Jean[1] !... »

Le parti pris pour la fluidité et la concision produit des effets redoutables. Les Sables-d'Olonne sont évoqués au rythme de la marche, dans un festival éblouissant, entièrement dédié aux sens. A telle ligne, c'est le nez qui frémit, à telle autre l'oreille, la rétine ou le palais. Et rien ne vient rompre la dynamique de la scène, d'ailleurs traitée sur le mode cinématographique. L'œil file, avale les sensations, jubile dans la chaleur de midi. La langue éclôt, délicatement tentatrice, bourrée d'appâts aériens et de pièges sensuels. Les détails parlants surgissent sur le fond uniforme et flou du décor. Grossis à la loupe, ils acquièrent une force de conviction redoutable : en dédaignant le concept au profit des réalités tangibles, Simenon concentre sur le mot une énergie suffisante pour le rapprocher de la matière et, par ricochet, des organes sensibles.

On le voit : cet univers cohérent, riche d'une espèce de santé animale, se trouve gratifié d'une crédibilité extraordinaire, en mesure non seulement d'asseoir l'illusion réaliste, mais aussi de procurer une impression de profondeur. De troisième dimension, pour parler en termes de géométrie.

En réalité, cette technique d'accrochage sensuel propage à travers les différentes strates du récit une consistance inimitable, gorgée de sève charnelle et souterraine.

1. Le Fils Cardinaud, *coll. Folio, Gallimard, Paris, pp. 11 à 15.*

Or, c'est précisément sur cette matière humide et poisseuse que flottent les traces textuelles produites par les pulsions élémentaires qui nourrissent et structurent cette œuvre immense. Dès lors, les doutes ultimes s'effondrent : plus qu'un virtuose du réalisme, Simenon est un spéléologue en prise directe sur les forces primitives, attentif au moindre frémissement du substrat originel. Un explorateur de ses propres gouffres.

« Tous mes romans sont des fantasmes de mon enfance », s'exclame-t-il. Des fantasmes récurrents, mis en forme au sein de la *matrice originelle* et qui traduisent, en définitive, le désir du jeune garçon que Simenon est resté durant toute son existence d'être reconnu par sa mère et d'accomplir toutes les virtualités masculines.

Est-il nécessaire de le rappeler ?

Du *Passager du ''Polarlys''* aux *Innocents*, c'est toujours la même histoire qui nous est donnée à lire. Un événement inattendu met en lumière la fausseté ou la précarité d'un statut existentiel et réveille des sentiments enfouis, dont l'exclusion, l'infériorité, l'humiliation ou la culpabilité. Dès lors, le personnage, placé sous la coupe d'une autorité sociale ou maternelle et livré au culte du paraître, dépensera ses forces sans compter dans la conquête souvent illusoire d'un statut paternel, filial ou marital, seule façon d'accéder à la reconnaissance ou à l'intégration et, par conséquent, à l'autonomie, à la sérénité et à la communion.

Simenon sur le gril : entretien avec des médecins

Simenon compte des millions de lecteurs. Il est, avec Victor Hugo et Jules Verne, un des auteurs les plus traduits. Cette audience, dont l'universalité est singulière, pose un problème. En effet, les *Maigret* sont appréciés en Europe, au Japon, aux Etats-Unis, dans toutes les Républiques de l'U.R.S.S. Malgré cette popularité extrême, Simenon a été reconnu comme un écrivain de grand talent par des hommes aussi consacrés que Gide, Martin du Gard, François Mauriac.

Les experts n'hésitent pas à dire que Simenon représente un phénomène unique dans la littérature, un phénomène de création avant tout. Les médecins, admirateurs de l'œuvre de Simenon, ont toujours été sensibles à une certaine forme de démarche intellectuelle du père de Maigret, aux descriptions des perceptions les plus élémentaires (gustation, olfaction, etc.), à sa manière unique de se « mettre à la place » de l'autre, du personnage. Dans les *Maigret*, ce n'est pas l'identité du coupable qui constitue le suspense, mais bien le mécanisme psychologique qui a conduit à l'acte, au passage à l'acte. De ce fait, la démarche de Maigret est un effort de compréhension phénoménologique qui mène souvent de la compréhension à la sympathie et qui donne à l'ensemble du mouvement un aspect médical, psychologique, puis, au moment du dialogue ou de la rencontre, presque un aspect psychothérapeutique qui peut se résumer ainsi : « Je sais tout de vous, votre passé, vos ombres et vos lumières, votre vérité enfin ; je sais ce que vous avez fait et pourquoi vous l'avez fait et je continue à vous comprendre, à vous aimer ; je ne vous rejette pas, je ne vous juge pas, je vous accepte comme vous êtes. » Il est évident que les médecins se reconnaissent facilement dans Maigret.

Certains médecins qui connaissent mal l'œuvre de Simenon ont été surpris par *Les Anneaux de Bicêtre* dont l'envoi est significatif : « A tous ceux, professeurs, médecins, infirmiers et infirmières, qui, dans les hôpitaux et ailleurs, s'efforcent de comprendre et de soulager l'être le plus déconcertant : l'homme malade. » Condamné à l'immobilité par une hémiplégie, le personnage de ce roman voit maintenant les autres hommes autrement qu'ils se voient ; il n'a plus les mêmes problèmes qu'eux, il les a dépassés. En observant son entourage, l'hémiplégique se pose des questions primordiales qu'un être en bonne santé n'a sans doute pas le loisir de se poser dans l'existence quotidienne, des questions qui vous font descendre en spirale dans ce qu'il y a de plus profond dans la personne humaine, au niveau où l'homme perd son identité, car ce niveau appartient à tous les hommes. Devant la maladie, qui est une situation « universellement » rencontrée, devant cette épreuve, les hommes sont presque égaux ou moins inégaux. Cette situation déclenche le besoin de « faire le point », le bilan, ce qui permet à Simenon de survoler une existence entière, avec de fréquents retours en arrière aux souvenirs sélectionnés de l'enfance. Ce bilan devient souvent l'occasion ou le prétexte d'un tournant, puis d'une évasion, d'une vie nouvelle... Comme chaque être humain a eu une fois ou l'autre l'envie de changer de peau pour se retrouver dans une autre, on comprend mieux alors le succès extraordinaire, unique de l'œuvre de Simenon.

A l'occasion du vingt-cinquième anniversaire de *Médecine et Hygiène*, nous avons pensé qu'il serait intéressant et instructif de passer une journée avec Simenon, dans son domaine à Epalinges, sur Lausanne. Cette rencontre se déroula dans une atmosphère de chaude amitié et de sympathie. Le succès, la réussite exceptionnelle n'ont pas fait de Simenon un être sophistiqué et artificiel : nous avons rencontré un homme resté modeste, d'un abord direct, qui se pose constamment des questions et qui doute de lui-même et de son talent. Malgré son audience universelle, Simenon a toujours besoin d'être rassuré, ce qui le rend très humain et très sensible aux problèmes des autres humains.

Nous remercions chaleureusement Simenon d'avoir bien voulu accepter que nous publiions ses confidences faites à bâtons rompus. Elles constituent un document psychologique et littéraire que nous versons au dossier de cet auteur. Au moment où Simenon fête ses soixante-cinq ans, il a eu ainsi l'occasion de faire le point, le bilan d'une vie qui suscite partout le même intérêt.

Médecine et Hygiène

Simenon sur le gril

Médecine et Hygiène. Etes-vous un romancier de l'inconscient ?

Simenon. Oui, certainement, je dois saisir des bouffées d'inconscient et, si je laisse passer « le » moment, il y a des risques que cet inconscient s'évapore. Par exemple, si je tombe malade au cours de l'élaboration d'un roman et que je doive reporter la fin de la rédaction à une dizaine de jours, il est fort possible que je doive l'abandonner, car il m'est devenu totalement étranger. Il ne me touche plus. Et alors, je me dis : pourquoi est-ce que j'ai dû partir sur tel personnage et sur tel petit détail ?

M. et H. On a l'impression de filtres, de vannes qu'il faut utiliser à temps. Peut-être y a-t-il aussi un délai de démarrage ?

S. Je peux rester ainsi « en roman » pendant quatre ou cinq jours, mais je ne peux le retenir plus de quinze jours. Ce travail doit être constant, et je ne peux sauter un jour dans sa rédaction car le fil est alors coupé.

Quand je commence un roman, je deviens le personnage principal et toute ma vie, du matin au soir et du soir au matin, est conditionnée par ce personnage : je suis vraiment dans la peau de ce personnage. Par conséquent, si, pendant vingt-quatre heures, je redeviens moi-même, je ne retrouve plus le personnage, ou, si je le retrouve, il me paraît un peu fabriqué. Avant d'écrire un roman, au moment où je dois me mettre dans ce que j'appelle l'état de grâce, je dois en somme me vider de moi-même, me vider de tout ce qui fait ma personnalité pour être purement réceptif, c'est-à-dire pouvoir absorber d'autres personnages, d'autres impressions. Voilà à peu près, grosso modo, en quoi cela consiste : pendant l'écriture du livre, il s'agit que j'écrive aussi rapidement que possible en y pensant le moins possible, de façon à laisser travailler au maximum l'inconscient. *Au fond, un roman que j'écrirais consciemment serait probablement très mauvais.* Il ne faut pas que l'intelligence intervienne pendant l'écriture d'un roman. Je travaille un peu comme les peintres, car la plupart d'entre eux travaillent comme cela. Un peintre commence un tableau sans savoir du tout où il va, et c'est au fur et à mesure qu'il travaille à ce tableau que tout change. Picasso, par exemple, commence à vouloir faire un arbre et puis ça devient un taureau, alors qu'il était parti pour un arbre. Les premières images, c'était l'image d'un arbre, puis ça finit par l'animal.

M. et H. Ce n'est peut-être pas la même chose. Picasso a choisi quand même un thème, peu importe qu'il l'exprime sous la forme d'un arbre ou d'un taureau.

S. Oui, peut-être. Par exemple, le thème de mon prochain roman sera celui de la violence refoulée. J'ai le personnage, j'ai le point de départ. J'essaie de placer maintenant ce roman en France. Mais il n'y a rien à faire ; pour que je puisse lancer mon personnage, pour qu'il y ait un point de départ, j'ai dû le placer aux Etats-Unis. C'est le seul endroit que je connaissais suffisamment pour que ce thème puisse se développer. Quand je dis ce thème, je ne suis pas sûr que ce soit vraiment celui de mon prochain roman car, en cours de route, il aura pu être remplacé par un autre thème. C'est arrivé plus d'une fois.

M. et H. Le départ, c'est un thème ou un personnage ?

S. Le personnage plus que le thème. Je sais, par exemple, que le personnage a étouffé en lui sa violence.

Je connais déjà le personnage. J'ai établi son arbre généalogique. Je connais la personnalité de sa grand-mère, de son grand-père, de ses parents. Il a un état civil complet. Je connais ses maladies, celles de sa famille, ce qui ne veut pas dire que je ferai mention de tous ces détails anamnestiques dans le roman lui-même.

M. et H. Chaque fois, vous devez faire cet effort de donner une identité et une personnalité complète à votre personnage ?

S. Oui, certainement, et c'est la journée que j'aime le moins dans la préparation de mon roman. Quand mes personnages sont mûrs et qu'ils n'ont pas encore d'adresse exacte et de numéro de téléphone. Je prends alors des annuaires téléphoniques, le Littré, pour chercher des noms. Je dessine aussi l'appartement ou la maison, très schématiquement, car je dois savoir si les portes s'ouvrent à gauche ou à droite, si le soleil entre par telle fenêtre ou par telle autre. Tout cela est nécessaire ; il faut que je puisse évoluer dans cette maison comme si j'étais chez moi. C'est cela mon plan, et rien d'autre.

M. et H. Vous inventez vous-même le petit fait divers que Stendhal allait chercher dans la réalité ?

S. Oui, c'est exactement cela. Mais c'est très peu de chose. Le point de départ peut être un accident d'automobile, une crise cardiaque ou un héritage. *Il faut quelque chose qui modifie tout à coup le cours de la vie du personnage.* C'est plausible car, dans presque toute vie, il y a eu un tournant, et si l'on cherche les vraies causes de ce tournant, on trouve qu'elles sont tellement futiles, et ce ne sont pas les vraies raisons. Cet incident est un prétexte qui révèle ou qui démontre quelque chose de sous-jacent. Nous sautons tout à coup sur un incident ou un accident, une anecdote, pour changer de vie. Ou encore, en réalité, nous en avions envie depuis l'âge de vingt ans, mais nous n'en avions pas le courage.

M. et H. Peut-on dire qu'à cette occasion votre personnage se découvre lui-même ?

S. Oui, l'incident est en quelque sorte un révélateur.

M. et H. Le personnage redécouvre son passé avec des yeux nouveaux, et des potentialités nouvelles, cachées jusqu'alors, se révèlent.

S. Dans la religion catholique, il y a, vous le savez, ce qu'on appelle la retraite : une ou deux fois par an, on va dans un couvent et on est censé y faire le point de toute son existence, de toutes ses activités. Eh bien, mon point de départ en réalité bien souvent ne sert qu'à déclencher cette retraite chez mon personnage ou chez un de mes personnages.

M. et H. Ça lui est donc imposé ?

S. Certainement, et s'il ne l'avait pas fait à ce moment-là, il l'aurait fait dix ans plus tard.

M. et H. Alors, l'incident ou l'accident dont vous parliez il y a un moment n'est pas essentiel ?

S. Il est nécessaire quand même. Il joue le rôle de catalyseur.

M. et H. Je pense notamment à *La Fuite de Monsieur Monde*. Il descend dans la cour de son immeuble et découvre que son fils est un homosexuel. Ou par exemple, dans *Les Complices*, c'est l'accident. L'accident idiot qui lie ces deux êtres.

*

M. et H. Nous sommes frappés par votre demeure, par l'ordre qui y règne.

S. Dans ma jeunesse, j'étais plutôt destiné au désordre, mais j'avais en même temps une nostalgie de l'ordre, d'une certaine solidité et, au fond, toute ma vie je me suis raccroché à ça. Chacune des nombreuses maisons que j'ai occupées était bien bâtie, solide, afin de m'empêcher de « foutre le camp ». C'est un besoin de sécurité, car ma vraie tentation (à l'âge de seize ans déjà je l'ai écrit), c'était de finir clochard, et j'ai toujours eu au fond une sorte de vertige du clochard. Et je ne suis pas loin de considérer l'état de clochard comme un idéal. Il est évident que le vrai clochard, c'est un homme plus complet que nous.

M. et H. Oui, au fond, cette maison, c'est votre port d'attache, c'est votre garde-fou pour ne pas rejoindre les clochards.

S. C'est vrai. Chaque fois que je me suis installé dans un endroit, je me suis dit que j'allais construire une maison un peu bohème, tout à fait libre, qui donne la sensation d'une liberté totale. Mais régulièrement, j'ai reconstruit le même cercle de protection. Avant de construire celle-ci à Epalinges, j'en ai aménagé vingt-neuf ! J'ai fait ça toute ma vie et j'ai investi un argent fou pour transformer châteaux branlants et fermes. Un moment donné, j'avais cent cinquante vaches, des chiens, des loups. J'ai toujours été tenté par le désordre total, mais ce qui me semble curieux, c'est que, dès l'âge de seize ans, j'ai eu cette réaction, salvatrice, si l'on peut dire, de faire la compensation moi-même.

M. et H. Est-ce que ces deux tendances ne peuvent exister simultanément ou successivement ?

S. Oui, mais je pense que c'est un mécanisme de défense chez moi. Pourtant, regardez comme c'est curieux : dès l'âge de huit ans, je me levais le premier à la maison, avant ma mère, avant tout le monde, à cinq heures et demie du matin. A six heures, j'étais déjà en train de servir la messe à l'hôpital. Cette discipline de me lever avant six heures, je l'ai gardée toute ma vie. Or, je ne crois pas du tout que ce soit nécessairement par goût de me lever tôt le matin, mais simplement parce que ça représente une discipline. Le jour où je ne me lève pas de bonne heure le matin, j'éprouve comme un sentiment de culpabilité, je n'ai plus ce sentiment d'équilibre et je dois parfois faire appel à mon médecin.

Un autre détail m'est revenu. A l'âge de la puberté, j'ai commencé à sortir, à me laisser aller, à négliger mes études, alors que j'étais un brillant élève, mais je me rattrapais toujours au dernier moment. Un jour, à dix-sept ans, alors que je travaillais à *La Gazette de Liège*, un ami m'invite chez lui, dans une maison bourgeoise opulente (son père était le plus riche marchand de vin de la ville). Sa sœur était à l'image de la maison. Le lendemain, je dis à mon ami : « Je me demande si je ne ferais pas bien d'épouser ta sœur. » Je ne l'ai pas fait mais, six mois plus tard, à dix-sept ans et demi, j'étais fiancé à celle qui devait devenir ma première femme. Je sentais la nécessité de me marier pour éviter de faire trop de bêtises. Je me suis marié pour me protéger contre moi-même.

M. et H. C'est un mécanisme de défense qui a joué très jeune. En étiez-vous conscient ?

S. Je n'en étais pas conscient du point de vue de la maison, mais je l'étais en ce qui concerne le mariage. Et certainement, ce premier mariage m'a sauvé. Mais, en effet, n'importe quel désordre m'intéressait. Il y avait par exemple des groupes d'anarchistes à Liège. Je les fréquentais et je serais allé certainement aux pires extrémités. J'irai plus loin. Je crois que les romans, c'est un peu la même chose. Si je me discipline, si j'écris tant de romans par an, c'est également parce qu'il y a une sorte de signal d'alarme qui a fonctionné. Quand je ne suis pas bien portant, je dis à mon médecin que je ne me sens pas bien, que j'ai telle ou telle chose.

Mon médecin me répond : « Quand commencez-vous à écrire un roman ? » Je lui dis : « Dans huit jours. » Il me répond : « Alors ça va. »

C'est un peu comme s'il me prescrivait sur une ordonnance : « Faire un roman le plus tôt possible. » C'est ma thérapeutique, celle qui me convient le mieux.

M. et H. A propos de la motivation d'écrire, êtes-vous d'accord avec ce que Charlie Chaplin vous avait dit il y a de nombreuses années : « Dès qu'on se sent mal dans sa peau, on écrit un roman ou on fait un film. Ça remplace d'ailleurs le psychanalyste ; au lieu de payer, on nous paie. »

S. Je crois qu'il y a du vrai dans ce que Chaplin m'avait dit à l'époque.

M. et H. Au cours du généreux repas que vous nous avez offert tout à l'heure, nous avons discuté de la morale actuelle, de l'image de l'homme qui change dans les grandes périodes, des problèmes difficiles que pose l'éducation de nos enfants. Je voudrais connaître l'image que vous vous faisiez de l'homme lorsque vous étiez enfant.

S. J'ai connu dans ma famille l'homme qui avait été bien fabriqué par ce qu'on pourrait appeler l'organisation de la fin du siècle dernier et le début du siècle actuel. On avait besoin d'employés, d'ouvriers, de serviteurs, et la société les avait admirablement « domestiqués ». Ils étaient persuadés d'être tous d'honnêtes gens et ils marchaient tous comme à la procession. Mon père allait à son bureau exactement comme il serait allé vers le ciel. Il était le Juste et tous mes oncles aussi. Il avait le comportement ritualiste du Juste. Mon père avait la foi du charbonnier aussi bien du point de vue religieux que de celui de l'organisation sociale. Je crois que mon père était un homme heureux. Malgré la médiocrité de notre vie, il se sentait en paix avec lui-même et avec les autres. Ma mère et quelques-unes de mes sœurs en voulaient toujours davantage ; elles croyaient beaucoup à l'organisation sociale et voulaient monter de quelques échelons. L'organisation était bonne mais on ne se trouvait pas sur le bon échelon ; mon père était dans un petit bureau d'assurances, il avait cinq employés qui s'occupaient des portefeuilles de deux compagnies, notamment la Général et la Winterthur.

M. et H. Etaient-ils dans le même bureau ?

S. Oui.

M. et H. Vous n'avez pas l'impression que vous avez été marqué par ce fait, lorsqu'on voit l'organisation de vos bureaux ici, au point qu'on retrouve dans chacun d'eux la même panoplie de pipes, la même garniture de crayons, mais tous ces bureaux bien séparés les uns des autres ?

S. Oui, je n'y avais pas pensé ; mais ce n'est pas impossible.

Lorsqu'on a proposé à mon père de s'occuper de la nouvelle branche assurance-vie, qui devait prendre une extension extraordinaire, il a refusé, disant qu'il voulait rester bien tranquille dans son coin. Son jeune collègue, qui avait accepté le portefeuille assurance-vie, acquit très rapidement une situation brillante, achetant bientôt voiture et maison et menant sa fille dans le meilleur couvent de Liège, tandis que mon père restait à cent quatre-vingts francs par mois. J'aime mieux vous dire que ma mère l'a incendié tout le reste de ses jours. A un moment donné, on a voulu l'envoyer au siège de la société à Bruxelles, ce qui lui aurait permis de monter en grade et de doubler ses appointements. Mon père a dit : « Mais non, je suis né dans le quartier, je connais tout le monde. » Il avait besoin du contact avec les gens qu'il avait toujours connus.

Je vais vous donner un exemple : à l'âge de vingt ans, mon père faisait partie d'un patronage comme il y en avait beaucoup à l'époque et on y donnait de temps à autre une dramatique. Que croyez-vous que mon père, qui était très grand, très bien découplé, ait choisi comme rôle ? Celui de souffleur, rôle qu'il a tenu pendant de très nombreuses années. Il connaissait tous les rôles par cœur, n'avait plus besoin du texte ; mais il avait choisi de lui-même d'être souffleur. Vous voyez, une fois de plus, il était tranquille dans son coin, dans son abri, au lieu d'être exposé aux yeux de la foule.

Pourtant, j'ai le sentiment que mon père était un homme heureux, équilibré : un sage.

M. et H. Que ressentiez-vous de cette situation de votre père ?

S. Une sorte de révolte contre ma mère. Je considérais que ma mère avait eu tort d'insister pour prendre des pensionnaires, ce qu'elle a fait malgré son mari. Mon père rentrait à six heures et demie du soir. Son fauteuil (il n'y en avait qu'un à la maison) était occupé par un des étudiants. Son journal était lu par un des autres étudiants, il devait attendre. Les repas ne se faisaient plus à notre heure, mais il fallait d'abord que les étudiants aient mangé pour que nous puissions manger à notre tour. Je dirais même que nos menus n'étaient plus nécessairement nos menus familiaux, mais qu'ils dépendaient souvent du goût des étudiants. Que ma mère impose ça à mon père, je le trouvais tout à fait indécent et je lui en voulais beaucoup.

En plus de cela, ma mère reprochait souvent à mon père de ne pas s'inquiéter d'elle, de son avenir et notamment de n'avoir pas pris d'assurance-vie alors qu'il était dans les assurances. Or, la vérité, je ne l'ai sue que lorsque mon père est mort : il avait bien essayé de contracter une assurance-vie mais les médecins la lui avaient refusée. Eh bien, pendant vingt ans, mon père s'est laissé reprocher cela par ma mère avec une virulence assez forte... Il ne répondait rien, baissait la tête et ne lui a jamais dit : « C'est parce que je suis malade. » Et il est mort à quarante-quatre ans d'un infarctus du myocarde ou d'une angine de poitrine comme on disait à l'époque.

M. et H. Quelle dignité d'homme !

S. Oui, mon père supportait.

Je vais vous raconter encore une autre anecdote. On n'aimait pas beaucoup les effusions chez les Simenon. Un jour, ma mère se plaignait à mon père en lui disant : « Tu ne m'as jamais dit : ma petite chérie, je t'aime. » Alors, il l'a regardée et lui a dit : « Mais tu es là ! C'est tout. Pourquoi ajouter quelque chose ? »

M. et H. Tout à l'heure, nous parlions de l'incident, de l'accident, de l'anecdote qui peuvent changer le destin d'un homme. Quel fut l'accident qui détermina une modification du cours de votre vie, dans votre enfance ?

S. Ce fut la mort de mon père. J'étais alors au collège quand le docteur Fischer m'a fait venir chez lui, ce dont je fus étonné d'ailleurs. Il m'a dit : « Georges, j'ai une mauvaise nouvelle pour toi, il faudra que tu cesses tes études et que tu gagnes ta vie. — Mais pourquoi ? — Eh bien, parce que j'ai vu ton père il y a quelques jours et je ne crois pas qu'il puisse vivre plus de deux ou trois ans, au grand maximum. » Je n'ai pas pleuré, et il est évident que je le regrettais beaucoup pour mon père.

M. et H. Ne croyez-vous pas que le docteur Fischer a établi avec vous une excellente relation qui vous a marqué par la suite dans vos rapports avec les médecins ?

S. Oui, je crois.

M. et H. Dans un moment grave de votre vie, vous avez rencontré un médecin de cette qualité. Cela ne vous a pas étonné qu'il parle de la santé de votre père à vous, le fils, plutôt qu'à votre mère ? Vous n'aviez alors que quinze ans ?

S. Oui, effectivement, et j'ai dû dire à mon père et à ma mère que je n'avais plus envie de continuer mes études, alors qu'on me savait ambitieux.

M. et H. Cela ne vous a pas étonné que le médecin vous prenne, vous, jeune homme de quinze ans, comme confident, comme le personnage essentiel de la famille ? Et qu'il vous ait chargé de responsabilités d'adulte ? Cela ne vous a pas étonné ?

S. Oui, un peu, mais vous savez, ma mère était une femme très nerveuse, très explosive. Ma mère piquait des colères brutales.

M. et H. Oui, peut-être. Mais nous, médecins, savons par expérience que lorsque nous avons des communications importantes à faire au sujet d'un malade, nous cherchons la personnalité la plus forte, le répondant, l'interlocuteur valable. Nous avons l'impression que ce docteur Fischer a joué un rôle très important dans ce virage de votre vie d'adolescent. Ne le pensez-vous pas ?

S. Oui, certainement. Je savais que j'écrirais un jour, mais je ne savais pas quand.

M. et H. En continuant le collège, auriez-vous choisi une autre profession, par exemple celle de médecin ? Il me semble que vous en avez dit un mot lorsque vous avez inauguré en 1962 le sixième congrès de la Fédération internationale des sociétés d'écrivains médecins à Montreux.

S. Oui, certainement. Dans la pension que ma mère tenait, il y avait souvent beaucoup d'étudiants en médecine. On ne parlait que médecine à ce moment-là. Par conséquent, j'étais assez tenté, je lisais leurs livres. Je me souviens très bien avoir étudié l'ouvrage d'anatomie de Testut.

M. et H. Vous nous décrivez un monde familial très bien organisé, très bien structuré. Comment expliquez-vous la tentation du clochard ?

S. J'avais un oncle clochard qui avait pourtant fait l'université durant trois ou quatre ans, mais pendant son service militaire, il avait épousé la cantinière, ce qui lui a coupé toutes les professions dans la ville. Il a fait tous les petits métiers, garçon de café ; s'est mis à boire ; est devenu anarchiste. Lorsqu'on le rencontrait dans la rue, on en avait honte et on détournait la tête. Moi, je le trouvais sympathique et, de tous mes oncles, c'est celui que j'aimais le mieux. Il était l'anticonformisme. Mon père, lui, l'acceptait comme tel et il trouvait même sympathique qu'il y ait un ivrogne dans la famille.

M. et H. C'est un personnage important que celui de votre oncle. On sent que vous l'aimiez. Le père acceptait ce clochard, la mère le rejetait, donc la mère devenait le mauvais objet ?

S. Oui, je crois que c'est vrai. Pour vous donner une idée de la façon dont ma mère a été élevée, je vais vous citer un exemple. Un moment donné, son père était très riche, il était un grand importateur de bois, il possédait de nombreux bateaux tirés par des chevaux le long des canaux, il avait un château... Et puis, brusquement, il a tout perdu. Quand ma mère est née, elle était le treizième enfant ; elle n'a connu son père que les six premières années, puis il est mort. C'est la boisson qui l'avait ruiné et perdu. Ma mère a vécu la partie pauvre de sa période familiale. Sa mère, lorsqu'elle entendait dans les escaliers monter quelqu'un, mettait quatre ou cinq casseroles avec de l'eau sur le feu, pour faire croire qu'on était en train de préparer un bon dîner. Ça vous donne l'idée dans laquelle ma mère a été élevée. Ma grand-mère n'est jamais sortie de chez elle, même pour aller au coin de la rue, sans son chapeau et ses gants : il ne s'agissait pas de déchoir ! Mon père n'avait pas ces idées, car il faisait partie d'un quartier plutôt artisanal. Dans ce milieu-là, il n'y a pas les mêmes barrières sociales, il y a beaucoup plus de bonhomie.

M. et H. Mais alors, ce personnage du clochard ? Est-ce vraiment le personnage qui vous a tenté ou plutôt l'anticonformisme, la liberté, le romantisme ?

S. Dans toute vie organisée, il y a un certain nombre de concessions vis-à-vis des enfants, des femmes ; vous, les médecins, vis-à-vis de vos malades. Or, le clochard est l'homme qui vit sans concession aucune et qui peut vivre dans sa vérité à lui. J'ai beaucoup fréquenté les clochards à Paris, j'ai aussi étudié leurs dossiers à la préfecture de police. Or, ce qui est extrêmement intéressant et qu'on connaît mal, c'est que le clochard n'est pas toujours un homme de basse condition qui, dès le début, était plus ou moins en dehors de la société. J'en ai connu trois en même temps qui étaient des clochards par vocation. L'un était professeur à Strasbourg, le second, directeur d'une société, avait ensuite suivi un cirque parce que cela l'avait toujours fasciné, et le troisième était un ancien libraire.

Toutes ces maisons que j'ai transformées, celle où nous nous trouvons aujourd'hui, c'était à la fois une protection, peut-être un masque (mais là, je crois que je vais trop loin), en tout cas une façade, peut-être un alibi, un garde-fou, une défense.

M. et H. Mais dites-nous encore quelque chose sur cette fuite de M. Monde ?

S. Eh bien, à la fin, M. Monde est revenu dans la société ; il avait changé et personne ne s'en est aperçu.

M. et H. Vous ne croyez pas que votre personnage de Maigret, c'est un peu le clochard policier, malgré l'insertion sociale qui lui sert de paravent ?

S. Oui, peut-être, mais un meilleur exemple est celui de M. Monde pour qui toute organisation ne comptait plus, dès qu'il a fui la société.

M. et H. Mais ce clochard, est-ce qu'il choisit vraiment sa liberté, alors qu'il nous semble que vous êtes beaucoup plus libre ici dans la discipline que vous vous imposez. N'est-ce pas ça, la définition de la liberté ? Ce qu'on a choisi délibérément ?

S. Oui, c'est peut-être bien dans le maximum d'organisation qu'on peut réaliser ses rêves de liberté et ses fantasmes de clochard.

Vous savez, souvent je désire réaliser ce rêve de liberté en sacrifiant tout ce que je possède, et je ne serais pas plus malheureux de me trouver sur la place Saint-François sans un sou. Mais, vis-à-vis de mes enfants, je n'ai évidemment pas le droit de le faire.

M. et H. Mais vous avez réalisé une partie de ce rêve. Nous savons bien que vous n'êtes pas un capitaliste malgré votre fortune.

S. Oui, c'est vrai. Je n'ai jamais admis que l'argent puisse rapporter de l'argent. Je suis tout à fait d'accord que l'activité d'un homme lui rapporte de l'argent et même beaucoup d'argent. Il est intéressant de noter qu'une société communiste comme la Russie soviétique paie très grassement ses écrivains pour leur faciliter leur tâche quotidienne. Que des hommes fort occupés disposent d'une certaine aisance et de facilités pour utiliser le mieux possible les quelques heures de détente dont ils disposent, je trouve cela tout à fait normal. Mais que l'argent rapporte de l'argent, c'est ce qui me révolte : c'est ce qui a créé la bourgeoisie qui n'a rien donné du tout.

M. et H. Reparlons un peu de la création littéraire chez vous.

S. Je passe ma vie à me battre entre l'inconscient et la raison, car je ne crois à mon métier que fait par l'inconscient. Je dois donc ne pas me connaître pour écrire des romans. Si je me connaissais trop bien, je ne pourrais plus écrire. Il faut que j'ouvre la porte à la raison juste ce qui est nécessaire pour la vie sociale. Le jour où je deviendrai un être raisonnable, je perdrai la précision de mon subconscient.

M. et H. Vous devez être un menteur de bonne foi, dans le sens d'inventeur.

S. Oui et non. Si je partais sur des personnages qui sont faux, je m'en apercevrais automatiquement. Je ne crois pas que, si mes personnages étaient faux, ils pourraient aller jusqu'à la fin du roman. C'est une chose qui m'a toujours intrigué et inquiété. J'ai l'impression que, du moment qu'un personnage doit aller jusqu'au bout du roman, c'est qu'il n'est pas faux.

M. et H. Oui, mais vous admettez qu'il y a des personnages qui sont forcément faux. Vous soulevez le problème de l'imaginaire et du réel.

S. Comme c'est drôle, vous faites bien de soulever ce point. C'est presque comique, car je finis réellement par vivre avec mes personnages comme s'ils existaient, qu'ils sont plus réels que les gens que je rencontre dans la rue. C'est pour ça que je parle d'eux en vrais et en faux. C'est un peu comme un fabricant d'automates qui finirait par croire qu'ils sont vivants. Je me rends compte que je vis en quelque sorte un mensonge perpétuel, une fiction. Enfin, je vais essayer de m'exprimer car vous me forcez un peu dans mes derniers retranchements...

Si mes personnages n'étaient pas humains, je ne crois pas que je pourrais les mener jusqu'au bout. Je me rends compte que le dilemme vrai ou faux n'était pas correct ; c'est le qualificatif humain qui est juste, par ce que cela signifie sur le plan corporel, psychologique, instinctif, social. C'est-à-dire tout ce qui fait qu'un être est un être, c'est-à-dire aussi bien la partie ombre que la partie lumière, aussi bien la partie instinctive que la partie raisonnée et voulue.

Je crois que c'est là la marque de l'authenticité sans masque.

Au fond, je ne sais pas créer des personnages plus grands que nature, c'est pourquoi je ne pourrais pas faire de théâtre, parce que le théâtre comme la sculpture sont plus grands que nature, tandis que le roman et la peinture sont de grandeur nature.

M. et H. Il faudrait que nous revenions encore à ce problème de vrai et d'authentique. La vérité est une référence à l'anecdote. L'authenticité, c'est quelque chose de plus complet, avec pour mobiles certains désirs.

S. Je vais tâcher de préciser ce point. Parlons un peu de M. Monde. Est-ce que son désir de départ sur un simple petit incident est une chose, je ne dirais pas commune aux hommes, mais quelque chose de très fréquent en moins ou en plus ? Est-ce que ce désir est au cœur d'une bonne partie des hommes, c'est-à-dire l'envie d'enlever tout à coup sa peau pour se retrouver dans une autre peau ? Est-ce que beaucoup d'hommes à un moment donné ne se sentent pas chez eux comme s'ils avaient fait l'expérience de M. Monde, comme s'ils s'étaient cru incorporés à toute une machinerie, à toute une organisation, mais qu'en réalité, le mieux à faire, au lieu de la révolte, c'était de faire comme si ? On continue à faire les gestes de tous les jours, mais sans y croire. Si une certaine proportion des hommes pensent de cette manière, alors je dirais que le personnage de M. Monde est authentique. C'est comme si j'explique un certain nombre de crimes par un besoin de suicide. Est-ce qu'un nombre de cas suffisants sont comme ceux-ci ou non ? Je crois qu'en criminologie, c'est exact.

M. et H. Oui : on parle d'un suicide transposé.

S. Si je pose ces questions, c'est pour une raison bien précise : je ne peux me servir que d'expériences inconscientes. Je ne peux pas me servir de ce que j'aurais pu lire dans des livres ou de ce que j'aurais appris à gauche ou à droite, de ce que ma raison aurait emmagasiné. Par conséquent, je ne sais jamais si une chose que j'ai faite est vraie ou non. Vrai ou faux, authentique ou non : ce n'est en tout cas pas avec mon intelligence que je peux l'apprécier.

Il s'est passé en outre un petit incident dans les années 1930. J'avais alors écrit les dix-huit premiers *Maigret*, en quelque sorte pour apprendre mon métier et pour gagner ma vie. J'avais écris également quelques « non-Maigret », notamment *L'homme qui regardait passer les trains* je me suis senti entraîné à fouiller et à utiliser au maximum ce que j'appelle mon inconscient ou mon subconscient. J'avais l'impression que c'était une manière d'arriver à une certaine connaissance de l'humanité. Mais j'ai été pris de vertige et je me suis dit que si je continuais dans cette voie, je finirais comme Nietzsche ou Lautréamont, et alors j'ai décidé de faire très attention, de faire en quelque sorte de la chute contrôlée. Il y a des murs qu'il est dangereux de franchir : il suffit de penser à Gauguin, par exemple.

M. et H. Oui, on sent que vous hésitiez entre l'organisation sociale que représente votre père et l'anarchie représentée par votre oncle.

S. Oui, c'est vrai. Il y a deux ans, j'ai décidé de taper directement mes manuscrits à la machine à écrire pour être en prise directe sans passer par le filtre de l'écriture au crayon qui demande une certaine pondération, qui ralentit le rythme ; et je n'ai plus cette crainte que j'ai eue longtemps, d'autant plus que j'ai soixante-cinq ans.

M. et H. Votre œuvre est un fantasme de désir de libération du clochard ; mais en même temps, vous ne voulez pas entraîner l'autre dans la chute, de même vous ne voulez pas entraîner le lecteur dans cette chute. Le *socius* est présent. Donc, il y a un engagement qui va très loin dans la responsabilité de l'écriture. Lorsque vous étiez enfant, vous aviez une image du monde qui vous a déçu et que vous avez cherché à corriger : dans votre création littéraire, vous tentez de refaire le monde.

S. Vous arrivez exactement à ce que je voulais dire. Ce qui m'avait révolté pendant ma jeunesse, c'était le mensonge. Je m'étais rendu compte que mes parents, mes oncles, mes tantes, vivaient dans un mensonge perpétuel. Tout ce qu'on nous représentait, les parents, l'amour paternel, l'amour, la respectabilité, tout ça était entièrement faux. On plaquait des personnages exactement comme des images d'Epinal. J'étais indigné contre cette sorte de mascarade. Dès que je me suis mis à écrire, ce fut pour essayer de créer des personnages vrais, c'est-à-dire de leur enlever cette façade que j'avais vécue pendant toute mon enfance. Vous comprenez le pourquoi de mon intérêt pour des personnages vrais, faux, authentiques, que nous avions abordé tout à l'heure. Le psychanalyste Jung a connu ce même problème. Il a beaucoup souffert de toute la respectabilité de son père, de son entourage. Jung s'est enfoncé dans le domaine du subconscient, précisément ce que moi je ne pouvais pas faire ; j'ai l'impression que, pendant ses dernières années, il en était ressorti, mais qu'il ne s'en était jamais remis tout à fait. Il est resté dans son personnage, dans son moi, un trouble dont il ne s'est jamais guéri. Ce sont des expéditions dont on ne peut pas ressortir intact.

M. et H. Vous n'étiez pas en relation avec Jung ?

S. Non, malheureusement. J'ai beaucoup lu Jung, il m'a beaucoup marqué, peut-être à mon insu, autant que Freud. Quand je suis venu m'installer en Suisse, je me suis dit que j'irais certainement rendre visite à Jung pour faire sa connaissance. J'ai hésité longtemps à lui écrire un mot et à lui téléphoner, car ça pouvait paraître quelque peu cavalier que de téléphoner à un homme aussi illustre que lui. Un jour, un radioreporter de la Radio suisse romande se rend chez Jung pour réaliser une émission sur sa vie et son œuvre. Il revient de Küssnacht et me dit : « Vous savez, vous avez un lecteur enragé, c'est Jung. Tous vos livres sont chez lui et il m'en a beaucoup parlé. » Ça me donna le courage de prendre contact avec Jung. Malheureusement, huit jours plus tard, il décédait ; c'était en juin 1961.

M. et H. Nous parlions de Jung à propos de la responsabilité de l'écrivain vis-à-vis de ses lecteurs. Mais la responsabilité de Jung était tout de même limitée en raison du tirage réduit de son œuvre.

S. Oui, peut-être, mais j'avais réellement peur de finir comme Nietzsche et quand j'ai senti que j'entrais dans un certain domaine, j'avais peur qu'il ne m'arrive la même chose et je voulais me sauvegarder, mais je ne voulais pas non plus ne pas y aller et, au fond, je me suis dit que j'irais, mais par étapes. J'étais parti pour découvrir la vérité et je me suis rendu compte que la vérité était tellement éloignée de ce qu'on considère comme la vérité, que c'était tellement plus angoissant que je ne l'avais pensé, et j'ai eu peur. Il y a quelque chose qui m'a frappé dans l'autobiographie de Jung. A un moment donné, il rencontre ce spécialiste de la Chine qui était resté quinze ou vingt ans en Chine et il était devenu tout à fait Chinois. Revenu ensuite à Francfort comme professeur de littérature chinoise, il était à ce moment tout à fait mal à son aise dans la civilisation européenne, car il avait nettement rompu avec l'Europe. Mais il était heureux quand il restait Chinois et qu'il donnait son cours en chinois. Deux ou trois ans après, Jung le rencontre ; il a l'impression de se trouver devant un être désintégré ou en train de se désintégrer, et il lui dit : « Pourquoi ne rentrez-vous pas tout de suite en Chine ? » Six mois plus tard, on apprenait que ce sinologue n'était pas rentré en Chine mais à l'hôpital psychiatrique. C'est exactement ce genre d'expérience dont j'ai eu peur. Souvent, je me suis dit devant telle ou telle personne : il y a là une inadaptation qui ne peut finir que par un drame. Je me suis senti terriblement en prise directe avec ces gens.

M. et H. Pourquoi parlez-vous toujours de Jung et non pas de Freud ?

S. Je pourrais peut-être me retrouver dans Freud et cela me fait un peu peur. Le Freud des angoisses, le Freud des malaises, le Freud des évanouissements, des obsessions aussi.

M. et H. N'y a-t-il pas une partie mystique chez Jung qui vous attire davantage ?

S. Effectivement, il y a une partie mystique chez Jung mais qui ne m'attire pas, et je crois la partie des rêves un peu forcée. Je ne suis pas sûr qu'il n'ait pas pensé un peu ses rêves éveillés. Ils sont tellement bien organisés que je les soupçonne non pas d'être fabriqués, mais quelque peu arrangés. Non, ce qui m'a vraiment le plus impressionné chez Jung, c'est que, au début de son activité de psychiatre à Zurich, il finissait tellement par s'intégrer à son patient qu'il découvrait autant chez celui-ci que chez lui-même. C'était une expérience à double tranchant. Ce n'est que vers l'âge de la cinquantaine que Jung s'est senti dégagé et qu'il a commencé à prendre du champ avec son malade et à le regarder avec la sérénité nécessaire. Or, c'est en contradiction avec tout ce qu'il avait écrit jusqu'alors.

M. et H. Mais vous aussi, vous avez pris du champ ? Cette maison, cette sécurité !

S. Oui, oui, mais c'est immatériel. Vous me diriez que cette maison est en carton que je vous croirais.

M. et H. Oui, mais elle représente la réalisation d'un fantasme. Si l'on va vers la direction de Freud et de Jung, vous seriez plus près de Freud, par de bons mécanismes de défense, une insertion très adaptée dans le monde social, une communication avec les autres infiniment supérieure à celle qu'a donnée Jung, et vous ressemblez beaucoup plus à Freud. Mais vous seriez tenté de voir en Jung quelque chose qui serait plus proche de ce désir d'évasion.

S. Oui, remarquez que tous les deux ont joué le tout pour le tout. Je pense que la défense de Freud était innée, comme la mienne du reste.

M. et H. Etes-vous conscient de l'universalité de votre œuvre, du fait que tant de millions de gens, à l'Est comme à l'Ouest, se reconnaissent en partie ou complètement dans vos personnages ?

S. Oui, je crois que c'est tout simplement parce que je prends des hommes avec leur profession, avec leur entourage, avec leur vraie vie autour d'eux. Souvent, avant moi, les personnages étaient pris en dehors de leur contexte. C'est Balzac qui a commencé. Avant, un personnage de roman n'avait pas de profession, ne gagnait pas sa vie. On n'avait pas le droit d'être un personnage de roman à moins d'avoir cinq mille livres de rente. J'essaie aussi d'avoir les réflexes, les passions, les gestes de ces personnages qui sortent automatiquement de ces milieux, de ces circonstances.

M. et H. Mais il est intéressant de noter que vous ne dépeignez pas un milieu : c'est plutôt l'homme dans son milieu ou par rapport à son milieu.

S. Si je ne mettais pas l'individu dans son milieu, et s'il n'avait pas les réactions de ce milieu, je crois qu'il n'existerait pas ou qu'il serait faux.

M. et H. Au fond, la démarche intellectuelle que vous suivez, c'est celle du médecin, celle du psychiatre. Il est intéressant de noter que lorsque vous mettez en jeu des médecins dans vos romans, nous ne nous reconnaissons pas en eux, alors que nous nous retrouvons parfaitement bien dans la démarche de Maigret que nous considérons, nous, comme un médecin qui est pour nous le docteur Maigret. Votre démarche est celle de la psychologie médicale. Vous voulez saisir l'homme dans ce qu'il a de constant, dans ce qu'il a d'universel, dans ce qu'il a d'unique ; et en essayant de le comprendre, vous allez beaucoup plus loin que n'importe quel autre romancier, car vous vous mettez à la place de cet homme. C'est de la psychothérapie.

S. Je me méfie terriblement de l'intelligence. Elle doit venir après.

M. et H. Vous nous donnez l'impression de vous moquer de votre talent d'écrivain ; c'est une mécanique, c'est la machine à écrire.

S. Oui, c'est vrai, ce qui compte pour moi, le vrai succès, c'est d'être compris par un homme travaillant dans un kibboutz, c'est ce qui me fait plaisir et ça n'a rien à voir avec le tirage ni avec les techniques littéraires. Ce qui me plaît, c'est que des Polonais à Cracovie ou à Varsovie se retrouvent dans mes livres au point d'en faire une thèse universitaire, alors même que ce pays est coupé de l'Occident. Ma véritable ambition, c'est de saisir la vérité, ou même les vérités camouflées : sinon je n'existe pas, je ne sers à rien. Etant donné que mes livres ne sont pas des exercices de style ni de merveilleuses constructions de psychologie, mon seul souci reste l'approche de la vérité. C'est exactement le cas du médecin ou du psychiatre : peu importe le style et la manière, il doit trouver la vérité de son patient, sinon il a raté la cure. Et si ça vous arrive plusieurs fois par mois, vous ne serez pas très fier de vous et vous ferez aussi une crise de dépression.

M. et H. Oui, mais une des raisons de votre succès réside dans le fait que vos personnages vont jusqu'au bout de leurs possibilités, ce qu'on n'a que rarement ou même jamais l'occasion de faire dans la vie de tous les jours. C'est ça peut-être l'authenticité : vos personnages se réalisent pleinement.

S. Oui, la tragédie grecque l'avait déjà fait.

M. et H. Il y a une autre raison de votre succès : c'est un type de relations que vous avez su établir avec vos personnages. Vous avez décrit à travers votre œuvre un certain type de relations humaines à différents niveaux, dans différentes structures.

S. Vous savez, je vous le disais tout à l'heure, je suis parti du fait que nous vivions avec de faux-semblants, avec de fausses images que l'homme s'est fabriqué de lui-même. Du reste, chaque époque a ses faux-semblants et ses fausses images de l'homme. Ce qui m'a beaucoup aidé ces derniers temps, ce sont mes enfants, parce que les enfants ont leur minute de vérité qui est assez accessible. Eux aussi, du reste, sont parfois fabriqués et se font de fausses images de l'homme, parce qu'ils se sentent plus vulnérables, mais de temps en temps, ils relâchent leur garde.

M. et H. Oui, mais c'est toujours à travers une relation que vous avez su établir que vos romans ont une importance humaine : vos personnages ne sont pas préfabriqués.

S. J'ai décidé de supprimer dès cette année de très nombreux voyages, de très nombreux contacts qui m'épuisent. C'est un peu comme si vous, médecins, vous vouliez établir avec chaque personne que vous rencontrez une relation en vue de faire un diagnostic : vous seriez également épuisé. J'ai besoin de sentir derrière l'homme qui se présente à moi quel homme il est en vérité.

M. et H. Vous voulez établir une relation en vue d'une certaine efficacité. Vous ne voulez pas établir une relation pour un certain type de curiosité. Vous voulez en faire quelque chose.

S. Oui, c'est ce que je voudrais.

M. et H. Maigret le fait chaque fois.

S. Maigret, oui, mais moi, je ne peux pas. Pour le faire, moi je dois écrire un roman. C'est assez étonnant : plus j'avance en âge et plus les contacts humains m'épuisent. J'ai déjà donné des milliers d'interviews, mais la discussion-interview d'aujourd'hui est certainement la plus impressionnante à laquelle j'ai assisté. J'avais un trac fou ce matin avant que vous n'arriviez et j'ai failli prendre un comprimé de Librax pour me détendre, comme lorsque je commence un roman.

M. et H. Pourquoi aviez-vous peur alors que vous saviez que nous venions en amis et en admirateurs ?

S. Oui... mais par vos questions, vous m'aidez trop à me comprendre. C'est assez extraordinaire, j'ai peur de me comprendre, mais d'autre part, j'en ai envie. Il est certain que si vous étiez des psychanalystes, j'aurais pris une fois rendez-vous, mais j'aurais remis de mois en mois ce rendez-vous, parce que j'en aurais eu en même temps très peur.

M. et H. Ce n'est pas seulement parce que vous en avez peur, mais c'est parce que votre inconscient ravitaille vos possibilités de création.

S. Exactement, vous avez raison. Regardez, je veux vous donner un fait intéressant sur lequel les journalistes ont raconté beaucoup de bêtises. Si vous étiez venus chez moi il y a trois ou quatre ans, vous auriez vu dans mon bureau beaucoup de revues médicales et notamment *Médecine et Hygiène*. Ce n'était pas du tout en vue de mes romans : c'était simplement un hobby et je n'en tenais absolument pas compte pour créer des personnages. Je me passionne également pour les questions de criminologie, et c'est avec le plus vif intérêt que j'ai lu l'année dernière cette découverte du chromosome supplémentaire chez certains criminels. Ceci du reste confirme ce pourquoi je me bats depuis trente ans, c'est-à-dire sur le fameux article 64 qui demande d'établir si un homme est totalement responsable ou non. Lorsqu'on demande à l'expert psychiatre au tribunal si le criminel est responsable ou non, cette question ne correspond à rien. Or, maintenant qu'on a découvert, grâce à ce chromosome, une base matérielle, quelque chose va changer dans la justice. C'est évidemment ce genre de découverte que je cherchais dans mes lectures de journaux médicaux ; sinon, ils ne jouaient pas de rôle dans mon œuvre. Mais le jour où un membre de ma famille gravement atteint a été hospitalisé, j'ai mis toutes ces revues au panier et je me suis désabonné de tous ces journaux médicaux et je n'ai plus ouvert un seul livre de médecine. Je ne voulais pas essayer de faire moi-même un diagnostic. Je continue de lire cependant encore *The Medical Letter*, car c'est très condensé et je peux la lire en quelques minutes.

M. et H. C'est intéressant de voir combien votre démarche intellectuelle s'appuie sur des faits biologiques concrets. Vous êtes plus près de Freud que de Jung.

Vous avez cité trois ou quatre fois Nietzsche. N'est-ce pas un alibi ? Car chez Nietzsche, ce n'est pas une sanction qui l'a frappé, mais une maladie organique.

S. Oui, je sais, mais enfin, lorsqu'on regarde les courbes de vie des gens, on est toujours tenté de les simplifier et d'affirmer que certains domaines amènent automatiquement à une même courbe. Il est évident que chez Van Gogh, la folie n'avait rien à voir avec son génie ; celle de Gauguin non plus. J'ai eu à Tahiti beaucoup d'échos sur la fin de Gauguin, ce fut lamentable. Il a exactement fini comme à quinze ans j'imaginais que je finirais. Voilà ce que j'appelle le clochard. Dès qu'un bateau arrivait à Tahiti, Gauguin allait mendier quelques bouteilles ou quelques boîtes de conserve. Il s'amusait à faire un petit journal écrit à la main qu'il allait essayer de vendre aux passagers des bateaux. Ça frisait presque l'escroquerie. Ce fut une fin lamentable dont j'ai recueilli plusieurs témoignages lorsque je me suis rendu à Tahiti il y a une trentaine d'années. Je crois que j'aurais pu finir comme cela. Au lieu de ça, vous voyez le confort bourgeois.

M. et H. L'alcoolisme a-t-il joué un rôle dans votre vie ? Depuis que nous sommes chez vous aujourd'hui, nous avons dégusté des vins et un champagne merveilleux, tandis que vous n'avez bu que de l'eau.

S. Je vais vous faire une confession. Jusqu'à ce que je parte pour les Etats-Unis (j'avais alors trente-neuf ans), comme beaucoup d'artistes et de littérateurs, je buvais assez bien, je croyais même que c'était indispensable. Le matin en me levant à six heures et en me mettant devant ma machine à écrire, il y avait une bouteille de bordeaux sur la table et, dans la journée, je buvais comme ça deux ou trois bouteilles en rédigeant mon roman. Je n'étais jamais ivre, j'étais très bien.

Quand je suis arrivé aux Etats-Unis, je me suis aperçu que si, lors d'un cocktail, vous buviez un verre de moins que les autres, on vous regardait de travers. Le nombre de verres, c'est six ou sept whiskies en deux heures. Comme je trouvais cela un peu beaucoup, j'ai demandé à certains amis pourquoi on n'offrait pas à boire à certaines personnes et qu'on n'insistait pas pour les servir. On m'a répondu : c'est simple, c'est parce qu'ils sont sur le wagon. Et qu'est-ce que c'est que le wagon ? C'est le wagon d'eau, c'est une image. On ne vous demande pas si c'est par religion, par maladie, par conviction philosophique ou quoi que ce soit : on vous apporte un Coca-Cola. J'ai trouvé alors commode, au cours des parties, de dire que j'étais aussi sur le wagon. J'ai pris l'habitude de ne plus boire, ni chez les autres, ni chez moi. Mais de temps en temps, on se rattrapait tout de même. En réalité, je ne supporte pas quatre verres de vin, cela fausse chez moi une certaine forme de lucidité. Le lendemain, lorsque je me suis laissé aller à boire quelques verres de vin avec des amis, je n'ai pas la gueule de bois, mais je suis très humilié, très amoindri d'avoir raconté des histoires sur un ton d'assurance, et c'est ce qui me donne le courage de me mettre régulièrement sur le wagon.

Je dois faire d'autre part attention, car j'ai découvert une raison physiologique qui justifierait que je boive de l'alcool : je souffre beaucoup d'aérophagie qui s'accompagne d'un peu de vertige ; un ou deux verres d'alcool arrêtent ou diminuent cette aérophagie. Mais comme le lendemain, l'aérophagie est plus forte, j'augmente la ration d'alcool et c'est le début du cercle vicieux. Vous voyez donc que je dois me discipliner et en fait je me sens libre ainsi.

M. et H. La liberté d'être discipliné ? Quand, dans *Les Anneaux de Bicêtre*, vous décrivez ce personnage avec la discipline que lui imposent et sa maladie et son médecin, c'est bien dans cette discipline qu'il trouve sa liberté. La liberté est alors le mécanisme de sédation de son angoisse.

S. Vous en avez d'ailleurs la preuve dans ce que j'ai dit de l'aérophagie qui, chez moi — j'en suis persuadé — est uniquement d'origine psychique et me prend quinze jours à trois semaines avant de commencer un roman. Autrement dit, alors que je ne me sens pas sur un terrain solide, quand je me dis que je ne vais pas réussir ce livre, qu'il n'y a pas de raison que le miracle qui s'est produit cent quatre-vingt-dix fois se reproduise encore cette fois. Dès que je commence mon roman, dès que je me mets à ma machine à écrire, l'aérophagie disparaît. La toute première préparation d'un roman commence par un malaise, une sorte de cafard et ce n'est que deux ou trois jours plus tard que je comprends que je suis en train de saisir quelque chose, de tâtonner. A ce moment-là, j'ai des vertiges, je digère mal et ceci peut me reprendre trois ou quatre semaines après avoir fini le roman.

M. et H. Comment se fait-il que vous ayez le trac lors de la préparation de chaque nouveau roman comme si c'était le premier ?

S. Si je savais comment mes romans sont faits, si j'établissais un plan, une ligne méthodique bien nette, je n'aurais pas peur. Je ne sais pas si la phrase qui est à la deuxième ligne de la troisième page ne vas pas servir de clé à tout le roman.

Ces romans se font donc dans une sorte, je ne dirai pas d'inconscience, mais dans un état presque second. Je crois que c'est la même chose pour le psychiatre qui se trouve devant un nouveau cas : il n'a jamais deux mêmes malades. Chaque fois, je dois recommencer l'aventure. Chaque fois, je dois me remettre dans la peau d'un personnage.

M. et H. C'est vrai, notre expérience médicale ne nous protège pas beaucoup et devant chaque cas pathologique, devant chaque malade, nous devons recommencer quelque chose qui est peut-être chaque fois unique. C'est là où vous nous rejoignez, monsieur Simenon, dans cette démarche intellectuelle.

S. Je me mets donc dans la peau d'un personnage que je ne connais pas et que je connaîtrai qu'au fur et à mesure de l'évolution de mon roman. Le problème pour moi n'est pas de savoir si je vais pouvoir écrire mon roman, mais bien de savoir si je vais bien établir la relation avec mon personnage.

M. et H. Les médecins ont été intrigués par *Les Anneaux de Bicêtre* : vous l'avez écrit comme si vous étiez médecin ou malade, alors que vous n'étiez ni l'un ni l'autre.

S. C'est très drôle. Un médecin m'a écrit récemment pour me demander pourquoi je mentais toujours aux journalistes en leur disant que je n'avais jamais été dans un hôpital.

J'ai été trois fois dans un hôpital, à vrai dire : une fois dans une clinique privée à Lausanne pour me faire opérer de l'appendicite. Je suis resté trois jours dans cette clinique où je n'ai rien vu, sinon que les quatre murs de ma chambre. Pour préparer *Les Anneaux de Bicêtre*, je suis tout de même allé à l'hôpital de Bicêtre... pendant une heure et au grand dam de l'infirmière-chef qui m'a dit : « Mais attendez quelques instants, monsieur Simenon, le patron va arriver. » Je lui ai dit que je n'avais pas le temps et elle m'a proposé de voir au moins l'interne de garde, ce que j'ai refusé. « Non mademoiselle, j'ai trois ou quatre questions à poser et vous pouvez très bien me répondre. Je voudrais tout d'abord savoir si vous avez toujours une chapelle dont on entend les cloches. — Ah non ! Elle est désaffectée depuis quelques années. — Ah, ça c'est embêtant, mais je voudrais savoir si dans telle chambre du premier étage, on peut entendre les cloches. » Elle me répond : « Oui, on entend les cloches de telle église. » Ensuite, je lui demandai à quelle heure on descendait les poubelles et où on les mettait. Elle avait l'air complètement ahuri. Enfin, elle me dit l'heure et l'endroit que je désirais connaître. Je lui demandai ensuite à quelle heure arrivaient les infirmières de jour et à quelle heure celles de nuit. Que font-elles en arrivant et où mangent-elles ? Elle m'a montré la petite salle à manger des infirmières qui était juste à la distance qu'il me fallait de la chambre privée où j'allais placer mon malade. Je lui demandai enfin : « Avez-vous des chambres privées ? — Oui, il y en a deux, une désaffectée et l'autre à la disposition du professeur s'il veut isoler un malade. » Ça c'était important pour moi. Après, j'ai regardé où elle se trouvait et si l'on pouvait voir de cette chambre privée le défilé des malades sortant des salles communes. Voilà : c'est tous les renseignements dont j'avais besoin et j'ai remercié l'infirmière-chef. Il fallait que j'aie les bruits et les allées et venues que l'homme couché entendait et voyait de son lit.

M. et H. Vous attachez donc une importance considérable à la sensorialité dans votre œuvre : sentir, toucher, goûter, percevoir par le corps ; ces sensations jouent un rôle évident pour vous. On peut se demander par quelle intuition, vous qui ne connaissez pas la médecine, vous avez compris la valeur du corps dans la médecine moderne. Les odeurs spécialement sont analysées toujours dans vos romans. Y a-t-il des souvenirs de votre enfance liés à ces odeurs ?

S. Oui, certainement. N'oubliez pas que dans une petite maison comme celle où je suis né, la cuisine se trouve au fond du couloir du rez-de-chaussée, et puis, à droite, il y a la salle à manger et le salon, une pièce dans laquelle on n'entrait jamais qu'une fois par an. Les chambres sont en haut. Donc, les premières sensations de la journée, c'est d'abord l'odeur du pétrole qui flambe car, pour allumer le feu de charbon, on mettait du bois qu'on arrosait de pétrole. L'odeur de pétrole monte immédiatement dans les cages d'escalier, puis on percevait l'odeur du charbon mêlée à celle du bois, puis l'odeur de café. Si ensuite, par hasard, on restait au lit parce qu'on était grippé, on avait l'odeur de la soupe qu'on mettait déjà sur le feu à huit heures du matin. Toutes ces odeurs se succédaient, marquaient la journée, aussi bien que les cloches marquent les heures de la journée dans *Les Anneaux de Bicêtre*. Avant la découverte du chauffage central et des cuisinières électriques, les odeurs jouaient un rôle beaucoup plus important que maintenant ; il n'y avait pas de hottes au-dessus des fourneaux. Mais vous savez : aujourd'hui encore, quand vous allez à Paris dans certains immeubles, si vous prenez l'escalier au lieu de profiter de l'ascenseur, chaque étage a son odeur. Certains étages sentent l'ail, le ragoût, etc. Sur d'autres étages, ça sent le bébé. On sent qu'il y a beaucoup d'enfants, des langes plus ou moins propres. C'est la vie.

M. et H. C'est un mode instinctif d'appréhender la vie et les hommes, ce qui est une façon de remettre en commun toute l'humanité.

S. Oui, c'est vrai, dans la maison de mon ami et de sa sœur dont nous avions parlé tout à l'heure, il y avait une certaine odeur particulière, des armoires pleines de linge repassé... Aujourd'hui encore, il m'arrive d'ouvrir les armoires chez moi pour regarder ces piles de linge repassé. Pour moi, c'est un souvenir représentant l'idéal de vie paisible et je dirai opulente, dans le sens bourgeois.

M. et H. Or, votre maison a l'air aseptisée, sans odeur.

S. Oui, c'est ce que tous les gens qui viennent ici me disent. Mais n'oubliez pas que cette maison a été faite d'un point de vue pratique, pour que tout le monde y trouve son indépendance. Je peux continuer à travailler alors même que la maison est pleine de bruits provoqués par les enfants et leurs amis, par les domestiques, par les secrétaires.

M. et H. Si vous le voulez bien, nous allons revenir au thème des *Anneaux de Bicêtre*. C'est la maladie d'un homme à un certain âge et cette maladie va changer tout son registre des valeurs. Ce qui était important quand il était en pleine santé le devient moins.

S. Oui, vous avez raison, mais je ne le savais pas au début, lorsque j'ai commencé mon roman. Ce que vous dites là, c'est arrivé par la suite. Je vais vous dire exactement ce qu'il y avait au début. Il y avait tout d'abord un type important, en pleine activité, dont je ne connaissais pas le passé à ce moment. J'avais besoin de voir cet homme-là tout à coup handicapé, à la merci des autres, il ne pouvait ni boire ni manger, il était entièrement dépendant. Cet homme sortant du Tout-Paris, des meilleurs restaurants, des hôtels particuliers, se trouve dans un hôpital (j'ai même hésité à le mettre dans la salle commune). Je voulais voir comment cet homme allait considérer les autres humains, comment cet homme, réduit presque à l'état de momie en raison de son hémiplégie, allait voir ce qui se passait autour de lui. Voilà au fond avec quoi je suis parti. Le reste est venu au fur et à mesure du roman.

M. et H. Mais d'où est venue l'idée de ce roman si particulier ? Vous n'avez jamais fait, bien sûr, d'hémiplégie, même pas de paralysie faciale ; comment l'idée a-t-elle germé ?

S. Le tout début du roman, la graine si je puis dire, est un fait d'observation dans la rue. On voit parfois dans la rue un homme ou une femme d'un certain âge. A sa démarche, à son regard, à la façon de tenir la main, je me dis que cette personne est condamnée et qu'elle s'attend à une crise d'un moment à l'autre. Chaque fois que je croise ces gens, je me demande ce qu'ils pensent de moi, de la silhouette que je représente et qu'ils viennent de croiser ainsi dans la rue. Je trouve ça toujours pathétique. Voilà la toute première origine des *Anneaux de Bicêtre*.

M. et H. Donc, tout est remis en cause, notamment le système des valeurs en face de la mort ?

S. Oui, bien sûr. Les rapports avec le monde, les rapports avec lui-même changent. Il est évident que devant la perspective de rester paralysé, amoindri, tout ce que pense le personnage de ce roman est modifié, en ce qui concerne son passé et son activité. J'ai pris du reste un cas ne devant pas durer trop longtemps.

M. et H. Pourquoi avez-vous choisi le thème de l'hémiplégie ? Pourquoi n'avez-vous pas pris le thème de l'infarctus du myocarde, par exemple ?

S. L'hémiplégie me permettait d'imaginer l'aphasie motrice qui coupait donc la communication avec le monde.

M. et H. Oui, mais il y a autre chose encore dans ce roman. Vous avez admirablement décrit les relations du médecin avec son malade et souligné l'importance du moral pour la guérison d'une affection organique.

S. Il y a une chose qui est assez amusante, mais qu'il ne faut pas prendre au pied de la lettre. A l'âge de quatorze ans, j'ai pour ainsi dire inventé la psychanalyse, tout en ignorant à ce moment-là Freud qui n'était pas encore traduit en français. Mon idée était celle-ci. Je vous rappelle que j'avais deux familles nombreuses du côté de mon père et de celui de ma mère. Cela faisait beaucoup de tantes, beaucoup d'oncles, de cousins, de cousines. Je pouvais voir tous les destins, ceux qui montaient, ceux qui dégringolaient ; ça faisait un microcosme assez vaste. Dans ces petites rues, on connaît tout le monde, on connaît leur maladies, tous les malheurs qui arrivent. Je me disais : pourquoi n'existe-t-il pas une sorte de médecin qui soit en même temps médecin du corps et médecin de l'intelligence, autrement dit une sorte de médecin connaissant un individu, son âge, son physique, ses possibilités, qui puisse lui dire qu'il doit s'engager dans telle voie ou dans telle autre ? C'était presque de la médecine psychosomatique que je formulais. C'était en 1917, et c'est dans cet esprit-là que j'ai créé le personnage de Maigret. Car c'est ce que fait Maigret, et c'est pourquoi il était nécessaire que Maigret ait fait deux ou trois années de médecine, car il fallait qu'il y ait tout de même une petite part d'esprit médical en lui. Maigret est pour moi un raccommodeur de destinées. C'était l'équivalent des types qui passent dans la rue pour réparer les chaises ou la vaisselle. Voilà ce que j'avais dans la tête à l'âge de quatorze ans. Je considérais que la profession de médecin telle qu'elle existait à l'époque n'était pas complète et que le médecin ne faisait pas tout ce qu'il avait à faire. Il devait être le raccommodeur de destinées. Pour moi, il était plus important que le confesseur, car le confesseur était plus dangereux que salutaire, à cause du dogme, parce que si l'on juge les hommes d'après un dogme, on ne peut pas les aider vraiment.

M. et H. Oui, nous avons l'impression que Maigret ne juge jamais.

S. C'est pourquoi je ne voulais pas qu'il y ait d'une part un médecin et de l'autre un confesseur. Je considérais que c'était le médecin qui devait être à la fois médecin et confesseur.

M. et H. C'est ce que vous avez exprimé dans *Lettre à mon juge* ?

S. C'est précisément le conflit confesseur, médecin et juge.

M. et H. En tant que médecin, il s'adresse au juge et il s'adresse au juge comme à un confesseur pour qu'il le traite comme un médecin. D'autre part, dans *Les Anneaux de Bicêtre*, vous avez montré la perte de liberté résultant de la maladie, mais d'autre part, le malade a acquis une liberté supérieure.

S. Oui, je crois que la maladie peut être très salutaire. Je n'ai pas été souvent malade. J'ai fait une assez longue pleurésie en 1944. Ce fut pour moi comme une retraite et j'ai pu lire à ce moment-là tout Balzac, tout Zola et tout Proust.

C'est un peu comme le bonheur. L'autre jour, un journaliste me demandait si j'étais heureux. Je lui ai répondu que c'était une question qui n'existait pas, qui était immatérielle. Je crois en réalité que si l'on va tout au fond des êtres, la part d'inquiétude, de bonheur, d'angoisse de chacun est à peu près égale. Mais on me rétorquera : il y a des malades, ceux qui ont moins de chance, etc. Alors, je réponds que le malade apprécie beaucoup plus fortement le pot de géranium à sa fenêtre que moi qui suis en bonne santé. Donc, je crois finalement que le total, la somme de malheurs et de joies est à peu près la même pour tout le monde. La réussite n'est pas une chance, c'est un danger. On me demandait si c'était épatant de réussir. J'ai répondu que je n'avais pas encore réussi, du moins vis-à-vis de moi-même, ce que je voulais faire. Au lieu de donner de la joie et de l'apaisement, la réussite accroît les inquiétudes, parce que lorsqu'on a réussi, on n'a presque plus de but et l'on se trouve devant un vide. Ce qui est passionnant, ce qui est merveilleux, ce qui est tonique, c'est la poursuite d'un but, ce n'est pas de l'atteindre. Je dis toujours que j'espère ne pas atteindre mon but trop rapidement, ce serait pour moi la mise à la retraite et la mort.

M. et H. On a parfois l'impression que vous avez eu plusieurs vies, monsieur Simenon, et que vous admirez notamment les Américains qui changent volontiers de job, alors que chez nous, c'est plutôt mal vu, comme si cela dénotait une certaine instabilité.

S. Oui, c'est vrai. J'ai eu plusieurs vies en une, si vous voulez. J'ai passé mon brevet de capitaine au cabotage, j'étais marin, je peux vous conduire en bateau n'importe où, je peux faire des épissures, je peux faire le point. Après ça, j'ai tenu une ferme, je me suis occupé de cent cinquante vaches, je faisais environ cinq cents canards par an, et j'ai appris à faucher. Je sais ce que c'est ; ça m'a pris un an ! Et peu de gens qui ne sont pas de la campagne savent faucher. Je sais traire aussi. Il n'y a qu'une chose que je ne sache pas bien faire, c'est tracer un sillon, mes sillons ne sont pas très droits : le travail à la charrue, ça m'a dépassé, je n'y suis pas arrivé. Mais je peux diriger une ferme demain, si vous voulez. J'ai fait de l'élevage de chevaux, j'avais toujours cinq ou six chevaux à l'écurie. Je suis cavalier, évidemment, puisque j'ai fait mon service militaire dans la cavalerie.

J'ai élevé des loups, j'ai élevé des mangoustes...

M. et H. Qu'est-ce qu'on fait des loups ?

S. Rien, leur élevage, c'est pour le plaisir.

J'ai essayé de faire tous les métiers, comme j'ai pratiqué tous les sports. Mais j'ai tout fait mal, car on ne peut pas tout faire bien.

M. et H. Nous voudrions revenir au problème de la réussite et de ses dangers. Nous sommes persuadés que vous avez réussi, à travers vos livres, à aider beaucoup d'êtres humains, peut-être pas à donner une solution à leurs problèmes, mais à les aborder de façon lucide, à les comprendre et à comprendre mieux leur prochain. Pour nous qui vous considérons comme le docteur Maigret, nous pensons que votre œuvre est une réussite de psychothérapie. Vous avez aidé les gens à supporter leur existence et même leur prochain.

S. Je voudrais retenir la dernière phrase : la seule chose dans laquelle un artiste, un écrivain peut aider le spectateur, le lecteur, c'est en ceci : chaque être humain a une partie d'ombre, une partie de lumière dont il a plus ou moins honte, dont il essaie de se dégager ou qu'il essaie de fuir un peu plus profondément. Il vit avec elle plus ou moins en paix, ça le travaille consciemment ou inconsciemment. Or, lorsqu'il voit un personnage qui lui ressemble, qui a les mêmes symptômes que lui, qui a les mêmes hontes, les mêmes luttes intérieures, il se dit : je ne suis donc pas le seul, je ne suis donc pas un monstre. Ça peut l'aider. J'ai voulu leur montrer que le petit drame qui se passe en eux, dont ils ont honte, dont ils n'osent parler à personne, ne leur est pas propre et que de nombreux êtres humains connaissent ces mêmes tourments. Des êtres qu'on peut aimer et qui peuvent avoir une place enviable dans la vie.

M. et H. Vous les aidez, vous les rassurez, en leur donnant par ailleurs une technique : celle de faire au cours d'une existence plusieurs fois le point. Ils ne sont plus seuls. Ce qui leur paraissait monstrueux et qu'ils hypertrophiaient, vous savez le rendre acceptable. C'est vraiment un rôle de psychothérapeute.

S. Je crois que tous ceux qui étouffent, qui veulent garder en eux ce conflit, ont plus de chance que d'autres de finir chez le psychiatre, car ça risque de déformer leur façon d'être et de comprendre. Je pense que ce que l'homme peut le moins supporter, c'est de perdre le respect de lui-même et ce qu'on peut faire de pire à un homme, c'est de l'humilier. Plutôt le tuer que l'humilier.

M. et H. Qu'entendez-vous par humilier ?

S. C'est le rejeter, le mettre en dehors, lui enlever la notion qu'il appartient à une communauté, qu'il est comme les autres. C'est précisément l'aliéné, l'intouchable, le pestiféré.

M. et H. Précisément, ce que nous admirons chez Maigret, c'est qu'il permet au criminel d'être réintégré dans la communauté en lui rendant le respect de lui-même. Maigret, qui représente la société, puisqu'il appartient au corps de la police, peut s'identifier à lui, le comprendre et l'aimer.

S. C'est vrai : Maigret est payé par la société pour arrêter le criminel qu'il ne juge jamais. J'ai gardé d'excellents contacts avec la police judiciaire à Paris ; de nombreux commissaires me racontent leurs histoires. Savez-vous que lorsqu'un criminel, après des heures d'interrogatoire, finit par avouer, il n'éprouve pas un sentiment d'humiliation, mais au contraire un sentiment de libération ? C'est un peu comme si on venait de lui arracher une dent : il est soulagé et remercie le commissaire, il lui en est reconnaissant. Des liens s'établissent entre le policier et le coupable. Au moment où existait la guillotine, un tiers des condamnés demandaient au commissaire d'assister à l'exécution. C'est ce lien qui s'est créé entre eux qui est la liberté. Je suis sûr que lorsque vous, médecins, vous enlevez le poids d'une hallucination à un malade, il doit aussi avoir ce sentiment de délivrance, cette reconnaissance, un peu dans le même genre de relation qu'on a avec son père.

M. et H. Il faudrait que les criminalistes comprennent cette psychologie.

S. S'ils la comprenaient, les tribunaux n'existeraient plus. Je crois à la fin des tribunaux d'ici une trentaine d'années. Il y a déjà un commencement. Aujourd'hui, un juge d'instruction peut établir le dossier personnel du prévenu qui comprend : 1. les rapports d'un praticien de médecine générale, à qui l'on peut montrer le prévenu autant de fois qu'on le désire ; 2. le rapport d'un psychiatre ; 3. le rapport d'une assistante sociale ; 4. le rapport d'un psychologue.

Ce dossier personnel n'existe que depuis trois ans en France. Il montre que les magistrats commencent à douter de leur aptitude à juger un homme. Auparavant, on jugeait le crime ; chaque crime avait son tarif : la mort, la perpétuité, vingt ans... D'où une sorte de jeu entre procureur, avocats, jury. C'est pourquoi, parfois, on faisait dire oui à une question où le non était évident. Aujourd'hui, ce dossier personnel, établi par des non-juristes, mais par des gens spécialisés dans l'étude de la personnalité, montre qu'on a personnalisé le crime, on juge la personnalité du criminel.

M. et H. Oui, mais la justice a un rôle à jouer. Le criminel doit comprendre que la société lui impute son crime. C'est une notion à laquelle il ne faut pas mêler celle de la responsabilité. Tel ou tel a-t-il commis tel ou tel crime ? Il faut répondre par oui ou par non. Il ne s'agit pas de le juger, mais bien de pouvoir affirmer que c'est lui qui a commis le crime. C'est ensuite qu'il faut savoir ce qu'on va faire de ce criminel et quel est son degré de responsabilité.

S. D'accord, mais pour décider de ce qu'on va faire du criminel, ce n'est plus le jury qui doit être en jeu, c'est-à-dire le garçon boucher, le papetier du coin, le retraité. Certains pays évolués comme le Canada étudient la transformation complète du système judiciaire. Dans quelques années, ce ne seront plus des magistrats et des jurés, mais des commissions comportant des médecins, des psychiatres et des psychologues qui jugeront ce qu'il faut faire du criminel.

M. et H. Ce qui va se passer, c'est ce que chaque lecteur de vos *Maigret* voudrait qu'il se passe : que ce soit finalement Maigret qui décide.

S. N'oubliez pas que le crime a été longtemps admis dans les sociétés, parfois même organisé. Si l'on ne tuait pas, on passait pour une lavette. L'épicier du coin, lorsqu'il est mobilisé, apprend à tuer selon les meilleures méthodes des commandos. Lorsqu'il est démobilisé, on lui demande de retourner dans son épicerie. Il n'a tout de même pas oublié l'enseignement. Pourquoi la criminalité a-t-elle augmenté ? Personne ne peut ou n'ose le dire. Elle a augmenté après l'affaire d'Algérie, depuis la guerre de Corée. On a fait des statistiques et l'on a ainsi suivi ce qu'étaient devenus les anciens de Corée aux Etats-Unis. La cruauté a été de mise à toutes les époques, on écartelait les criminels sous les yeux de la population. Voyez-vous, l'homme est l'animal le plus cruel de la création. Car il agit consciemment, il le fait exprès, et non pas par besoin. Lorsqu'un individu, par une combinaison de ses chromosomes, retrouve ses instincts, on parle de monstre ; là, je ne suis pas d'accord, et seuls les techniciens pourront émettre des jugements valables. Il y a des psychiatres américains qui étudient le phénomène de la violence individuelle et de la violence de masse.

M. et H. Avez-vous vu le film *Bonnie and Clyde* ?

S. Non.

M. et H. Vous y verrez un mélange de violence et de poésie, presque de pureté. Il est étonnant que le premier prix attribué à ce film ait été décerné par la Centrale catholique, alors qu'on s'était demandé si on n'allait pas interdire ce film. Le crime, en fait, c'est un passage à l'acte. Ce passage à l'acte, c'est ce dont vous, vous avez toujours voulu vous tenir à l'écart. Vous avez fantasmé la liberté et vous vous êtes toujours tenu en retrait. Etre libertaire et ne pas passer à l'acte, ne pas devenir un jour celui dont Maigret aurait à s'occuper.

S. Toute ma vie, j'ai eu une horreur physique de la violence ; il m'est pénible de voir un match de boxe à la télévision, et pourtant, j'ai un peu pratiqué ce sport. Je hais la cruauté, je suis incapable d'assister à une course de taureaux.

M. et H. Dans vos romans, il n'y a jamais de scène de violence, le crime est déjà réalisé, le cadavre est là.

S. Oui, c'est vrai, et pour une bonne raison. : qu'est-ce qu'un crime ? Vous avez un homme, il a quarante-cinq ans ; aujourd'hui dimanche, il est un homme comme les autres, appartenant à la communauté. Dans cinq minutes, ce même monsieur, pour une raison quelconque, qui n'est qu'une goutte d'eau, commet un crime et, du coup, il n'appartient plus à la communauté humaine, il devient un monstre. Or, il a vécu jusqu'à quarante-cinq ans comme un homme admis dans la société et, cinq minutes après, on le regarde avec dégoût, il ne fait plus partie de la société.

Je ne sais pas si vous avez assisté à beaucoup de procès d'assises, mais c'est impressionnant la solitude de cet homme entre deux gendarmes, il sait que plus personne ne le comprend. Personne ne parle plus le même langage que lui.

M. et H. C'est là où le rôle de l'expert est très ambigu, car le médecin établit tout de suite une relation avec le patient qu'il doit examiner. A ce moment, on l'aide, on lui fait du bien et l'on devient son médecin. Ensuite, contradiction, car, devant le juge, nous devons insister sur la responsabilité du criminel et tenir un langage juridique. Le criminel se demande alors pourquoi le médecin a tellement changé dans le cabinet du juge d'instruction.

C'est là où Maigret a un avantage : il est simplement amené à comprendre le criminel, pas à le juger ; il ne va pas l'« enfoncer ».

S. Je me suis rendu compte qu'il y avait une tricherie et que Maigret ne jouait pas son jeu jusqu'au bout ; notamment, Maigret n'était jamais témoin dans une affaire qu'il avait instruite. Alors, une fois, je l'ai fait venir aux assises, afin qu'une fois au moins, il voie ce que c'est, mais je me suis tout de suite rendu compte que c'était la partie qu'il détestait le plus.

M. et H. Vous avez écrit *Maigret aux assises* : c'est là qu'on voit que Maigret, c'est le psychiatre, le psychothérapeute, le médecin de son client. C'est là qu'il nous rend sensible ce rôle d'ambiguïté que la justice fait jouer à l'expert médical.

S. Chez l'accusé, il y a un trouble, il se demande pourquoi l'expert a changé d'opinion en moins de vingt-quatre heures. Il sent une sorte de trahison.

M. et H. Oui, mais l'un de nous, expert médical auprès des tribunaux, a vécu une expérience intéressante. Récemment, un criminel, condamné à vingt ans pour assassinat de sa femme, a eu une remise de peine pour conduite exemplaire lors d'incidents survenus dans l'établissement pénitentiaire où il se trouvait. Il a été libéré et il est venu nous voir, nous l'avons trouvé apaisé, tranquille, libéré, mûri, alors qu'il était relativement infantile au moment du crime. Cet homme va pouvoir repartir dans l'existence. Sa relation avec le médecin expert est restée très vivante pour lui et son premier souci en sortant du pénitencier a été de le revoir pour lui dire : docteur, je suis guéri.

Si nous, médecins experts, pouvons avoir la possibilité d'accéder à cette relation avec le criminel, c'est à vous, monsieur Simenon, que nous le devons, et nous vous devons donc beaucoup. C'est grâce à vous que nous avons compris ce qui pouvait se passer dans la tête d'un criminel et que nous avons pu démystifier le personnage du criminel. Mieux qu'aucun traité de psychiatrie, qu'aucune expérience vécue n'a jamais pu nous le montrer, c'est la relation Maigret-malade du médecin avec son patient que nous avons pu transposer, c'est ce qui nous permet de vous dire que le personnage du médecin, dans votre œuvre, c'est Maigret.

Honoré de Balzac
Portrait souvenir inédit
par Georges Simenon

Roger Stéphane et Roland Darbois présentent une émission intitulée : « Portrait souvenir : Honoré de Balzac par Georges Simenon », 1960.
Manuscrit daté par G. Simenon : Echandens, 30 janvier 1960.

Dédicace

On a dit que les auteurs qui, dans cette série d'émissions, évoqueront des maîtres du passé, ont choisi leur sujet selon leurs affinités.
Qu'on me permette, en guise de préface, de déclarer que je n'ai pas choisi Balzac, Stéphane l'a choisi pour moi, que je ne me crois aucun point commun avec le romancier de *La Comédie humaine*, sinon, peut-être, l'abondance. Je n'en ai pas moins cherché, humblement, tant bien que mal, à faire revivre un instant, le plus grand et le plus pathétique des créateurs et j'aimerais dédier ces images et ces propos à tous ceux, à toutes celles qui écrivent leurs romans par plaisir, par vanité ou dans l'espoir d'un gain facile, aux professeurs, aux hommes politiques, aux jeunes filles ou aux jeunes femmes mariées qui tiennent à nous faire part de leurs idées et de leurs petites expériences, à tous ceux aussi qui s'imaginent que le métier de romancier est un métier comme un autre.
Pussé-je leur montrer, à travers Balzac, que c'est, au contraire, une vocation, un renoncement, sinon une malédiction ou une maladie.

Georges Simenon

Balzac

20 mai 1799. Sieyès devient membre du Directoire. Bonaparte lève le siège de Saint-Jean-d'Acre et décide de revenir en France où il ne tardera pas à prendre le pouvoir.

Lamartine a huit ans ; Alfred de Vigny est un garçonnet de deux ans.

Dans une maison bourgeoise de Tours naît un enfant de sexe mâle, déclaré à la mairie sous le nom d'Honoré Balzac.

Son père, paysan du Tarn, est venu à pied, par étapes, jusqu'à Tours.

S'instruisant en route, il est devenu clerc de procureur, a changé son nom de Balssa en Balzac et il est maintenant un notable de la ville, assesseur au Juge de paix du canton, administrateur de l'Hospice général, Directeur des vivres de la 22e région militaire.

Il a cinquante-trois ans.

Sa femme n'en a que vingt et un et lui a déjà donné une fille. Elle sort d'un milieu moins fruste. Anne-Charlotte Sallambier est une Parisienne, née dans le quartier du Marais, d'une famille de riches marchands qui ont maintenant des charges officielles.

Elle a apporté en dot une ferme en Beauce et elle héritera plus tard de sa famille une centaine de milliers de francs or.

Il est beaucoup question d'argent dans la maison. On vend des terres pour acheter des titres, on vend des titres pour jouer à la tontine, on prête et on emprunte, en inscrivant soigneusement ces transactions dans un carnet.

Une autre fille naîtra dans un an.

Puis, quelques années plus tard, un fils que Mme Balzac aura, cette fois, non plus de son mari, mais du châtelain de Saché, M. de Margonne.

Aucun drame n'en résultera.

Il est vrai qu'à quatre-vingt-deux ans, M. Balzac père fera à son tour un enfant à une paysanne.

Celui qui vient de naître, ce 20 mai 1799, n'a, lui, que cinquante ans à vivre, cinquante ans qui lui suffiront pour créer un monde aussi réel que celui qui peuplait ce jour-là les rues de Tours. Ces rues ne sont plus les mêmes aujourd'hui. Les passants non plus.

Les deux mille trois cents personnages de Balzac, eux, vivent encore, vivront éternellement : Goriot, Rubempré, Rastignac, Gaudissart, Vautrin, la duchesse de Langeais, Eugénie Grandet, le cousin Pons, des financiers et des courtisans, des artisans et des grands seigneurs, des femmes du monde et des blanchisseuses...

Que ce soit aux Etats-Unis ou en Chine, ils ont fini par appartenir à la famille de chaque homme.

Qui était leur créateur ? Quel homme était-ce ? Quel témoignage nous reste-t-il de lui-même ?

Des lieux où Balzac a vécu ne subsistent que ceux qui ne lui appartenaient pas : le collège de Vendôme, où il a été malheureux, le château de Saché, propriété de l'amant de sa mère, où il se réfugiera dans les mauvais jours, entre autres pour écrire *Le Père Goriot* en trois jours, et une petite maison, à Passy, louée au nom de sa gouvernante à un moment où il était pourchassé par ses créanciers. Cette petite maison est devenue le musée Balzac.

De sa maison natale, détruite par un bombardement, nous n'avons plus qu'une photographie de la façade.

De sa maison mortuaire, un pan de mur aveugle avenue de Friedland.

De ses autres domiciles, rien, ou des façades creuses.

De ses objets personnels, quelques reliques disparates et dispersées : deux cannes, une tabatière, des bretelles, un gilet taillé dans une de ses robes de chambre, un encrier, un Christ, la fameuse cafetière qu'il accusait de le tuer.

On dirait que le temps a voulu effacer toute trace de sa vie privée.

Quant à son aspect, des peintres contemporains, des sculpteurs nous ont laissé des images nombreuses de l'auteur de *La Comédie humaine*. Certaines sont évidemment flattées, d'autres méchamment grotesques. La moins décevante est sans doute cette statue due à un homme d'un génie égal au sien, le Balzac de Rodin, qui se dresse au milieu de la foule parisienne. On lui a reproché de n'avoir pour ainsi dire pas de visage, de n'être qu'un bloc de pierre qu'on dirait mû d'une sourde énergie. Rodin avait peut-être compris que l'homme, chez son modèle, ne comptait pas, qu'il avait moins d'importance que les personnages sortis de sa plume ?

*

Sur Balzac écrivain, on a écrit des centaines d'ouvrages.

Sur l'homme Balzac, nous ne savons à peu près rien.

Il est courtaud, sanguin, débraillé, hâbleur. Il rit d'un gros rire à ses plaisanteries égrillardes et une grande dame de ses amies lui reprochait de manger avec son couteau.

Il ment, il triche, se vante, pleure sur lui-même puis, resté seul, la nuit, entre quatre murs, écrit d'affilée quarante pages immortelles.

Des témoins parlent du feu génial de son regard, d'autres de son ingénuité, voire de sa naïveté enfantine.

Il est partout dans ses livres et il n'y est nulle part.

On dirait que le monde qu'il a créé le dépasse et l'écrase, et parfois on pourrait croire qu'il est jaloux de ses propres personnages.

Les psychologues modernes sont à peu près d'accord, aujourd'hui, pour admettre que la période pendant laquelle l'homme absorbe le monde extérieur est assez courte. La plupart la fixent à dix-huit ans, quelques-uns à seize, certains plus tôt encore.

Ainsi donc, mettons à dix-huit ans, l'être humain s'est nourri d'impressions, de sensations, d'images, d'observations involontaires qui l'ont peu à peu façonné. C'est sur cet acquis qu'il vivra désormais. Ce sont ces matériaux qu'il utilisera dans la suite de son existence.

L'importance des premières années ne doit-elle pas être encore plus grande chez l'artiste, chez le créateur ?

On prétend d'autre part que le romancier type est un être qui n'a pas aimé sa mère ou encore qui n'a pas connu l'amour maternel.

Cette affirmation peut paraître gratuite à première vue. Pourtant le besoin de créer d'autres hommes, de tirer de soi une foule de personnages différents, viendra-t-il à un homme heureux, harmonieusement fondu dans un petit monde à sa mesure ?

Pourquoi s'obstiner à vivre la vie des autres si l'on est soi-même rassuré et sans révolte ?

Or, la quiétude n'est-elle pas donnée à l'enfant par l'amour maternel et par l'amour pour la mère ?

Balzac, encore vagissant, quitte la maison bourgeoise de Tours où une mère jeune, jolie, coquette, ambitieuse n'a pas le temps de s'occuper de lui.

On l'emporte à la campagne, à Saint-Cyr-sur-Loire, chez la femme d'un gendarme, où l'année suivante, en 1800, sa sœur Laure viendra le rejoindre.

Ils y resteront plus de quatre ans, quasi orphelins. Leur mère ne viendra les voir qu'une seule fois.

Balzac écrira plus tard, dans *Félix de Vandenesse* : « Mis en nourrice à la campagne, oublié par ma famille, je comptais pour si peu de chose que j'excitais la compassion des gens. »

Quelle famille va-t-il découvrir à Tours ? Mme Balzac voit tout, dirige tout, est partout, débordante de vitalité malgré une santé précaire, des vapeurs et des évanouissements.

Enfermé des jours entiers dans son bureau, son mari s'intéresse aux questions les plus diverses, aux sciences, à la médecine comme à la politique. Il écrit, entre autres une histoire de la rage et un « *Mémoire sur les moyens de prévenir les vols et les assassinats et de ramener les hommes qui les commettent aux travaux de la société, et sur les moyens de simplifier l'ordre judiciaire* ».

Il veut vivre cent ans.

En 1807, Honoré a huit ans. C'est un garçon balourd et maladroit qu'on va mettre comme pensionnaire au collège des Oratoriens de Vendôme, devenu aujourd'hui le lycée Ronsard.

La discipline y est sévère. On lit sur le registre de l'entrée :

« N° 460. Honoré Balzac a eu la petite vérole : caractère sanguin, s'échauffant facilement et sujet à quelques fièvres de chaleur. »

Son humeur est instable, ses colères brutales.

C'est un élève médiocre, renfermé, qui ne partage guère les jeux de ses camarades et dont les maîtres se plaignent de ne rien pouvoir tirer. D'après l'ancien directeur de l'établissement, il était enfermé quatre jours par semaine au moins, sauf par temps de gelée, dans la loge pratiquée sous l'escalier et qui servait de cachot. C'est cette loge qu'on appelait l'alcôve. Il écrit à l'âge de dix ans, et c'est la première lettre que nous ayons de lui :

« Ma chère maman,

« Je pense que mon papa a été désolé quand il a su que j'ai été à l'alcôve. Je te prie de le consoler en lui disant que j'ai eu un accessit. Je n'oublie pas de me frotter les dents avec mon mouchoir. J'ai fait un chayer [cahier] où je recopie mes chayers nettement, et j'ai des bons points, et c'est de cette manière que je compte te faire plaisir. Je t'embrasse de tout mon cœur, et toute la famille, et les messieurs de ma connaissance. Voici les noms de ceux qui ont eu des prix et qui sont de Tours : Bois-le-Compte. Je ne me rappelle que de lui.

« Balzac Honoré, ton fils soumis et affectionné. »

Il passe six ans à Vendôme. Les Oratoriens ne connaissent pas les vacances.

Sa mère, en six ans, viendra le voir deux fois.

Quand il a quatorze ans, il quitte le collège. S'il est vrai que l'homme n'absorbe le monde extérieur que jusqu'à seize ou dix-huit ans, il n'en a plus pour longtemps à accumuler des matériaux.

Quatre ans de nourrice. Quatre ans à Tours, moins souvent dans sa famille qu'à l'école Legay qu'il déteste. Six ans à Vendôme, humilié de son peu de succès, de sa paresse, de son physique épais, humilié plus encore d'être l'élève que ses parents ne viennent jamais voir.

Par chance, la maladie va le tirer de là. Son teint est devenu cireux, ses joues se sont creusées. Souvent, en classe, il tombe dans une torpeur physique et mentale qu'il appelle ses « comas ».

A la fin du deuxième trimestre, le 22 avril 1813, le collège demande à la famille de venir reprendre cet élève mal ajusté et la grand-mère Sallambier, qui se trouve à Tours lorsqu'il y arrive, s'écrie en le regardant des pieds à la tête : « Voilà comment le collège nous les rend ! »

*

Ses sœurs prétendront plus tard que, dès cette époque, alors qu'il se retrempait au grand air, il lui arrivait de leur dire : « Petites, vous verrez qu'un jour on parlera de votre frère Honoré comme d'un grand homme. Vous verrez... vous verrez... »

Faut-il y voir un pressentiment, la conscience de sa valeur ? N'est-ce pas plutôt que, honteux de sa médiocrité, il n'avait pas d'autre issue que de faire de grandes choses ?

Quoi ? Il n'en savait rien. S'illustrerait-il dans la politique, dans la finance, le commerce ou par un brillant mariage, il ne se posait sans doute pas encore la question. Mais il se la posera fort sérieusement par la suite.

En tout cas, rien ne permet de dire qu'il pense à la littérature.

Une autre étape de sa vie commence. Son père est nommé directeur des vivres à Paris.

La famille s'installe 40, rue du Temple, dans ce Marais où Mme Balzac est née et où vivent encore tous les Sallambier.

Honoré change d'école une fois de plus, entre à la pension Lepitre. Il y est un élève aussi médiocre qu'à Tours. Il y est aussi malheureux. Et, si ses parents habitent à deux pas, sa mère ne le voit guère que pour lui adresser des remontrances et des reproches.

Faut-il s'étonner si, toute sa vie, il va rechercher des femmes plus âgées que lui, des femmes vraiment maternelles, douces et indulgentes, capables, non seulement de l'aimer, mais de l'admirer ?

A part sa sœur Laure, personne ne l'admire, personne ne croit en lui, ne s'intéresse à lui, sinon pour en rire.

En deux ans, il va obtenir le certificat qui tenait lieu alors de baccalauréat et le voilà presque un homme. Il a dix-sept ans. Il est toujours balourd, *sans vocation précise, sans talent particulier.*

Parce que sa famille l'exige, il fera son droit, tout en travaillant dans une étude de notaire.

Il a commencé à bouquiner sur les quais, dévorant indistinctement tout ce qui lui tombe sous la main.

Est-ce, enfin, l'indice d'une vocation ? Malgré la discipline que sa mère lui impose, malgré l'emploi du temps qu'elle établit et qu'elle surveille à la minute, il se met à suivre en outre les cours de la Sorbonne.

On lui connaît peu d'amis, pas d'intimes. Ses camarades l'appellent *l'éléphant.* Sa première leçon de danse finit tragiquement par une chute sur le parquet.

De sa vie, il ne dansera plus.

Trois années de travail, de discipline, avec, en compensation, les rues de Paris, les quais de la Seine, un monde grouillant autour d'un garçon qui a presque toujours vécu en pension.

Il a vingt ans. Il vient d'obtenir sa licence en droit. La famille a des difficultés d'argent et se réfugie à la campagne.

Avant de déménager, on discute de la carrière d'Honoré et on décide qu'il sera notaire.

C'est avec stupeur qu'on le voit, lui, l'éléphant toujours soumis, s'insurger contre cette décision et annoncer qu'il sera poète.

Si la famille se hérisse, son père, qui a maintenant soixante-quatorze ans et qui n'a jamais osé tenir tête à sa femme, prend son parti.

Tout au moins propose-t-il un compromis : Honoré aura deux ans pour faire ses preuves. Il restera seul à Paris, dans une mansarde, avec une pension juste suffisante pour ne pas mourir de faim. Au bout de deux ans, à la façon des Compagnons du Tour de France, il viendra présenter son chef-d'œuvre.

Si celui-ci est raté, ce sera l'étude de notaire.

Mais Balzac n'envisage même pas cette éventualité.

Il est libre ! Il habite une mansarde, rue Lesdiguières, et sa mère n'est plus là pour lui demander son emploi du temps.

Que va-t-il écrire ? Il hésite entre un drame en cinq actes, un roman historique ou un opéra comique.

Seul dans Paris, il est gai, pour la première fois de sa vie. Ses lettres à sa sœur Laure sont plaisantes, enjouées.

« Je me suis enfin arrêté au sujet de *Cromwell.*

« Frémis, chère sœur : il me faut au moins sept à huit mois pour versifier, et inventer, et plus encore polir...

« Quelle forte tête il faut ! Et l'ai-je comme il faut, la mienne toute fêlée, meurtrie de maux de dents affreux ! Plains-moi ! Envie-moi ! Pense à moi ! Et ne me plains cependant pas trop. [...]

« Je vis un peu comme Curius — noix — poires — pain — je suis un petit saint. [...]

« Ne dis rien à ma chère bonne mère de mes travaux nocturnes. Je suis décidé, dussé-je crever, à venir à bout de *Cromwell*, et à finir quelque chose avant que maman ne me vienne demander compte de mon temps. »

Va-t-il se contenter d'être poète ? La suite de la même lettre nous permet d'entrevoir d'autres ambitions.

« Si je suis un *gaillard* (c'est ce que nous ne savons pas encore), je puis avoir autre chose que la gloire littéraire. Il est beau d'être un grand homme et un grand citoyen. Tu sais, si les richesses me tentent, je ne les aime que comme moyen de gloire de plus, celle qu'on a en "fesant" le bien, et rendant tout ce qui nous entoure heureux. Rien, rien que l'amour et la gloire ne peut remplir la vaste place qu'offre mon cœur dans lequel tu es logée convenablement. »

Quelles folies va faire ce jeune homme de vingt ans qui, pour deux ans, n'a aucun fil à la patte ?

On ne le voit ni dans les théâtres ni dans les cafés ; il ne prend pas de maîtresse, n'a aucune liaison et il semble bien qu'il n'ait jamais eu recours aux filles faciles qui foisonnent sous les galeries du Palais-Royal.

Une folie, il en fera une, pourtant, la même, en somme, qu'il répétera toute sa vie.

Il est pauvre. Il n'a pas de quoi se chauffer. Il n'en écrit pas moins à sa sœur :

« Tu veux, ma chère sœur, des détails sur mon emménagement et ma manière de vivre. En voici !

« J'ai répondu à maman elle-même sur les achats ! Mais tu vas frémir, c'est bien pis qu'un achat, j'ai pris un domestique !...

« — Un domestique, mon frère ? Y penses-tu ?

« Celui de M. Nacquart se nomme Tranquille, le mien se nomme Moi-même. Lorsque je suis éveillé, je sonne Moi-même, et il fait mon lit.

« — Moi-même !

« — Quoi, Monsieur ?

« — J'ai été piqué cette nuit, regardez s'il y a des punaises.

« — Monsieur, il n'y a point de punaises.

« — Bon.

« Il se met à balayer ! Mais il n'est guère adroit.

« — Mais ne faites donc pas tant de poussière !

« — Mais, Monsieur, je n'en vois pas.

« — Allons, taisez-vous, raisonneur !

« Et il se tait. Mais c'est charmant, un domestique comme cela. »

Cette euphorie ne dure guère et il écrira bientôt :

« Avec cela, génie ou sans génie, je me prépare des chagrins. Sans génie, je suis flambé. Il faudra toute ma vie sentir les désirs, n'être qu'un homme médiocre, me rejeter sur la fortune. Que de soins ! Que de peines ! Si j'ai du génie, je me vois d'avance, errant, persécuté, sans asyle, martyr de Dame Vérité, mais Mademoiselle la Gloire me récompensera. Ce sera un mouchoir de poche qui essuyera bien mes pleurs. »

Est-il tout à fait sincère ? Ne commence-t-il pas à dessiner un personnage qu'il jouera maintes fois, toujours devant les femmes, avec des retouches, des variantes, selon le caractère de chacune ?

Enfin, il protégeait Laure, dont il se sentait le grand frère. Il ne tarde pas à la mettre à contribution, l'attendrissant quand il le faut, lui réclamant maints services, des recherches pour sa documentation, l'incitant à « démacquer », comme il dit, c'est-à-dire à chiper à leur père un Tacite dont il a besoin.

Sa tragédie terminée, il la soumet comme convenu au conseil de famille à nouveau réuni et curieusement, c'est à sa mère qu'il a demandé de recopier le manuscrit.

Tout le monde écoute, dans un silence navré, et quand son beau-frère, pour le sauver, propose de soumettre l'œuvre à un arbitre,

Andrieux, professeur au Collège de France, le verdict de cet expert est catégorique :
« Faire quoi que ce soit, hormis de la littérature. »
Laure se marie. Honoré obtient de son père de faire un nouvel essai, retourne à Paris, décide que, n'étant pas fait pour la tragédie, il sera romancier, comme Walter Scott.
A la campagne, il a fait connaissance de deux femmes.
La première, Zulma Carraud, n'a que trois ans de plus que lui. Elle est mariée. Balzac deviendra l'ami du ménage. Entre lui et Zulma, il n'y aura, jusqu'à sa mort, qu'une amitié affectueuse.
La seconde femme, elle, le premier amour de Balzac, a quarante-trois ans, l'âge de sa mère. Elle s'appelle Laure de Berny. Elle est riche. Elle a neuf enfants.
Balzac en tombe amoureux. Ils ont des rendez-vous au clair de lune.
Leur liaison continuera avec des hauts et des bas, jusqu'à la mort de Mme de Berny, en 1836.
Celle-ci a bien compris de quoi Balzac a besoin. Elle lui écrit :
« Vous êtes une fleur venue sur du fumier, vous êtes un œuf d'aigle couvé par des oies. »
Il a vingt et un ans.
Il écrit deux romans, *Sténie* et *Falhurn*, qu'il ne signe pas de son nom. L'allégresse de ses premiers mois à Paris s'est dissipée. Il écrit à sa sœur, le 15 août 1821 :
« J'avais l'espoir de devenir riche à coups de romans. Quelle chute ! Pourquoi faut-il que je n'aie pas mille cinq cents livres de rente, pour pouvoir travailler d'une manière glorieuse ! Enfin il faut s'indépendantiser, et je n'ai que cet ignoble moyen-là ! Salir du papier et faire gémir la presse. [...]
« Je n'ai que deux passions : l'amour et la gloire, et rien n'est encore satisfait, et rien ne le sera jamais ! »
Ce ton-là, nous le retrouverons désormais dans toutes ses lettres : l'argent, la gloire, l'œuvre à écrire.
Mais ce n'est pas toujours l'œuvre qu'il met en première place. Il écrira dans quelques semaines :
« Depuis hier, j'ai renoncé aux douairières, et je me rabats sur les veuves de trente ans. Envoyes toutes celles que tu trouveras à mon

adresse à Paris, cela suffit, il est connu aux barrières ! *Nota* : les envoyer franches de port, sans fêlure ni soudure ; qu'elles soient riches, aimables ; pour jolies, on n'y tient pas... Le vernis passe et le fond du pot reste ! »

Il prend dès à présent la dangereuse habitude de signer des contrats pour des œuvres dont il n'a même pas le titre, de toucher une avance ou des traites avec promesse de livraison à une date déterminée.

Ainsi met-il le doigt dans un engrenage où il ne tardera pas à passer tout entier.

On peut se demander si, sans y être forcé par ses engagements et parfois par les tribunaux, il aurait trouvé la prodigieuse énergie nécessaire à son œuvre. Personnellement, j'en doute.

Rien ne lui vient en aide. Rien ne lui est favorable. Quoi qu'il écrive, tout échoue. A vingt-cinq ans, il piétine encore, cherche désespérément une issue, n'importe laquelle.

Puisque la littérature ne lui a pas apporté l'argent et la gloire, c'est la faute aux éditeurs. Il se mettra donc éditeur à son tour.

Sa famille l'encourage, place même des fonds dans l'affaire. Mme de Berny aussi. Une société se constitue pour l'édition en un seul volume in-8° des œuvres de La Fontaine, après quoi ce sera le tour de Corneille, puis de Racine, et d'autres classiques.

C'était, cent ans avant, la collection de la Pléiade.

Cent ans trop tôt, puisque l'entreprise a échoué, laissant Balzac avec de lourdes dettes.

Cela ne suffit pourtant pas pour qu'il renonce aux affaires. L'édition ne lui a pas réussi parce qu'il lui manquait sa propre imprimerie ?

Il en achète une, publie un certain nombre d'ouvrages, entre autres une œuvre de lui, composée à la hâte : *L'Art de payer ses dettes et de satisfaire ses créanciers sans débourser un sou.*

Hélas, cet art-là, il ne le connaît qu'en théorie. L'imprimerie marche mal. Il y adjoint une fonderie qui marche plus mal encore, emprunte à Mme de Berny, tape encore sa famille, refait faillite, se retrouve avec des dettes de plus en plus impressionnantes.

Des dettes, des romans, des affaires malheureuses, des dettes encore, puis des romans, payés d'avance, qu'il faut finir coûte que coûte, ce sera son lot désormais.

Il emprunte, signe des contrats pour rembourser, s'enferme pour écrire, rêve d'un miracle, d'un mariage mirobolant, d'un triomphe politique qui le mettrait enfin à flot, une fois pour toutes, et lui permettrait... lui permettrait quoi ? D'écrire ou de ne plus écrire ?

On se le demande. Il se le demande lui-même.

« L'imprimerie m'a tout pris, il faut qu'elle me le rende. Honoré, ma chère sœur, est un étourdi criblé de dettes sans avoir fait une seule bamboche. En ce moment, il est en prison dans son cabinet et il a un duel sur le corps. Il faut qu'il tue une bonne demi-rame de papier et qu'il la couvre d'une encre assez passable pour pouvoir mettre sa bourse en joie et en liesse.

« Je te quitte pour aller au Père-Lachaise faire des études de douleur comme tu faisais des études d'écorchés. J'ai quitté le Jardin des Plantes parce qu'il était trop triste, me voilà revenu au Père-Lachaise où j'ai biffé de grosses réflexions.

« Sacredieu, je crois que la littérature est par le temps qui court un métier de fille des rues qui se prostitue pour cent sous. Cela ne mène à rien et j'ai des démangeaisons d'aller vaguer, chercher, me faire drame vivant, risquer ma vie. [...]

« Je vais observer les mœurs des faubourgs, les habitants et leurs caractères. Aussi mal vêtu que les ouvriers, indifférent au décorum, je ne les mets point en garde contre moi ; je peux me mêler à leurs groupes, les voir concluant leurs marchés et se disputant à l'heure où ils quittent leur travail. [...]

« Comment je vis ? Quand je ne puis écrire je fais mes manuscrits, quand je ne fais pas mes manuscrits j'y pense, je ne me repose jamais. Je finirai par fermer mes oreilles aux reproches parce que j'ai la conscience de ce que je fais ; avoir tous les chagrins de mes travaux d'artiste et ceux que me font mes embarras et mes affaires, c'est à quitter la vie.

« Serai-je aussi vivant ou avec ma raison en 1836, j'en doute. Parfois il me semble que mon cerveau s'enflamme, je mourrai sur la brèche de l'intelligence. [...]

« Il s'est fait, depuis trois mois, un grand changement en moi, l'ambition a disparu, je ne veux plus entrer aux affaires par la députation et le journalisme, ainsi mes efforts vont tendre à me débarrasser de la « Chronique de Paris ». D'ici deux ans, je vais tâcher de m'ouvrir à coups de canon la porte de l'Académie car les académiciens peuvent devenir pairs et je tâcherai de faire une assez grande fortune pour arriver à la Chambre Haute et entrer dans le pouvoir par le pouvoir même. [...]

« Chez moi, l'observation est déjà devenue intuitive ; elle pénètre l'âme sans négliger le corps ; ou plutôt, elle saisit si bien les détails extérieurs qu'elle va sur le champ au-delà ; elle me donne la faculté de vivre de la vie de l'individu sur laquelle elle s'exerce, en me permettant de me substituer à lui comme le derviche des *Mille et Une Nuits* prend le corps et l'âme des personnes sur lesquelles il prononce certaines paroles.

« Lorsque je rencontre un ouvrier et sa femme revenant ensemble de l'Ambigu-Comique, je m'amuse à les suivre depuis le boulevard du Pont-aux-Choux jusqu'au boulevard Beaumarchais. Ces braves gens parlent d'abord de la pièce qu'ils ont vue ; de fil en aiguille, ils en arrivent à leurs affaires ; la mère tire son enfant par la main sans écouter ni ses plaintes ni ses demandes ; les deux époux comptent l'argent qui leur sera payé le lendemain, le dépensent de vingt manières différentes...

« En entendant ces gens, je peux épouser leur vie, je me sens leurs guenilles sur le dos, je marche les pieds dans leurs souliers percés, leurs désirs, leurs besoins, tout passe dans mon âme et mon âme passe dans la leur. [...]

« Effroyable tourment dont il m'est impossible de vous écrire un seul mot, ce serait souffrir deux fois : j'ai été sur le point de manquer de pain, de bougies, de papier, j'ai été traqué comme un lièvre par les huissiers, je suis seul et abandonné. Ma mère meurt de chagrin de tout ceci mais je suis seul dans le secret de l'avenir : je vois d'ici deux mois des événements qui s'avanceront dans cette difficile carrière de ma libération.

« *La Comédie humaine* va enfin se dresser, belle, bien corrigée, à peu près complète : ceci est une affaire qui à elle seule peut me payer mes dettes mais je n'y compte pas, je ne compte que sur ma plume et des œuvres nouvelles. J'ai pendant cette année écrit trente mille lignes aux journaux, je vais en 1842 en écrire cinquante mille et si je puis en tirer trois francs la ligne, elles paieront mes dettes. J'ai écrit cette année en tout seize volumes, j'ai passé plus de deux cents nuits, et il faut recommencer à reconquérir ma liberté. »

*

A peine lancé, il fréquente les salons, écrit dans les journaux, trouve le temps aussi de commencer les *Scènes de la vie privée.*

En une année, il écrit : *La Maison du chat qui pelote*, *La Paix du ménage*, *Le Bal de Sceaux*, *Un épisode sous la Terreur*, *Une passion dans le désert*...

L'année suivante, *La Peau de chagrin* est un nouveau succès et il devient un dandy, achète chevaux et tilbury, entretient des domestiques en livrée.

Entiché de noblesse, il reprend la particule dont son père s'était paré avant la Révolution et, faute d'armoiries familiales, s'approprie celles des Balzac d'Entragues, à qui rien ne le lie, et les surmonte d'une couronne de marquis. Car Vigny est comte, Hugo vicomte.

Il a une nouvelle idée, la vente des livres par abonnement annuel, qui va faire long feu, mais qui n'en est pas moins aujourd'hui à la base de tous les clubs du livre.

Il a adopté, chez lui, le frac blanc imité de Napoléon. Sa vaisselle d'argent est timbrée à ses armes. Ses costumes sortent de chez Brisson, le tailleur des dandys à la mode.

Il écrit à Zulma Carraud :

« Croyez bien que, si j'ai voulu vivre de la vie du siècle, au lieu de passer heureux et obscur, *c'est que précisément, le bonheur pur et médiocre m'a manqué.* »

Il vit dans un tourbillon, met à contribution tous ceux sur qui il peut compter.

Sa sœur doit lui acheter tel tissu, rechercher tel vase ; Mme de Berny est presque sa servante. Quant à sa mère, veuve à présent, qu'il ne semble plus détester, il l'envoie emprunter de l'argent à sa place.

Il la charge même de délicates négociations au sujet d'un mariage qui ne se fait pas.

Ainsi, à trente-trois ans, alors qu'il vient, dans l'année, de publier huit ouvrages et qu'il va écrire *Le Père Goriot*, on pourrait croire qu'il cherche encore sa voie. Il veut la gloire, certes. L'argent aussi. Mais comment ? La littérature ? La politique ? Le journalisme ? Le théâtre ? Un beau mariage ou la grosse affaire ? Il ne sait pas. De son œuvre, il n'en est pour ainsi dire pas encore question.

C'est cette année-là aussi qu'il reçoit la première lettre d'une admiratrice polonaise, Mme Hanska, qui, peu à peu, sans qu'il cesse de s'appuyer sur les quatre autres femmes, jouera, dans sa vie, un rôle de premier plan.

Il a vendu ses tilburys, licencié ses domestiques. Les hauts et les bas continuent à se succéder, les espoirs et les découragements.

« J'ai des orages affreux, dans le secret desquels il n'y a personne. Je n'ai pas de distractions. Rien ne rafraîchit cet embrasement, qui s'étend et me dévorera peut-être [...].

« Il n'y aura donc pas de femme pour moi dans le monde ? Mes mélancolies et ennuis physiques deviennent plus longs et plus fréquents. »

Cent fois, dans sa correspondance, on retrouve la même plainte, la même affirmation qu'il a sacrifié l'amour à son œuvre.

Cent fois aussi il répète qu'il est chaste. Il se donne la peine d'expliquer à plusieurs reprises que la chasteté est indispensable au développement d'une grande intelligence.

Les mots tendresse, pureté, indulgence reviennent aussi souvent sous sa plume que l'expression « âme angélique ». De sensualité, de sexualité, pas un mot. Pas un mot non plus dans sa correspondance avec Mme de Berny, indiquant avec netteté qu'il y aurait autre chose entre eux que des baisers et d'assez chastes étreintes.

Tout récemment, un médecin de Genève, le docteur Michel Folman, s'est efforcé, d'après cette correspondance, d'établir un diagnostic médical de Balzac, comme il l'avait fait précédemment pour d'autres auteurs.

Dans un ouvrage paru voilà deux mois, il émet l'hypothèse que le romancier était atteint de troubles endocriniens connus depuis trente ans sous le nom de maladie de Cushing. Les principaux symptômes cliniques en sont : fatigabilité, névralgies, migraines, arrondissement de la face, adiposité excessive, localisée surtout au tronc, *buffalo neck*, autrement dit cou de taureau, troubles du caractère, troubles psychiques et enfin troubles génitaux qui peuvent aller jusqu'à l'impuissance totale ou intermittente.

Le docteur Folman a été frappé par certains traits physiques de Balzac, son cou de taureau, son corps puissant en apparence mais qu'il dit lui-même sans muscle, ses évanouissements, dès le collège, ses plaintes toute sa vie. Il a recherché des textes révélateurs.

« Je n'ai jamais autant souffert de la tête. »

« C'est un enfer de douleur. »

« La violence du mal m'a fait interrompre ma lettre. »

« C'est une horrible souffrance que celle qui n'a de siège nulle part et qui est partout, qu'on ne peut pas la décrire et qu'elle vous attaque le cœur et le cerveau. »

Plus tard, ses nerfs le harcèlent. Il écrit :

« Le cerveau est voilé [...]. Je perds parfois le sens de la verticalité, qui est dans le cervelet. Même dans mon lit, il me semble que ma tête tombe à gauche et à droite et je suis, quand je me lève, emporté par un poids énorme, qui serait dans la tête. »

A trente-quatre ans :

« Mes mélancolies et mes ennuis physiques deviennent plus longs et plus fréquents. »

Une autre fois, il confie aux Carraud ;

« Je craignais la folie. »

A trente-huit ans :

« Mon esprit détraqué m'a conduit vers les eaux très fréquentées du suicide. J'en suis arrivé à un point où je ne regrette plus la vie. »

Ce n'est pas seulement dans les lettres à ses quatre correspondantes qu'il gémit pour se faire consoler.

Ce gros homme au visage fleuri, à la lèvre gourmande, au verbe haut, que tout le monde prend pour un colosse, pleure souvent. Il l'avoue.

« La moindre contrariété me fait pleurer. »

« Je pleure constamment quand je suis seul, comme un enfant. »

« Mes yeux se remplissent de larmes sans cause ni raison. »

Il se croit en butte à une conspiration :

« Tout ce qui tient une plume me hait et me persécute. »

« Je ne veux plus aucune accointance avec qui que ce soit de la littérature. »

« Tous mes malheurs sont venus de ma mère ; elle m'a ruiné, par calcul et plaisir. »

Et, à Mme Hanska dont il espère faire sa femme :

« Si vous saviez ce qu'est ma mère ! C'est à la fois un monstre et une monstruosité. Elle me hait pour bien des raisons. »

Quant à sa chasteté, Théophile Gautier, qui a été son ami, écrit dans ses souvenirs :

« Il nous prêchait une étrange hygiène littéraire. Il fallait nous cloîtrer et surtout vivre dans la chasteté la plus absolue. Il insistait beaucoup sur cette dernière recommandation. Toute la concession qu'il pût nous accorder fut de voir la personne aimée une demi-heure chaque année ; en revanche, il permettait les lettres. Cela formait le style. »

Balzac était-il atteint du mal de Cushing ? C'est évidemment impossible à affirmer après plus d'un siècle.

En tout cas, cela rendrait encore plus pathétique la lutte quotidienne de l'écrivain contre son corps d'éléphant. Une impuissance partielle ou intermittente n'expliquerait-elle pas aussi son attitude vis-à-vis des femmes qu'il a aimées ?

Je me demande même si un tel mal, un tel handicap, n'expliquerait pas enfin son besoin d'une revanche, son besoin de gloire, d'argent, de puissance, et, quand il s'est rendu compte de son génie, sa volonté de créer un monde à lui seul, le monde de *La Comédie humaine*.

L'idée de cette fresque monumentale ne lui viendra d'ailleurs qu'assez tard, à quarante-deux ans. Et, pour la mener à bien, il faudra, comme il le répète si souvent, sacrifier sa vie privée, son bonheur personnel.

« Vous ne vous figurez pas ce que c'est que *La Comédie humaine*. C'est plus vaste, littérairement parlant, que la cathédrale de Bourges architecturalement. » On pourrait dire que, pour nous laisser cette œuvre, Balzac a été obligé de rater sa vie.

« Je les hais, les romans, surtout les romans à finir. »

« Hier, il m'a été impossible d'écrire une ligne. »

« Je suis sans âme ni cœur. Tout est mort. Je mourrai épuisé. Je mourrai de travail et d'anxiété, je le sens. Ecoute, non seulement le cœur et l'âme sont attaqués, mais je te le dis bien bas, je perds la mémoire des substantifs. »

De l'âge de trente et un ans, lorsqu'il connaît son premier succès avec *Les Chouans* et surtout avec *La Physiologie du mariage*, jusqu'à sa mort, à cinquante et un ans, on va le voir courir l'Europe, écrire, voyager encore, se cacher en province, à Saché ou ailleurs, à Paris, bâtir « Les Jardies », acheter des meubles, des tableaux, engloutir des fortunes qu'il regagne partiellement à coups de pages noircies pour les engloutir à nouveau. Six à huit romans par an, malgré les jours et les nuits de diligence, Genève, Aix-les-Bains, Rome, Naples, Vienne, la Pologne et la Russie trois ou quatre fois, où il poursuit son rêve d'épouser coûte que coûte la femme noble et riche dont il a décidé de faire sa femme.

Mme Hanska est mariée.

Balzac attendra. En 1839, ses dettes atteignent leur chiffre maximum : 233 620 francs-or de l'époque.

Hugo entre à l'Académie. Balzac s'y présente mais doit se retirer devant la candidature de Vigny.

Hugo est nommé Pair de France.

Balzac se présente en vain à la députation. Ce n'est ni la première fois ni la dernière.

Mme Hanska devient veuve. Balzac se précipite à Saint-Pétersbourg où elle ne se montre pas décidée à l'épouser.

A son retour à Paris, le docteur Nacquard le soigne pour une inflammation des méninges.

Il écrit *La Duchesse de Langeais*, *L'Illustre Gaudissart*, *Eugénie Grandet*, *César Biroteau*, *Splendeurs et misères des courtisanes*, *Le Curé de Tours*, *Le Lys dans la vallée*, des dizaines de romans encore...

Il s'est essayé au théâtre et chaque essai s'est terminé en catastrophe.

Eugène Sue, au même moment, publie *Les Mystères de Paris* et c'est de lui que tout le monde parle, c'est lui aussi que les maîtresses de maison placent à leur droite.

C'est pourtant *La Comédie humaine* qui s'édifie, pierre sur pierre, mais combien de ses contemporains en ont-ils conscience ?

Quant à lui, à lire sa correspondance, on retire l'impression qu'il n'a plus que deux buts dans la vie, deux idées fixes qui tournent peu à peu à la hantise.

Son œuvre d'une part.

D'autre part son mariage qui devient pour lui un symbole, le symbole du succès, de la paix, de la vie enfin assurée.

Mme Hanska est grasse, malade, acariâtre. Peu importe.

Balzac la poursuit de ses lettres et traverse l'Europe en diligence pour la voir.

A chaque voyage, il semble gagner du terrain. Mais, chaque fois, un nouvel obstacle se dresse. La fille est fiancée. Elle se marie et le gendre a son mot à dire. La famille s'en mêle et jusqu'aux lois de la Russie impériale qui obligent la femme épousant un étranger à vendre ses terres dans les six mois.

On consulte des avocats.

Mme Hanska dit oui.

Puis elle dit non.

Les années se succèdent. Les livres s'accumulent. Balzac revend « Les Jardies », une maison où il a englouti l'argent de vingt romans. Déjà, avec celui de Mme Hanska et au nom de celle-ci, il achète une autre maison, rue Fortunée, où il compte installer son ménage.

On est en 1846. Il a quarante-sept ans.

Mme Hanska n'est toujours pas décidée au mariage. Mais elle accouche, à Dresde, d'un enfant mort-né.

Elle a la goutte. Elle aborde l'âge critique. Chaque hiver, ses mains et ses pieds enflent tellement qu'elle ne peut ni marcher ni écrire.

Balzac court les antiquaires, les tapissiers, pour emménager le futur nid.

Il écrit *La Cousine Bette*, *Le Cousin Pons*.

Il est de plus en plus mal portant.

Il continue cependant à faire les plans de ses ouvrages futurs et il en prévoit une quarantaine pour achever *La Comédie humaine*.

En fait, il n'en écrira plus.

En 1847, il repart pour l'Ukraine afin de faire une nouvelle tentative auprès de Mme Hanska. Malgré une lutte désespérée avec la famille, il revient bredouille une fois encore. De retour à Paris en février 1848, il se représente aux élections législatives, échoue là aussi. Il se présente un peu plus tard à l'Académie française et n'obtient que deux voix, celle de Victor Hugo et celle de Lamartine.

Il ne possède rien.

Il est seul, diminué dans sa chair, avec toujours l'idée fixe de son mariage avec la riche aristocrate de Pologne.

« Je ne m'intéresse à rien. Je commence à prendre en haine cette maison vide, où tout est fait pour une absente. »

« Travaille, petit auteur de *La Comédie humaine*... Paie ton luxe, expie tes folies et attends ton Eve, dans l'enfer de l'encrier et du papier blanc ! »

« Je ne crois plus à l'avenir. »

De l'avenir, en effet, il n'en a plus. Il lui reste exactement un an à vivre. Il va l'employer à courir après ce mariage qui est pour lui comme une bouée de sauvetage.

Il retourne à Wierzchownia, décidé à n'en revenir que marié. Il en est si sûr qu'il laisse à sa mère le soin de terminer les aménagements de la rue Fortunée. De mois en mois, il donne de ses nouvelles.

A sa sœur : « Mme Hanska a eu pour quatre-vingt mille francs de blés brûlés par une imprudence, et cet accident a compromis tous mes plans ! »

A sa mère : « A propos du mont-de-piété, je te supplie de tenir tout prêts et de bien réserver les deux à trois cents francs nécessaires pour le renouvellement, et à le bien faire en temps utile, car, sans cela... »

A sa mère encore : « Les affaires littéraires ne reprendront pas avant deux ans au moins. [...] J'aurai des manuscrits prêts [...]. Mme Hanska n'a que des rentes viagères, et pas si considérables que des personnes intéressées à tout grossir l'ont dit. Sa fortune fera les dépenses de la maison, en cas de nécessité. Mais je ne peux et ne dois compter que sur mon travail pour me faire une fortune personnelle et payer mes dettes. »

Toujours à sa mère : « La personne de qui j'attends tout le bonheur de ma vie est une personne qui a passé quarante ans et qui est très défiante, et les événements ont augmenté sa méfiance à un point extrême [...].

« Laure m'écrit une lettre où elle dépeint sa position et celle de son mari sous les couleurs les plus sombres ; elle y parle de misère. Que crois-tu que des étrangers, qui sont les plus grands seigneurs de ce pays, pensent d'une famille, en voyant la sœur dans cette situation ?

« Je t'ai naturellement écrit cette lettre la nuit, sans qu'elle soit vue. »

Il a si peur de rater son mariage qu'il fait la leçon à sa sœur aussi :

« Quand tu la verras, je t'en prie, ne montre ni servilité, ni morgue, ni susceptibilité, ni trop de complaisance ; du naturel et de la bonne affection, voilà ce que le bon sens écrit comme ligne et règle de conduite vis-à-vis de cette personne. »

Il ajoute en post-scriptum :

« Dis donc à ma mère d'acheter du tulle de fil et de faire les doubles rideaux de l'alcôve de la chambre à coucher en coupole, en y cousant la dentelle. »

La maladie l'attaque une fois de plus :

« J'en suis arrivé au point que je ne peux plus me peigner sans des étouffements et des palpitations. Il y a eu deux fois des attaques de strangulation complète, par impossibilité d'aspirer et d'expirer l'air. »

En août, c'est presque un cri de triomphe :

« A compter du 15 octobre, tu peux mettre la maison sous les armes. Il faut surtout que M. Santi fasse aller de concert avec le fumiste le fourneau de la cuisine pour que Marguerite sache bien s'en servir. »

Septembre : « Je serai sans doute à Paris dans les derniers jours d'octobre. [...]

« Quant à mes espérances, elles ne font pas de progrès. Je suis aux prises avec des difficultés inouïes, innombrables, qui ne sont pas de nature à être dites.

« Dès que je serai à Paris, il faudra se remettre à l'ouvrage. »

Octobre, à sa sœur : « Il s'est déclaré ce que le médecin nomme ici une fièvre céphalagique intermittente. C'est affreux. Je suis maigre comme à vingt ans. Seulement, il y a encore un peu de ventre, car le mien était si gros que c'est le dernier refuge de l'embonpoint. »

Le lendemain, il ajoute avec une joie enfantine :

« J'ai eu pour ma maladie une robe de chambre en termolama. Cette étoffe persane toute en soie me donne l'impression d'être [Fragment du manuscrit introuvable.]

« Ma maladie m'a rendu enfant, car j'ai eu l'une de ces joies qu'on n'a qu'à dix-huit ans, quand à dix-huit ans on n'en a que douze. »

Janvier : « Le 15 février, je serai en route pour Paris. Comme il fait encore de terribles froids en février, il ne faut pas compter sur moi avant le 15 mars. »

Février : « Ma chère mère, j'ai oublié de te prier de renouveler les paillassons et les tapis-brosses. »

Mars : « Il est plus que probable que le carême va mettre des empêchements à nos projets. Ces choses-là, ici comme partout, ne sont finies que quand on sort de la cérémonie. [...]

« Dans le cas de succès, ce serait le 14 de ce mois à sept heures du matin.

« Je voudrais que Madame Honoré trouvât sa maison dans sa plus belle parure, et qu'il y eût de belles fleurs dans toutes les jardinières. »

Fin mars : « Ma bonne chère mère aimée,

« Hier, à sept heures du matin, grâce à Dieu, mon mariage a été béni et célébré dans la paroisse de Sainte-Barbe de Berditcheff, par un envoyé de Mgr l'Evêque de Gitomir qui aurait voulu me marier lui-même.

« Mme Eve de Balzac, ta belle-fille, a pris, pour lever tous les obstacles d'affaires, une résolution héroïque, et d'une sublimité maternelle : c'est de donner toute sa fortune à ses enfants, en ne se réservant qu'une rente. »

Avril, à sa mère encore : « J'espère être rue Fortunée le 20. Je t'en prie donc instamment : fais que tout soit prêt pour le 19, et que nous trouvions à déjeuner ou à dîner, quand même les provisions seraient perdues. [...]

« Je te conjure d'aller soit à Suresne, soit chez Laure, car il ne serait ni digne ni convenable que tu reçusses ta belle-fille chez elle. Elle te doit du respect et doit t'aller trouver chez toi. M. François sera là pour nous recevoir.

« Lorsque ma femme sera allée te rendre ses devoirs, tu viendras nous voir le lendemain, et nous arrangerons nos comptes. Tu peux compter pour le tien sur le solde dans les premiers jours de mon arrivée. [...] N'oublie pas les fleurs. »

De la main de Mme Honoré de Balzac (dans la même enveloppe que la lettre précédente) :

« J'ai appris avec le plus grand chagrin votre état de souffrance, madame, et j'espère que l'arrivée de votre cher fils vous remettra. J'aurais voulu vous le ramener seulement dans un meilleur état de santé — Eve de Balzac. »

La Polonaise a obtenu de son mari de ne pas être accueillie par une belle-mère dans cette maison qui est la sienne.

Le voyage se termine. Balzac ramène enfin sa femme à Paris.

La voiture franchit la barrière de l'octroi, arrive, à la nuit tombée, rue Fortunée. Toutes les fenêtres sont éclairées comme pour une fête. Balzac frappe, Balzac appelle. Personne ne répond. Il s'inquiète, fait venir un serrurier. Quand enfin le couple peut entrer, c'est pour découvrir, caché dans une chambre, François, le domestique, devenu subitement fou.

*

Quelques jours plus tard, Balzac est obligé de s'aliter.

La dernière lettre de lui n'est pas écrite de sa main. Il la dicte à sa femme. Elle est pour son beau-frère :

« Mon cher Surville,

« Veux-tu avoir la complaisance de demander à ma mère quel est le reliquat qu'elle a entre les mains. Dans le cas où elle serait pressée, qu'elle me le dise franchement. Tu me diras tout cela mercredi prochain, en venant prendre mes

[Fragment du manuscrit introuvable.]

Le 21 août, sous une pluie fine, un corbillard de troisième classe emporte Balzac vers le Père-Lachaise.

« Je sors rarement, avait-il écrit à dix-huit ans, mais lorsque je divague, je vais m'égayer au Père-Lachaise. [...] Et tout en cherchant des morts, je ne vois que des vivants. »

*

Sa femme délaissera sa tombe, deviendra de plus en plus grosse, aura des amants, entre autres un peintre, Jean Gigou, que sa laideur a fait surnommer Pou gris.
Elle ne mourra qu'en 1882, trente et un ans après son mari.

Annexes

Biographie
Bibliographie
Filmographie

Biographie[1]

1903

13 février : naissance à Liège, 26, rue Léopold, entre la place Saint-Lambert et le pont des Arches, de Georges Joseph Christian Simenon, fils de Désiré Simenon, vingt-cinq ans, comptable dans une compagnie d'assurances, et d'Henriette Brüll, vingt-deux ans, ménagère. Avant son mariage, elle a travaillé comme vendeuse au rayon mercerie du grand magasin *L'Innovation*. Les Simenon sont des artisans installés en Outremeuse, un quartier populaire de Liège, rue Puits-en-Sock. Les Brüll, d'origine flamande, étaient des commerçants. Alcoolique, le père d'Henriette s'est ruiné, laissant sa famille dans la gêne.

15 juillet : déménagement pour le 10, rue de Gueldre.

Août : déménagement et installation en Outremeuse, au 3, rue Pasteur, devenue rue Georges-Simenon (25, deuxième étage).

1906

21 septembre : naissance de Christian François Maurice Joseph Simenon, frère de Georges.

Jusqu'en 1908, fréquente précocement l'école Sainte-Julienne des sœurs de Notre-Dame, rue Jean-d'Outremeuse. Sœur Adonie lui apprend les rudiments de la lecture et de l'écriture dès l'âge de trois ans.

1908-1914

Suit l'enseignement primaire à l'Institut Saint-André des frères des Ecoles chrétiennes. Obtient la plus grande distinction. Fait ses débuts d'enfant de chœur à la chapelle de l'hôpital de Bavière. Crises de somnambulisme.

1911

6 février : déménagement et installation au 53, rue de la Loi, où sa mère loue des chambres à des locataires russes ou polonais pour la plupart, en raison de la modicité du loyer. Grand intérêt pour leurs ouvrages de cours : anatomie ou biologie. Dès douze ans, dévore les grands noms de la littérature russe : Tchekhov, Dostoïevski, Pouchkine, Gorki et Gogol (le plus grand écrivain du XIXe siècle, d'après Simenon). Lit aussi Conrad, Dickens, Dumas, Balzac,

1. Le classement rédactionnel des œuvres de Georges Simenon inclus dans cette biographie est dû à M. Claude Menguy. Nous le remercions de tout cœur d'en avoir autorisé la publication par nos soins.

Stevenson, Stendhal... Et, plus tard, Melville, Hemingway, Faulkner (le plus grand écrivain du XXe siècle, toujours d'après Simenon).

1914

5 novembre : inscrit en tant qu'externe « à demi-tarif » au collège jésuite Saint-Louis, quai de Longdoz. On le pousse à devenir prêtre. Sa sexualité précoce l'en dissuade. Première expérience à douze ans. Goût pour la peinture.

1915

14 septembre : passe au collège Saint-Servais, rue Saint-Gilles, sous le prétexte de faire des études modernes. Tenté par la carrière d'officier. Se sent très mal accepté par des condisciples issus de milieux aisés. Signe ses devoirs de français Georges Sim. Ses professeurs lui laissent le choix des sujets. Ecrit parfois en vers, notamment dans un texte intitulé « Mélancolie du haut clocher ». Très bonnes notes en français, faibles en néerlandais et moyennes dans les autres branches.

1917

3 février : déménagement pour l'ancien bureau des postes de Liège-Amercœur, situé 3, rue des Maraîchers.

1919

13 juin : déménagement pour le 27, rue de l'Enseignement. Quitte le collège sans avoir participé aux examens de fin d'année. Le docteur Fischer l'a prévenu de l'état de santé précaire de son père. Commence à travailler. Comme apprenti pâtissier, durant une quinzaine de jours, puis comme commis à la librairie Georges, rue de la Cathédrale, à Liège. Est renvoyé pour avoir contredit son patron au sujet d'une édition originale de Dumas. Fréquente la « Caque », un groupe de poètes et de rapins qui se réunissent pour des séances orgiaco-mystiques dans un grenier situé derrière l'église Saint-Pholien, impasse de la Houpe. Y rencontre Régine Renchon (Tigy), artiste peintre, qu'il épousera en 1923.

12 novembre : engagé par Joseph Demarteau au journal catholique et conservateur *La Gazette de Liège*. Garçon de courses. Faits divers, comptes rendus de conférences et de spectacles. Signe Sim ou Georges Sim. Dîne en « bout de table » avec Foch, Poincaré, Churchill, Hirohito, Hailé Sélassié...

Billets d'humeur quotidiens intitulés « En ville », « Hors du poulailler » et « En ville... Causons », signés Monsieur Lecoq (784 articles répertoriés).

1920

24 octobre : dans *Noss'Pèron*, *Gazette des Tiesses di Hoye*, il publie cinq « Lettres à une petite bourgeoise ».

Juillet-octobre : série d'articles dans *La Gazette de Liège*, consacrés au « péril juif ».

27 novembre : fonde et rédige avec le libraire Ferdinand Deblauwe une revue satirique liégeoise : *Nanesse, héritière de Tatène et de Tchantchet*. Sommé par son rédacteur en chef de choisir entre *La Gazette de Liège* et cette revue, Simenon choisit de rester fidèle au journal. Lecture de Nietzsche.

Durant l'hiver, fiançailles avec Régine Renchon.

1921

Septembre : publication en souscription à mille cinq cents exemplaires de *Au pont des Arches*, « petit roman humoristique de mœurs liégeoises », daté de septembre 1920, bientôt suivi par *Les Ridicules*, portrait pamphlétaire de certains membres de la « Caque », à l'occasion du vingt et unième anniversaire de Régine Renchon (inédit), du *Bouton de col* (en collaboration avec H.J. Moers, inédit) et de *Jehan Pinaguet, histoire d'un homme simple* (inédit).

28 novembre : mort du père. Simenon perd la foi. Le lendemain commence son service militaire (dix-huit mois) dans les services automobilistes et motocyclistes à la Rote Kaserne d'Aix-la-Chapelle, en Allemagne occupée, puis dans la compagnie du train d'équipages hippomobiles du 2e régiment des lanciers, 3e division, dont la caserne est située à proximité de son domicile. Continue sa vie de journaliste.

1922

10 décembre : quitte Liège.

11 décembre : arrive à la gare du Nord. Habite Hôtel de la Bertha, rue Darcet, 1 ; rue Faubourg-Saint-Honoré, 233 b ; et impasse Saint-Honoré, en face de la salle Pleyel.

Collabore à *La Revue Sincère*. Compose ses « Fiches », premières impressions acerbes sur des écrivains français (Léon Daudet, Maurice Barrès, Henri Duvernois, Paul Fort, Tristan Bernard, Claude Farrère).

Engagé comme garçon de courses pour la Ligue des Chefs de Section et des Anciens Combattants, présidée par l'écrivain et journaliste d'extrême droite Binet-Valmer. Porte des plis à des hommes politiques célèbres et des communiqués de presse aux quarante-cinq quotidiens de l'époque. Connaît bientôt tous les rédacteurs de la place de Paris.

1923

24 mars : mariage avec Régine Renchon en l'église Sainte-Véronique à Liège. Revient à Paris. Habite Hôtel Beauséjour, rue des Dames. Puis 21, place des Vosges. Commence à produire de mille à onze cents « contes galants » entre 1923 et 1936, destinés au *Matin* où l'introduit Colette, épouse d'Henri de Jouvenel, le propriétaire du journal, ainsi qu'aux nombreuses feuilles galantes qui faisaient fureur à l'époque : *Sans Gêne*, *Froufrou*, *Paris-Flirt*, *Gens qui rient*, *Le Merle blanc*, *Le Merle rose*, *Le Sourire*, *Le Rire*, *L'Humour*, *Paris-Plaisir*, *Ric et Rac*, *Le Petit Journal*...

Mai : passe au service du marquis de Tracy, l'un des hommes les plus riches de France, propriétaire de châteaux, de vignes... et d'un journal : *L'Echo du Centre* (Nevers). En qualité de secrétaire, Simenon l'accompagne à travers toute la France. Apprend à connaître la petite noblesse française, le monde des finances, le bon vin et les parties de chasse. Séjourne entre autres à Paray-le-Frésil, près de Moulins, et dans la Loire, dont il s'inspirera pour situer les origines de Maigret.

1924

Printemps : se sépare du marquis de Tracy. S'installe à Paris, au 21, place des Vosges, au rez-de-chaussée de l'ancien hôtel de Richelieu. Commence une autre période de sa vie : celle des deux cent douze romans populaires composés entre 1924 et 1934, pour les « petites cousettes et les jeunes vendeuses ». Le premier, *Le Roman d'une dactylo*, est écrit en une matinée, à la terrasse d'un café, place Constantin-Pecqueur.

Engage Henriette Liberge (Boule) comme servante.

1925

Eté à Etretat. Hiver, place des Vosges.

1926

Eté à Porquerolles. Découvre le monde des pêcheurs. Rencontre Eugène Merle, directeur du *Merle blanc*, de *Froufrou*, du *Merle rose*, et bientôt du journal *Paris-Soir* auxquels Simenon collabore, tout comme Henri Jeanson et Pierre Lazareff.

1927

Eté à l'île d'Aix. Automne, place des Vosges. Prolifique, il a bientôt six éditeurs. Ecrit parfois quatre-vingts pages par jour. Grassement payé. Fréquente le Tout-Paris des Années folles. Rencontre à la Coupole : Vlaminck, qui sera le parrain de Marc, son premier fils ; Derain, Foujita, Kissling, Picasso, Othon Friesz, Soutine, Slatkine, Pascin, Colin... Liaison torride avec Joséphine Baker. Rédige à lui seul les numéros du *Merle rose*, hebdomadaire destiné aux lesbiennes.

Robert Merle lui propose cinquante mille francs de l'époque pour écrire un roman en trois jours et trois nuits, enfermé au Moulin-Rouge, dans une cage de verre. La faillite de son journal *Paris-Matin* empêche la concrétisation de l'exploit qui sera pourtant attesté par plusieurs articles de presse.

1928

A la fin de l'hiver, passé place des Vosges, Simenon achète la *Ginette*, un sloop de cinq mètres, à bord duquel il accomplit un tour de France sur les canaux et les rivières. Sa femme (Tigy), sa bonne (Boule) et son chien (Olaf) l'accompagnent. Ses reportages paraîtront dans un numéro spécial de *Vu* (juillet 1931). Pénètre dans l'âme du paysage et de la mentalité français.

1929

Hiver, place des Vosges. A la demande de Joseph Kessel, compose *Les Treize Mystères* et *Les Treize Enigmes* pour *Détective*. Leur succès l'encourage à persévérer sur la voie du policier.

Fait construire et gréer un cotre à Fécamp. L'*Ostrogoth* est long de dix mètres, large de quatre et muni d'un moteur. Remonte la Seine jusqu'au Vert-Galant à Paris, où le curé de Notre-Dame le baptise. Départ au printemps par les canaux jusqu'à la Meuse. Belgique. Rivières hollandaises. Remonte les côtes de Norvège jusqu'en Laponie par le bateau régulier (le *Tramway*).

Septembre : revient à Delfzijl et rédige en quatre jours *Pietr le Letton*, le premier *Maigret*, signé Georges Simenon. Le 30 : contrat signé pour la parution de *Train de nuit*, signé Christian Brulls, premier livre où apparaît le commissaire Maigret.

Octobre : voyage sur l'*Ostrogoth* jusqu'à Wilhelmshaven. Expulsé par les Allemands en octobre sous l'accusation d'espionnage. Rentre à Stavoren. Continue la série *Les Treize Coupables* pour *Détective*. Envoie le manuscrit de *Pietr le Letton* à Arthème Fayard. Décision est prise de lancer les *Maigret* quand un certain nombre de volumes seront prêts.

1930

Printemps-été à Morsang-sur-Seine, près de Corbeil, à bord de l'*Ostrogoth*. *Le Charretier de la Providence*, *Monsieur Gallet décédé*.

Septembre à Paris, Hôtel L'Aiglon, boulevard Raspail.

Automne et hiver à Beuzec-Conq, près de Concarneau. Compose à tour de bras des romans populaires promis à Fayard.

Novembre : *Le Passager du "Polarlys"*, *Le Pendu de Saint-Pholien* et à l'Hôtel L'Aiglon *La Tête d'un homme*. Dès les années trente, lecture de Freud, Adler et Jung.

1931

20 février : lancement de la série des *Maigret*, présentés sous couverture photographique et vendus six francs, lors du « bal anthropométrique » à la Boule Blanche, cabaret de Montparnasse. Abandonne une partie de ses droits d'auteur pour cofinancer la soirée. Enorme succès publicitaire.

Quitte la place des Vosges pour le château de la Michaudière à Guigneville-sur-Essonne.

Mars : *Le Chien jaune*.

Avril : rentre sur l'*Ostrogoth* à Morsang. *La Nuit du carrefour*, *La Folle d'Itteville*.

Mai : *Un crime en Hollande*.

Juillet : *Au rendez-vous des Terre-Neuvas*. Ramène l'*Ostrogoth* au Pont-Marie à Paris. *Le Relais d'Alsace*. Pilote l'*Ostrogoth* jusqu'à Deauville.

15 août : séance de dédicaces à la terrasse du Bar du Soleil. Part pour Ouistreham.

Septembre : *La Danseuse du Gai-Moulin* (en vingt-cinq heures).

Octobre : *La Guinguette à deux sous*. Rencontre Jean Renoir qui achète les droits de *La Nuit du carrefour* pour cinquante mille francs.

Décembre : vend l'*Ostrogoth* et s'installe aux « Roches Grises » à Antibes. *L'Ombre chinoise*. Travaille aux scénarios de *La Nuit du carrefour* de Jean Renoir, avec Pierre Renoir (Maigret), et du *Chien jaune* de Jean Tarride, avec Abel Tarride (Maigret). D'après Godard, le seul grand film policier jamais tourné. Parution de *La Folle d'Itterville*, phototexte par Simenon et Germaine Krüll.

1932

Janvier : Antibes, *L'Affaire Saint-Fiacre* et *Chez les Flamands*.

Février : *Le Port des Brumes*.

Mars : s'installe à l'Hôtel de France, à La Rochelle : *Le Fou de Bergerac*.

Avril : installation dans une gentilhommière, « La Richardière », à Marsilly. *Liberty-Bar*.

Mai : *Les Fiançailles de Monsieur Hire*. Projette de mettre lui-même en scène *La Tête d'un homme*. Ce projet sera repris par Julien Duvivier, avec Harry Baur.

Eté : voyage en Afrique pour le magazine *Voilà* (Egypte, Congo belge...).

Automne : *Le Coup de Lune* et *L'Ane-Rouge* à la Richardière. Commence à pratiquer de la boxe en salle.

8 octobre : publie dans *Voilà* une série de reportages sur l'Afrique intitulée « L'heure du nègre » qui fait grand bruit.

1933

Janvier : *La Maison du canal*.

Printemps à Porquerolles.

Avril : *L'Ecluse n° 1*. Lettre de Max Jacob.

7 juin : rencontre Léon Trotski à Prinkipo (interview parue dans *Paris-Soir* des 15 et 16 juin 1933).

Eté : tour d'Europe (Allemagne, Pologne, Tchécoslovaquie, Hongrie, Russie...) et reportages « Europe 33 » dans *Voilà*. *Les Gens d'en face*.

Octobre : signe un contrat avec les éditions Gallimard.

Automne : revient à la Richardière. *Le Haut Mal*, *L'Homme de Londres*, *Le Locataire*, *Les Suicidés*.

1934

Janvier : *Maigret*. Ce roman constitue la dernière enquête de la première série des *Maigret* rédigés pour l'éditeur Fayard. Enquêtes et reportages dans *Paris-Soir*, *Marianne* et *L'Excelsior* sur l'affaire Stavisky. « Peuples qui ont faim » dans *Le Jour*.

Mai : procès intenté par une hôtelière de Libreville qui a cru se reconnaître dans l'héroïne du *Coup de Lune*. Simenon y cite involontairement le nom de son établissement : l'Hôtel Central. Gagne le procès.

Avril : *Les Pitard*. Villa « Les Robert » à Porquerolles.

Eté : croisière en Méditerranée à bord de l'*Araldo*. Publie un reportage intitulé « *Mare Nostrum* » dans *Marianne*. Il Cavo (île d'Elbe) : *Quarante-cinq degrés à l'ombre*. A bord : *Les Clients d'Avrenos*.

Automne : *L'Evadé*, à la Richardière.

1935

9 mai : premier article important : André Thérive déclare, dans *Le Temps*, que « *Les Pitard* est un chef-d'œuvre à l'état pur ». Tour du monde : Etats-Unis, Panama, la Colombie, l'Equateur, les îles Galapagos, Tahiti où il fait escale deux mois (*Ceux de la soif*, le 7 mars), la Nouvelle-Zélande, l'Australie, les Indes, la mer Rouge.

Publie ses reportages dans *Le Courrier royal* et dans *France-Soir* sous le titre « Les vaincus de l'aventure » (repris dans *La Mauvaise Etoile*).

Automne : s'installe à « La Cour-Dieu », Ingrannes, dans la forêt d'Orléans : *Quartier nègre*.

Septembre : *Long Cours* et *Les Demoiselles de Concarneau*.

Décembre : *L'Assassin* à l'hôtel P.L.M., Combloux (Haute-Savoie). Refuse la grande naturalisation qui lui était proposée par Léon Blum.

1936

Second procès, pour *Quartier nègre*.

Février : *Faubourg* à « La Lézardière », Anthéor (Var). Revient à Porquerolles, villa « Les Tamaris ». *Chemin sans issue*, *Le Blanc à lunettes*.

Juillet-août : *Le Testament Donadieu*. Pierre Cot, ministre de l'Intérieur, le prévient qu'à la suite de ses reportages sur l'Afrique coloniale (« L'heure du nègre », 1932), il lui sera refusé tout nouveau visa pour cette destination.

Automne : s'installe au 7, boulevard Richard-Wallace, à Neuilly, en face du bois de Boulogne.

Octobre : *Les Nouvelles Enquêtes de Maigret*. A partir du 5 novembre, correspondance avec le comte H. Keyserling.

9 décembre : création au Théâtre Royal des Galeries Saint-Hubert (Bruxelles) de *Quartier nègre*, adapté et mis en scène par Simenon.

Décembre : *Les Rescapés du "Télémaque"* à Igls, Tyrol.

1937

Janvier : rentre au boulevard Richard-Wallace. *Les Trois Crimes de mes Amis*. Appartient au Tout-Paris. A une table chez Maxim's. Prend l'apéritif tous les soirs à la terrasse du Fouquet's où il rencontre les Raimu, Pagnol, Arletty, Simon, Fernandel... Fréquente les Rothschild. *Police-Secours ou les Nouveaux Mystères de Paris* paraît dans *Paris-Soir*, du 6 au 16 février.

Février : *Monsieur la Souris* à Porquerolles.

Printemps : *L'homme qui regardait passer les trains*.

8 juin : *Touriste de bananes*.

Août : *Cour d'assises* à Isola Pescatore, sur le lac Majeur.

Septembre : retourne à Neuilly. *Le Suspect*, boulevard Richard-Wallace.

Octobre: *La Marie du port*, à l'Hôtel de l'Europe, à Port-en-Bessin (Calvados).

Automne : *La Maison des sept jeunes filles*, à Neuilly.

Novembre : *Les Sœurs Lacroix*, à l'Hôtel de l'Etoile, Saint-Thibault-sur-Loire. Prononce une conférence, « L'aventure », à propos de ses souvenirs de romancier populaire.

Hiver 1937-1938 : *Les Nouvelles Enquêtes de Maigret* (2e série), *Nouvelles exotiques*.

1938

Janvier : Georges Simenon et Lucien Descaves proposent dans *Le Journal* la création d'un mouvement « Sans haine ». Voyage en Hollande.

Mars : *Le Cheval blanc*, à Porquerolles.

Avril : *Le Coup-de-Vague*, à Beynac, Dordogne.

Mai : *Le Petit Docteur*, à la villa « Agnès », rue Jeanne-d'Albret, La Rochelle.

Juin : *Les Dossiers de l'Agence O*.

27 juillet : *Chez Krull*.

Eté : se trouve en Belgique pendant la crise de Munich, puis s'installe à Nieul-sur-Mer, près de La Rochelle (Charente-Maritime).

27 septembre : *Les Inconnus dans la maison*.

20 décembre : *Le Bourgmestre de Furnes*.

31 décembre : reçoit la première lettre d'André Gide. Cette correspondance se poursuivra jusqu'en novembre 1950. Le même Gide déclare dans *Les Cahiers du Nord* que « Simenon est un grand roman-

cier, le plus grand peut-être et le plus vraiment romancier que nous ayons en littérature française aujourd'hui ».

1939

7 février : *L'Outlaw*, à Nieul.

Mars : *Malempin*, au château de Scharrachbergheim (Alsace).

Avril : séjourne au château de Tervueren près de Bruxelles. Son fils Marc naît le 19 avril à Uccle.

Septembre : *Bergelon*, à Nieul.

Octobre : *Oncle Charles s'est enfermé* et *Il pleut bergère*.

Décembre : *Les Caves du Majestic*.

1940

Hiver à Nieul.

31 janvier : *La Maison du juge*.

1er mai : *La Veuve Couderc*. Se rend à Paris pour s'engager dans l'armée belge. Est renvoyé dans ses foyers après avoir été nommé haut commissaire aux réfugiés belges pour la région Charente-Maritime.

7 septembre : *La Vérité sur Bébé Donge*, ferme du Pont-Neuf, à Vouvant (Vendée). Ecrit directement le scénario d'*Annette et la dame blonde*.

Décembre : *Cécile est morte*. 12, quai Victor-Hugo, Fontenay-Le-Comte. Un radiologue diagnostique qu'il n'en a plus que pour trois ans à vivre.

1941

Février : *Le Voyageur de la Toussaint*.

S'installe au château de Terre-Neuve à Fontenay-Le-Comte.

Décembre 1940, juin 1941, 18 janvier 1945 : *Je me souviens*. Lettre de Claude Farrère.

Juin : Gallimard, en visite, emporte pour l'examiner le manuscrit de *Je me souviens* et le fait lire à Gide qui conseille à Simenon de réécrire le tout sous une forme romanesque. Ce sera *Pedigree*, la matrice de l'œuvre.

22 juillet : *Le Fils Cardinaud*.

Eté : *Signé Picpus*.

Septembre : *Le Rapport du gendarme*.

Décembre : première partie de *Pedigree*.

20 novembre : lettre de Claude Farrère.

1942

Mai : *Félicie est là*, à la villa « Les Peupliers », La Faute-sur-Mer (Vendée). Rentre à Fontenay-le-Comte.

Juillet : *La Fenêtre des Rouet*. Déménage à Saint-Mesmin-le-Vieux, toujours en Vendée. Est accusé d'avoir des origines juives par le commissariat aux affaires juives. Sauvé par sa mère, qui lui fait parvenir les documents généalogiques nécessaires.

1943

Janvier : dernière partie de *Pedigree*. Vente aux enchères de tous ses manuscrits pour venir en aide aux réfugiés.

Mars : *L'Inspecteur Cadavre*. Voyage à La Bourboule. Revient à Saint-Mesmin.

12 mai : *Le Bilan Malétras*.

7 décembre : *L'Aîné des Ferchaux*.

Hiver 1943-1944 : *Les Noces de Poitiers*.

1944

Février : monte à Paris pour se faire examiner le cœur par un spécialiste. Celui-ci lui apprend que son cœur est en parfait état. Revient à Saint-Mesmin soulagé.

1er avril : *La Fuite de Monsieur Monde*. Atteint d'une pleurésie. Sa convalescence se déroule aux Sables-d'Olonne où il relit tout Balzac, tout Zola et tout Proust, « le plus grand peut-être parmi les écrivains français » du début de ce siècle. *Le Bateau d'Emile*. Lit et relit la Bible et les Evangiles. Evite de se faire prendre en otage par les Allemands en déroute.

1945

10 mai : *Le Cercle des Mahé*. Remonte à Paris, Hôtel de Cambrai, rue de Turenne.

La Pipe de Maigret ; *Le Bateau d'Emile*. Part pour Londres. Séjourne au Savoy.

4 août : *Maigret se fâche*, à Saint-Fargeau-sur-Seine (Essonne).

Juillet : séjour à Seinefort. Attend ses papiers pour partir aux Etats-Unis. Craint une invasion communiste.

Août et septembre : au Savoy à Londres.

Soirée avec Gide et Martin du Gard. Admiration de Bernanos et Marcel Aymé. Passe dans une nouvelle maison d'édition : Les Presses de la Cité, dirigées par Sven Nielsen.

5 octobre : arrive à New York. Découvre le grand amour avec Denise Ouimet, engagée en qualité de secrétaire et qui deviendra sa deuxième femme.

Novembre et décembre : à Sainte-Marguerite du lac Masson (Canada). 20 novembre : conférence, « Le Romancier », prononcée à l'Institut français de New York.

1946

Janvier : à Sainte-Marguerite, *Trois Chambres à Manhattan*, inspiré par la rencontre avec Denise. Best-seller (525 000 exemplaires rien qu'en français). 7 mars : *Maigret à New York*.

Avril, mai et août : *Maigret et l'inspecteur Malgracieux*.

Juin : *Au bout du rouleau* et *Le Clan des Ostendais*, la seule œuvre, avec *Le Train*, où apparaissent des références historiques à la Seconde Guerre mondiale. Apprécie le jazz de la Nouvelle-Orléans.

Septembre : traverse les Etats-Unis. Visite l'Alabama, le Tennessee, la Géorgie et la Floride. Ses reportages intitulés « L'Amérique en voiture » paraissent dès novembre dans *France-Soir*. S'installe à « Coral Sands », Brandenton Beach, Floride.

28 novembre : *Les Petits Cochons sans queue*.

15 Décembre : *Lettre à mon juge*, nouveau best-seller (470 000).

1947

Janvier à Cuba. Retour à Brandenton Beach.

Février : *Le Destin des Malou*.

2 mars : début d'une correspondance avec Jean Renoir.

20 avril : *Le Passager clandestin*. Rencontre Charles Chaplin et Charles Boyer. Avril à Silver Springs.

Eté : traverse le désert et s'installe à Tucson, en Arizona, au mois d'août.

16 octobre : *La Jument perdue*.

20 novembre : *Les Vacances de Maigret*.

17 décembre : *Maigret et son mort*.

31 octobre : décès de Christian Simenon en Indochine, dans la Légion étrangère. « Comme c'est dommage, Georges, que ce soit Christian qui soit mort », lui dira sa mère.

1948

Mars : Tucson, *La neige était sale*, nouveau best-seller (470 000).

Juin : s'installe à « Stud Barn », Tumascori, Arizona, près de la frontière mexicaine.

24 août : *Le Fond de la bouteille*.

30 septembre : *La Première Enquête de Maigret*.

13 décembre : *Les Fantômes du chapelier*.

1949

2 Février : *Mon ami Maigret*.

En juin, part pour Tucson, s'installe d'abord chez un professeur.

Juillet : *Les Quatre Jours du pauvre homme* et *Maigret chez le coroner*, son plus gros tirage en langue française (610 000 exemplaires).

S'installe en août à « Desert Sands », Tucson. Le 29 septembre, naît son fils Johnny, fruit de ses amours avec Denise.

20 octobre : *Un nouveau dans la ville*. Part pour la Californie, s'installe à Carmel-by-the-Sea, près de Salinas et Monterey.

8 décembre : *Maigret et la vieille dame*.

22 décembre : *L'Amie de Madame Maigret*. Reçoit le prix de la meilleure nouvelle policière de l'année, décerné par l'Association des auteurs de romans policiers, pour *Bénis soient les humbles*.

1950

27 janvier : *Les Volets verts*.

28 février : *L'Enterrement de Monsieur Bouvet*.

4 avril : *Sept Petites Croix dans un carnet* qui obtiendra le prix Edgar Poe réservé à la meilleure nouvelle policière américaine de l'année.

30 mai : *Un Noël de Maigret*.

21 juin : obtient le divorce d'avec Régine Renchon et se remarie le lendemain avec Denise Ouimet. Se rend à New York. S'installe fin juillet à « Shadow Rock Farm », Lakeville.

8 septembre : *Tante Jeanne*.

27 septembre : *Les Mémoires de Maigret*.

1er novembre : *Le Temps d'Anaïs*.

8 décembre : *Maigret au Picratt's*. Refuse la grande naturalisation américaine. Premier essai sur l'œuvre : *Le Cas Simenon* par Thomas Narcejac.

12 décembre : création de *La neige était sale*, adapté par Georges Simenon et Frédéric Dard et créé par le théâtre de l'Œuvre à Paris, dans une mise en scène de R. Rouleau.

1951

21 février, Lakeville : *Maigret en meublé*.

21 mars : *Une vie comme neuve*.

8 mai : *Maigret et la grande perche*.

17 août : *Marie qui louche*.

8 octobre : *Maigret, Lognon et les gangsters*.

14 décembre : *La Mort de Belle*.

Octobre : première lettre du père Jean Mambrino.

1952

Mars : voyage triomphal sur l'*Ile-de-France*. Accueilli au Havre par des milliers d'admirateurs. Séjour à Paris, Milan, Rome, Bruxelles, Liège. Troisième procès, à V.erviers, pour *Pedigree*. Est reçu à l'Académie royale de langue et de littérature françaises, le 10 mai.

En juin, rentre à « Shadow Rock Farm ». 20 juin : *Le Revolver de Maigret*.

22 juillet : *Les Frères Rico*.

19 septembre : *Maigret et l'homme au banc*.

4 décembre : *Antoine et Julie*. Elu président des "Mystery Writers of America".

1953

23 février : naissance de sa fille Marie-Georges.

27 mars : *Maigret a peur*.

12 mai : *Feux rouges* (dédié à Marie-Jo !).

14 juillet : *L'Escalier de fer*.

31 août : *Maigret se trompe*.

30 octobre : *Crime impuni*.

8 décembre : *Maigret à l'école*.

1954

Toujours à Lakeville. 18 janvier : *Maigret et la jeune morte*.

24 mars : *L'Horloger d'Everton*.

25 mai : *Le Grand Bob*.

23 août : *Maigret chez le ministre*.

27 septembre : *Les Témoins*.

Avril : lettre d'Henry Miller.

Octobre : accomplit un tour de Grande-Bretagne. Revient à Lakeville en décembre.

1955

25 janvier : *Maigret et le corps sans tête*. Lettre de Sacha Guitry.

5 mars : lettre de T.S. Elliot.

19 mars : se rend à Paris.

En avril, s'installe à « La Gatounière », Mougins, Alpes-Maritimes. 28 avril : *La Boule noire*.

12 juillet : *Maigret tend un piège*.

13 septembre : *Les Complices*. Amitiés avec Pierre Benoit, Jean Cocteau, Marcel Achard, Jean Gabin, Jean Rigaux...

En octobre, s'installe à la villa « Golden

Gate », Cannes. Son couple commence à se désagréger.

8 novembre : *En cas de malheur.*

21 décembre : création d'un ballet aux Champs-Elysées : *La Chambre*, dans une chorégraphie de Roland Petit et avec une musique de Georges Auric.

1956

1er février, à Cannes. Lettre de R. Martin du Gard.

4 mars : *Un échec de Maigret.*

29 avril : *Le Petit Homme d'Arkhangelsk.*

13 septembre : *Maigret s'amuse.*

28 décembre : *Le Fils.*

29 août : lettre de Pierre Benoit.

1957

7 mars : lettre de Jean-Louis Barrault.

17 mars : lettre de Marcel Pagnol.

16 avril : *Le Nègre.*

Mai : mot de Jean Cocteau.

12 juin : *Strip-tease.* En juillet, déménage à Echandens, près de Lausanne (dans les romans : Noland, Vaud).

17 août : *Maigret voyage.*

14 octobre : *Le Président.*

16 décembre : *Les Scrupules de Maigret.*

1958

27 février : *Le Passage de la ligne.*

En mai, préside le festival du film de Bruxelles.

3 juillet : *Dimanche.*

23 octobre : *Maigret et les témoins récalcitrants.*

En août , accomplit une croisière en Hollande.

En septembre, se rend à Venise.

En novembre, prononce à Bruxelles une importante conférence intitulée « Le roman de l'homme », à l'occasion de l'Exposition internationale.

En décembre, se rend à Florence.

1959

Le 13 janvier, à Echandens : *La Vieille.*

5 mai : *Une confidence de Maigret.* 26 mai : naissance de son fils Pierre. Publie *La Femme en France*, avec des photos de Daniel Frasnay.

15 juillet : *Le Veuf.*

2 août : lettre de Daniel-Rops.

10 octobre : lettre de Paul Morand.

23 novembre : *Maigret aux assises.*

23 décembre : lettre de Jean Anouilh.

1960

15 mars : *L'Ours en peluche.*

Mars : visite de Somerset Maugham.

En mai, il préside le festival du film de Cannes. Grâce à la voix de son ami H. Miller, *La Dolce Vita* l'emporte. Début d'une longue amitié avec Federico Fellini. Séjourne chez Bernard Buffet. Se rend à Londres avec Denise. Rencontre Yves Montand et Simone Signoret. Alcoolisme de Denise.

4 juin : lettre de Marcel Achard. Le 25 juin, entame la rédaction du premier des trois cahiers qui seront publiés en 1970 sous le titre *Quand j'étais vieux.* Voyage à Venise en famille.

En septembre, se rend à Versailles.

12 octobre : à Echandens, *Betty.*

1961

23 janvier : *Maigret et le voleur paresseux.*

25 mars : *Le Train.*

10 juin : *La Porte.*

11 septembre : *Maigret et les braves gens.*

Le 13 novembre, est inaugurée à Liège la Bibliothèque centrale Georges-Simenon. 17 novembre : *Les Autres.* Quelques sauts à Milan chez Mondadori.

Décembre : Térésa, qui deviendra sa compagne, entre au service de la famille. Simenon est grand-père.

1962

2 février : *Maigret et le client du samedi* (sept jours).

2 mai : *Maigret et le clochard.*

19 juin : *La Colère de Maigret* (sept jours). Lit une communication au congrès de la Fédération internationale des écrivains médecins.

25 octobre : *Les Anneaux de Bicêtre.* Graves tensions dans son couple.

1963

Denise entre en cure de désintoxication dans une institution hospitalière.

15 février : *Quand j'étais vieux.*

5 juin : *La Chambre bleue.*

23 juin : *Maigret et le fantôme.*

25 septembre : *L'Homme au petit chien.*

1964

S'installe au domaine d'Epalinges, à quelques kilomètres de Lausanne, dans une gigantesque demeure bâtie d'après ses plans.

Printemps : avec son fils Pierre, prend des vacances à Barcelone.

28 juillet, à Epalinges : *Maigret se défend.*

13 octobre : *Le Petit Saint*, une de ses œuvres préférées. Séjourne à Paris.

1965

9 mars : *La Patience de Maigret.*

Avril : voyage à Florence avec Marie-Jo.

3 juin : *Le Train de Venise.* Lettres de Mac Orlan et de Chaplin.

Eté : accomplit, en famille, une croisière en Méditerranée et en mer Noire (Venise, Naples, Sicile, Athènes, Istanbul, Odessa, Sotchi).

Sans réelle contrepartie financière, signe des contrats avec la Yougoslavie, la Pologne, la Hongrie, la Tchécoslovaquie, la Roumanie et la Bulgarie.

21 octobre : *Le Confessionnal.*

Noël : se brise quelques côtes en chutant dans sa salle de bain.

1966

8 février : *Maigret et l'affaire Nahour.*

17 mars : *La Mort d'Auguste.* Vacances à Royan.

Le 3 septembre, inaugure à Delfzijl (où fut composé, en septembre 1929, le premier Maigret, *Pietr le Letton*) une statue de Maigret créée par Pieter d'Hondt, sur commande de son éditeur hollandais Aps Bruna. Simenon y est entouré de quatorze éditeurs du monde entier et d'acteurs ayant incarné Maigret à la télévision (Rupert Davies, Gino Cervi, Heinz Ruhmann et Jan Teurling). Souffre de vertiges causés par la maladie de Meunier.

Le 5 octobre, termine à Epalinges *Le Chat*, sans doute son dernier chef-d'œuvre.

11 novembre : *Le Voleur de Maigret.*

1967

Début de la publication des *Œuvres complètes* de Georges Simenon, en soixante-douze volumes, aux éditions Rencontre de Lausanne.

En avril, accomplit un tour d'Italie des universités et des centres culturels, à l'invitation de son éditeur Mondadori.

En mai, visite de sa mère.

27 juin, *Le Déménagement.*

En août, vacances à Vichy.

11 septembre : *Maigret à Vichy.*

Le 16 octobre, commence la diffusion de la série des *Maigret* interprétés par Jean Richard et tournés par divers cinéastes.

12 novembre : *La Prison.*

1968

30 janvier : *Maigret hésite.*

20 avril : *La Main.*

5 juin : Simenon est interviewé par cinq médecins pour la revue genevoise *Médecine et Hygiène.* Ces entretiens sont publiés dans le présent volume.

24 juin : *L'Ami d'enfance de Maigret.*

Passe en famille les vacances d'été à La Baule.

13 octobre : *Il y a encore des noisetiers.* Il s'agit de son deux centième roman depuis *Pietr le Letton.*

1969

Février : séjourne à Paris pour la sortie de *Il y a encore des noisetiers.*

21 avril : *Maigret et le tueur.*

10 juin : *Novembre.*

29 septembre : *Maigret et le marchand de vin.* Lettres de Fellini.

1970

9 mars : *Le Riche Homme.*

7 mai : *La Folle de Maigret.*

4 octobre : *La Disparition d'Odile.*

1971

Janvier : décès de sa mère à Liège.

7 février : *Maigret et l'homme tout seul.*

1er mars : *La Cage de verre.*

11 juin : *Maigret et l'indicateur.*

11 octobre : *Les Innocents.*

Elu membre de l'American Academy of Arts and Letters.

1972

11 février : *Maigret et monsieur Charles*, son dernier roman.

18 septembre : prépare l'enveloppe jaune de *Victor* et prend la décision de cesser d'écrire. L'université de Pavie (Italie) lui décerne le diplôme *matricola d'onore.*

Octobre : annonce dans une interview à *France-Soir* qu'il quitte sa vaste maison et qu'il vend ses meubles et tableaux.

En novembre, s'installe dans un appartement, 155, avenue de la Cour, 8e étage, à Lausanne. Création d'un Fonds Georges Simenon à la bibliothèque d'Etat Saltykov-Chtchedrine à Léningrad.

1973

Du 1er février au 15 septembre : *Un homme comme un autre.* Le 8 février, entre dans sa petite maison rose, 12, avenue des Figuiers, à Lausanne. Fracture du col du fémur. Le 13 février, achète un magnétophone et entame ses *Dictées.*

Du 17 septembre au 30 mars 1974 : *Des traces de pas.*

1974

Du 1er avril au 12 novembre : *Les Petits Hommes.* Le 18 avril, termine *Lettre à ma mère.*

Du 13 novembre au 3 avril 1975 : *Vent du nord, vent du sud.*

1975

Du 8 avril au 2 août : *Un banc au soleil.*

Du 5 août au 2 novembre : *De la cave au grenier.*

Du 12 décembre 1974 au 1er avril 1976 : *A l'abri de notre arbre.*

1976

Du 14 avril au 14 juin : *Tant que je serai vivant.*

Du 15 juin au 23 août : *Vacances obligatoires.*

Du 24 août au 9 novembre : *La Main dans la main.*

Du 12 novembre au 12 mars 1977 : *Au-delà de ma porte-fenêtre.*

Simenon fait don de ses archives littéraires à l'université de Liège. Le 3 novembre, inauguration du Fonds Simenon, Centre d'études Georges Simenon, placé sous la direction du professeur M. Piron.

1977

Du 17 mars au 14 juin : *Je suis resté un enfant de chœur.*

Du 22 juin au 22 juillet : *A quoi bon jurer ?*

Du 6 août au 22 août : *Point-virgule.*

Du 5 décembre au 17 décembre : *Le Prix d'un homme.*

En février, au cours d'une conversation avec Federico Fellini parue dans *L'Express*, à propos de *Casanova*, Simenon déclare qu'il a connu dix mille femmes parmi lesquelles huit mille prostituées.

Décembre : reçoit la médaille de la Deutsche Kriminologische Gesellschaft.

1978

Du 31 mars au 13 juillet : *On sait que j'ai soixante-quinze ans.*

Du 13 septembre au 25 octobre : *Quand vient le froid.*

Du 30 novembre au 17 décembre : *Les Libertés qu'il nous reste.*

Publication d'*Un oiseau pour le chat* écrit par Denise Ouimet. Simenon déclare le livre « seulement bon pour les psychiatres ».

16 mai : suicide de Marie-Jo.

1979

Du 21 février au 10 mars : *La Femme endormie.*

Du 30 avril au 27 juin : *Jour et nuit.*

Du 19 août au 19 octobre : *Destinées.*

1980

Les Presses de la Cité commencent la réédition des « Introuvables de Georges Simenon », une sélection de romans populaires.

De février à novembre, compose les *Mémoires intimes.*

1981

Denise Ouimet publie sous pseudonyme (Odile Dessane) *Le Phallus d'or*, roman consacré à son célèbre mari, juste avant la publication en octobre des *Mémoires intimes suivis du Livre de Marie-Jo*, le dernier livre que Simenon compte publier de son vivant. En novembre, elle obtient la suppression de passages litigieux dans les *Mémoires intimes.*

1983

Parution de la première biographie de Georges Simenon par Fenton Bresler : *The Mystery of Georges Simenon*, chez Heinemann Quixote Press (London).

1987

Est créée à Bruxelles l'Association des amis de Georges Simenon.

1988

Les Presses de la Cité commencent la publication des *Œuvres complètes* d'après 1945, au rythme de cinq volumes par an pendant trois ans.

Georges Simenon entouré des interprètes de Maigret lors de l'inauguration de la statue de Maigret de Pieter d'Hondt, Delfzijl, le 3 septembre 1966. De gauche à droite : Rupert Davies, anglais ; Georges Simenon ; Heinz Ruhmann, allemand ; Gino Cervi, italien ; Jan Teulings, néerlandais. (Cl. Sergio del Grande, Epoca.)

Le Président

82 ans
né à Evreux - Eure - Normandie.

né vers 1874.
en 1900 - 26 ans
1914 - 40 "
1918 - 44 "
1930 - 56 "
1939 - 65 "
1944 - 70 "
1956 - 82 "

Les Ebergues, entre Etretat et Fécamp.

Le Président *(terminé le 14 octobre 1957) : recto de l'enveloppe jaune sur laquelle Simenon avait l'habitude d'inscrire des renseignements utiles à la rédaction de ses romans : noms de personnages, états biographiques... Coll. Fonds Simenon.*

Mademoiselle Millonan [illegible] – (Louise) 47 ans – [illegible] depuis l'âge
de 25 ans, [illegible] 22 ans.
(chez les Couton)

Les imprimeurs : Houdon [illegible]
Aillerand [illegible]
Soulas Henri
Rougé [illegible]

Philippe Chalamont – 58 ans – ancien secrétaire – [illegible]
cabinet.
[illegible] Villard – (Etienne)

[illegible] du Curé

François Mascelle
Constance, devenue Mme Mascelle – [illegible] député du Cantal – Aurillac.
42 ans (l'a [illegible] à 40 ans)
1 fils de 15 ans, Louis.
à Paris, bd. Pasteur.

Fauvre [illegible]

Hôpital [illegible] Louis

Xavier Malate, 82 ans – fils de l'imprimeur d'Evreux.
Paris – [illegible] – [illegible]...
– Tu te souviens de l'[illegible] ?
professeur d'histoire – [illegible] M. Corbillot.
au 5e – avait 18 ans.

Mme Blanche (Blain) [illegible]

Président Cournot

François Boutier [illegible]

[illegible]

Soulas

Fernand [illegible] Marthe de C. (Blanche [illegible])

[illegible]

Le Président *: verso de l'enveloppe jaune. Coll. Fonds Simenon.*

PAN AMERICAN WORLD AIRWA

LA LIGNE AERIENNE LA PLUS EXPERIMENTEE DU MONDE

OCTOBRE 1957

DIM	LUN	MAR	MER	JEU	VEN	S
		1	2	3	4	
6	7	8	9	10	11	
13	14	15	16	17	18	
20	21	22	23	24	25	2
27	28	29	30	31		

SEPTEMBRE 1957

DIM	LUN	MAR	MER	JEU	VEN	SAM
1	2	3	4	5	6	7
8	9	10	11	12	13	14
15	16	17	18	19	20	21
22	23	24	25	26	27	28
29	30					

NOVEMBRE 1957

DIM	LUN	MAR	MER	JEU	VEN
					1
3	4	5	6	7	8
10	11	12	13	14	15
17	18	19	20	21	22
24	25	26	27	28	29

Le Président : *page de calendrier. Y sont cochés, en rouge, les jours de rédaction, et en bleu, le* *jours de révision. Coll. Fonds Simenon.*

– ... comme souvent.

Il avait compris. Mais ne se [illegible] pas. De toute sa vie, il n'avait jamais [illegible] et il ressemblait ainsi aux vieillards qu'on voit assis au soleil, devant leur maison, à la campagne, et qui pendant des heures restent plongés dans la contemplation d'une flaque de soleil.

– Je suis sûr que [illegible] a téléphoné au docteur [illegible]
[illegible] dans la confidence. Elle le mettait dans la confidence aussi.

– Oui. Il a [illegible] qu'il le ferait.

– Il a eu lui aussi un [illegible]?

– Il ne savait [illegible] [illegible].

– Le [illegible]?

Elle ne répondit pas. Il ne devait pas. Maintenant, commençait à la [illegible] avec ses [illegible]. [illegible] Ils avaient fait [illegible], [illegible], comme le [illegible], comme [illegible], comme cette [illegible] de [illegible].

[illegible] rappelait [illegible]?

– Cette [illegible]...

Il ne se rappelait pas et pourtant, à son époque, cela avait fait du bruit.

– Cette [illegible]...

Il [illegible] les [illegible] sur le bord de la [illegible] mais il était trop fatigué pour faire un effort. À quoi bon? [illegible] il avait [illegible], tout cela ne le regardait plus.

[illegible] une drôle d'impression, à la fin, [illegible] aujourd'hui. [illegible] n'avait pas besoin de [illegible].
[illegible] flammes, quelques [illegible] et [illegible] les [illegible] et tous les fils [illegible].

[illegible] pourrait venir pour lui annoncer que le Président était servi. Le Président [illegible] et il [illegible] que la [illegible] lui [illegible]. Il n'avait pas faim, mais il mangerait, pour leur faire plaisir. Il [illegible] que [illegible] [illegible] lui [illegible] et il se laisserait [illegible], mettre au lit [illegible] comme il [illegible], et sans doute [illegible] une fois de plus.

[illegible], comme c'était possible, [illegible] du Dr [illegible], il ne se [illegible] pas [illegible] comme cela lui est [illegible] arrivé.

Il aurait toute la patience désormais, [illegible] seulement à ne pas [illegible] jusqu'au moment [illegible]. Il tenait à faire ça tout seul, [illegible].

Peu importe que ce soit [illegible]. Dans trois jours ou dans un an. Il aurait la patience.

Son regard tomba sur les Mémoires de [illegible].

– Vous pouvez le ranger.

À quoi bon lire encore les Mémoires des autres? Cela ne l'intéressait plus, aucun livre, et on aurait pu tout aussi bien brûler [illegible] sa bibliothèque.

[illegible]!

Cela n'avait rien eu de dramatique. [illegible], et il était presque content de lui. Une petite flamme [illegible] s'allumait [illegible] ses yeux qui commençaient à [illegible] aux réactions de son entourage.

[illegible] il fermait les yeux tout à coup [illegible]. [illegible]:

– Pourquoi me [illegible]?

[illegible] était peut-être:

– Vous [illegible] une lampe qui s'éteint.

Tout cela, pour qu'il avait [illegible] de [illegible] ses petites affaires.

– [illegible]? s'inquiétait tout à coup Milleran qui lui voyait les yeux clos.

Et il secouait la tête, ouvrait la paupière, lui souriait comme si elle n'était pas seulement Milleran mais le [illegible] [illegible].

– Non, mon petit. Pas encore...

FIN.

[illegible signature]

Noland 13 octobre 1957.

Le Président *: dernière page de la version manuscrite. Coll. Fonds Simenon.*

- 151 -

- Vous pouvez remettre ce livre à sa place.

A quoi bon lire encore les souvenirs des autres? Cela ne l'intéressait plus, aucun livre, et on aurait aussi bien pu brûler toute la bibliothèque.

Voilà!

Cela n'avait rien eu de dramatique, en définitive, et il était presque content de lui. Une petite flamme malicieuse pétillait même dans ses yeux gris tandis qu'il pensait aux réactions de son entourage.

En le voyant si calme et si doux, n'allait-on pas hocher tristement la tête et chuchoter derrière son dos:

- Vous avez vu comme il baisse?

Gabrielle ajouterait sans doute:

- On dirait une lampe qui s'éteint...

Tout cela, parce qu'il avait cessé de s'occuper de leurs petites affaires.

- Vous ne dormez pas? s'inquiétait soudain Milleran en lui voyant les yeux clos.

Il secoua la tête, ouvrit les paupières, lui sourit comme si elle n'était pas seulement Milleran, mais l'humanité toute entière.

- Non, mon petit.

Il ajouta, après un silence:

- Pas encore.

F I N

Noland, le 14 octobre 1957

Le Président : *dernière page de la version dactylographiée. Coll. Fonds Simenon.*

En 1928, Georges Simenon accomplit, à bord de la Ginette *un tour de France par les canaux et les rivières. Il en ramène un reportage :* Une France inconnue *ou* L'Aventure entre deux berges, *qui paraîtra en une seule livraison dans l'hebdomadaire* Vu, *n° 172, 1er juillet 1931, illustré de photos d'Hans Oplatka.*
Georges Simenon nous a permis d'en présenter une série, accompagnée de documents pris en Afrique (été 1932) et en Russie (1933).
Sur les canaux et rivières de France : la Saône. Coll. Fonds Simenon. (Cl. Oplatka.)

Sur les canaux et rivières de France : le Rhône. Coll. Fonds Simenon. (Cl. Oplatka.)

ur les canaux et rivières de France : le Rhône. Coll. Fonds Simenon. (Cl. Oplatka.)

Sur les canaux et rivières de France : le Rhône. Coll. Fonds Simenon. (Cl. Oplatka.)

Sur les canaux et rivières de France. Coll. Fonds Simenon. (Cl. Oplatka.)

Sur les canaux et rivières de France : le Midi. Coll. Fonds Simenon (Cl. Oplatka.)

Sur les canaux et rivières de France : Bordeaux. Coll. Fonds Simenon. (Cl. Oplatka.)

Simenon en Russie (1933). Coll. Fonds Simenon.

menon en Russie (1933). Coll. Fonds Simenon.

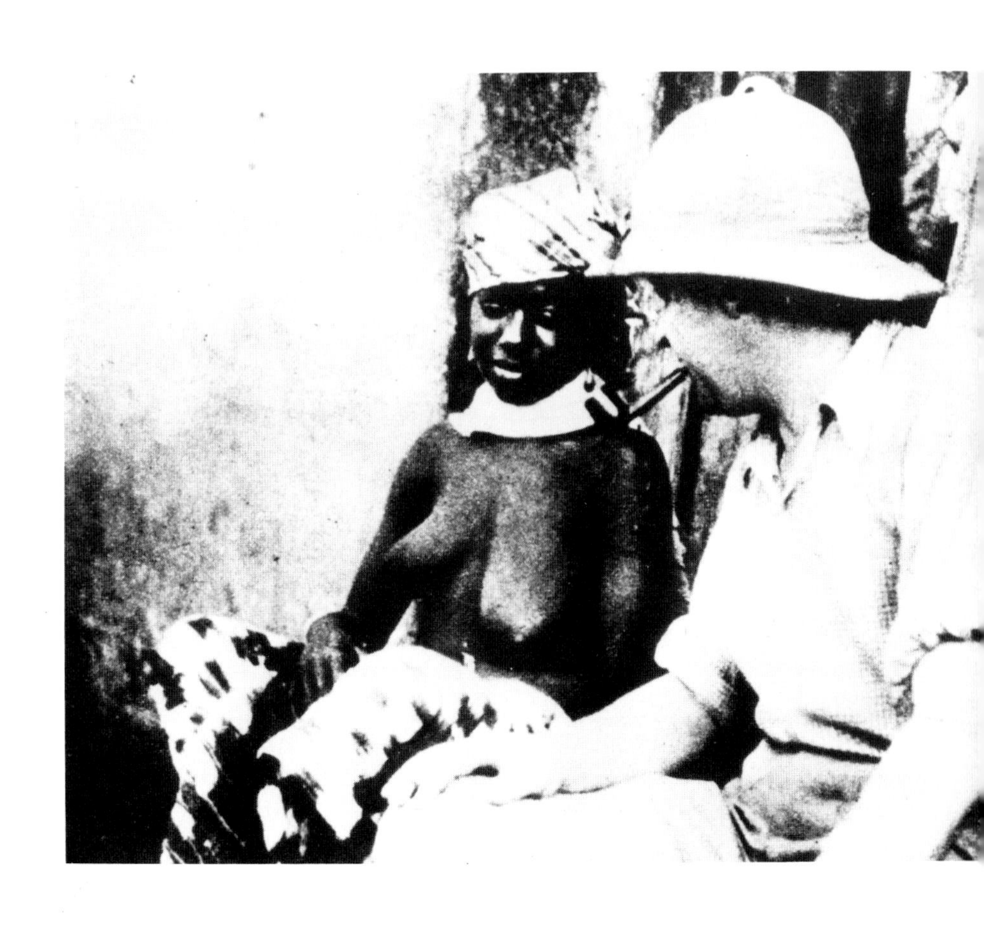

Voyage en Afrique (été 1932). Coll. Fonds Simenon.

Bibliographie de Georges Simenon

Etablie par Claude Menguy

Œuvres sous pseudonyme

1. *Les romans et recueils*

Germain d'Antibes

Hélas ! Je t'aime..., coll. Le Petit Roman, n° 78, éd. Ferenczi et fils, 1929.

Bobette

Bobette et ses satyres (édition illustrée), coll. Les Romans folâtres, n° 1, éd. Max Ferenczi, 1928.

Christian Brulls

La Prêtresse des Vaudoux, coll. Grandes Aventures et Voyages excentriques, n° 68, éd. Le Livre national, Tallandier, 1925.

Nox l'insaisissable, coll. Le Roman policier, n° 2, éd. Ferenczi et fils, 1926. Rééd. *in* coll. Police et Reportage, n° 2, 4 mai 1933.

Se Ma Tsien, le sacrificateur, coll. Grandes Aventures et Voyages excentriques, n° 135, éd. Le Livre national, Tallandier, 1926.

Le Désert du froid qui tue, coll. Les Romans d'aventures, n° 48, éd. Ferenczi et fils, 1928. Rééd. : *Le Yacht fantôme* (Georges Sim), coll. Voyages et Aventures, n° 12, même éd., 1933.

Mademoiselle X..., coll. Les Maîtres du roman populaire, n° 332, éd. Fayard, 1928.

Annie, danseuse, coll. Le Petit Roman, n° 28, éd. Ferenczi et fils, 1928.

Dolorosa, coll. Le Livre populaire, n° 226, éd. Fayard, 1928. Rééd. coll. Les Introuvables de G. Simenon, n° 5, éd. Presses de la Cité, 1980.

Les Adolescents passionnés, coll. Les Maîtres du roman populaire, n° 344, éd. Fayard, 1928. Rééd. coll. Les Romans d'amour de Georges Sim, n° 4, même éd., 1954.

L'Amant sans nom, coll. Le Livre populaire, n° 238, éd. A. Fayard, Paris, 1929. Rééd. coll. Les Introuvables de G. Simenon, n° 4, éd. Presses de la Cité, 1980.

Un drame au pôle Sud, coll. L'Aventure, n° 4, éd. Fayard, 1929.

Les Pirates du Texas, coll. Le Livre de l'aventure, n° 10, éd. Ferenczi et fils, 1929. Rééd. *La Chasse au whisky* (texte abrégé), coll. Voyages et Aventures, n° 47 , même éd., 1934. Rééd. *Les Pirates du Texas*, coll. Les Introuvables de Fayard, 1929.

Jacques d'Antifer, roi des îles du vent, coll.

Le Livre de l'aventure, n° 18, éd. Ferenczi, 1930. Rééd. *L'Héritier du corsaire* (texte abrégé), coll. Voyages et Aventures, n° 77, même éd., 1934.

L'Inconnue, coll. Le Livre populaire, n° 263, éd. Fayard, 1930. Rééd. coll. Les Introuvables de Georges Simenon, n° 3, éd. Presses de la Cité, 1980.

Train de nuit, coll. Les Maîtres du roman populaire, n° 392, éd. Fayard (Il s'agit de la toute première intervention du commissaire Maigret.) Rééd. coll. Les Romans d'amour de Georges Sim, n° 8, même éd., 1955.

Pour venger son père, coll. Le Livre épatant, n° 430, éd. Ferenczi et fils, 1931.

La Maison de la haine, coll. Les Maîtres du roman populaire, n° 404, éd. Fayard, 1931.

La Maison des disparus in *La Jeunesse illustrée*, n° 1462 à 1475, du 11 octobre 1931 au 10 janvier 1932, éd. Fayard. Non recueilli en volume.

Les Forçats de Paris, coll. Le Livre populaire, n° 276, éd. Fayard, 1932.

La Figurante, coll. Les Maîtres du roman populaire, n° 422, éd. Fayard, 1932. (Ce roman met en scène le commissaire Maigret.)

Fièvre, coll. Les Maîtres du roman populaire, n° 433, éd. Fayard, 1932. Rééd. coll. Les Romans d'amour de Georges Sim, n° 6, même éd., 1954.

L'Evasion, coll. Le Livre populaire, n° 304, éd. Fayard, 1934.

L'Ile empoisonnée, coll. Le Petit Roman d'aventures, n° 59, éd. Ferenczi et fils, 1937.

Seul parmi les gorilles, coll. Le Petit Roman d'aventures, n° 93, éd. Ferenczi et fils, 1937.

Publication non établie :

Lily-Palace (contrat signé le 30 septembre 1929 avec Fayard).

Rééditions, sous un titre différent, d'œuvres parues à l'origine sous le pseudonyme Georges Sim :

L'Ile de la désolation, coll. Voyages et Aventures, n° 7, éd. Ferenczi et fils, 1933. Rééd. de *Le Monstre blanc de la Terre de Feu.*

Le Lac des esclaves, coll. Voyages et Aventures, n° 14, éd. Ferenczi et fils, 1933. Rééd. de *Le Lac d'angoisse.*

J.-K. Charles

La Police scientifique in *Ric et Rac*, n° 1 à 11, du 16 mars au 25 mai 1929, éd. Fayard. Non recueilli en volume.

Jacques Dersonne

Un seul baiser..., coll. Le Petit Roman, n° 8, éd. Ferenczi et fils, 1928.

La Merveilleuse Aventure, coll. Le Petit Roman, n° 102, éd. Ferenczi et fils, 1929.

Les Etapes du mensonge, coll. Le Petit Livre, n° 937, éd. Ferenczi et fils, 1930.

Baisers mortels, coll. Le Petit Roman, n° 156, éd. Ferenczi et fils, 1931.

Victime de son fils, coll. Le Petit Roman, n° 173, éd. Ferenczi et fils, 1931. Réédition (œuvre parue sous le pseudonyme Georges Sim) : *Défense d'aimer*, coll. Le Petit Livre, n°1 939, éd. Ferenczi et fils, 1938.

Jean Dorsage

L'Amour méconnu, coll. Le Petit Roman, n° 51, éd. Ferenczi et fils, 1928.

Celle qui revient, coll. Le Petit Livre, n° 857, éd. Ferenczi et fils, 1929.

Cœur de jeune fille, coll. Le Petit Roman, n° 115, éd. Ferenczi et fils, 1930.

Sœurette, coll. Le Petit Roman, n° 128, éd. Ferenczi et fils, 1930.

Les Chercheurs de bonheur, coll. Le Petit Roman, n° 158, éd. Ferenczi et fils.

Luc Dorsan

Histoire d'un pantalon, Collection Gauloise, n° 45, éd. Prima, 1926.

Nini violée, éd. Prima, 1926.

Mémoires d'un vieux suiveur, Collection Gauloise, n° 53, éd. Prima, 1926.

Nuit de noces suivi de *Doubles Noces* et *Les Noces ardentes*, Collection Gauloise, n° 58, éd. Prima, 1926.

Les Mannequins du docteur Cup in *Le Pêle-Mêle* (Société parisienne d'édition), n° 168 à 187, du 8 mai au 18 septembre 1927. Non recueilli en volume.

La Pucelle de Bénouville, Collection Gauloise, n° 72, éd. Prima, 1927.

Une petite dessalée (édition illustrée), coll. Les Romans folâtres, n° 3, éd. Max Ferenczi, 1928.

Un drôle de coco, Collection Gauloise, n° 118, éd. Prima, 1929.

Publication non établie :

Garde Clémentine ! (petit roman drôle).

Le Monsieur du samedi (petit roman drôle).

Œuvre attribuée par erreur
à Luc Dorsan :

Nichonnette, coll. Gauloise, n° 51, éd. Prima, 1926. Cette œuvre, dont le style n'est d'ailleurs pas dans la manière du Simenon d'alors, n'appartient pas à notre auteur. Son attribution à Luc Dorsan — le nom est porté sur la page de titre — est erronée. L'auteur est en réalité Eric Demeige, nom sous lequel ce roman fut publié ultérieurement en feuilleton dans *Froufrou*, sous le titre *Nichonnette ou l'étreinte interrompue*, du 18 avril au 30 mai 1928.

Jean Dossage

Les Deux Maîtresses, coll. Le Livre épatant, n° 395, éd. Ferenczi et fils, 1930.

George Martin-George
Georges-Martin- Georges
Georges-Martin Georges
Georges Martin-Georges

L'Orgueil qui meurt (Georges Martin-Georges), éd. Le Livre national, Tallandier, 1925. Coll. Le Livre de poche, nouvelle série, n° 85.

Un soir de vertige... (Georges-Martin Georges), coll. Le Petit Roman, n° 10, éd. Ferenczi et fils, 1928.

Brin-d'amour (Georges-Martin-Georges), coll. Le Petit Roman, n° 16, éd. Ferenczi et fils, 1928.

Les Cœurs vides (Georges Martin-Georges), coll. Le Petit Roman, n° 38, éd. Ferenczi et fils, 1928.

Cabotine (Georges-Martin Georges), coll. Le Petit Roman, n° 41, éd. Ferenczi et fils, 1928.

Aimer, mourir (Georges Martin-Georges), coll. Le Petit Roman, n° 55, éd. Ferenczi et fils, 1929.

Voleuse d'amour, coll. Le Petit Roman, n° 62, éd. Ferenczi et fils, 1929.

Une ombre dans la nuit (Georges-Martin Georges), coll. Le Petit Livre, n° 872, éd. Ferenczi et fils, 1929.

Nuit de Paris (Georges-Martin Georges), coll. Le Petit Roman, n° 90, éd. Ferenczi et fils, 1929.

La Victime (Georges-Martin Georges), coll. Mon Livre favori, n° 446, éd. Ferenczi et fils, 1929.

Un nid d'amour, coll. Mon Livre favori, n° 473, éd. Ferenczi et fils, 1929.

Bobette, mannequin (Georges-Martin-Georges), coll. Le Petit Roman, n° 133, éd. Ferenczi et fils, 1930.

La Puissance du souvenir (Georges-Martin-Georges), coll. Le Petit Roman, n° 145, éd. Ferenczi et fils, 1930.

Le Bonheur de Lili (George-Martin-George), coll. Le Petit Livre, n° 947, éd. Ferenczi et fils, 1930.

La Double Vie (Georges-Martin George), coll. Le Petit Roman, n° 157, 1931.

Gom Gut

Un viol aux Quat'z Arts, Collection Gauloise, n° 21, éd. Prima, 1925.

Perversités frivoles (contes), Collection Gauloise, n° 26, éd. Prima, 1925.

Au grand 13 (contes), éd. Prima, 1925.

Plaisirs charnels (contes), Collection Gauloise, n° 31, éd. Prima, 1925.

Aux vingt-huit négresses, Collection Gauloise, n° 37, éd. Prima, 1925.

La Noce à Montmartre, Collection Gauloise, n° 42, éd. Prima, 1925.

Liquettes au vent (contes), Collection Gauloise, n° 47, éd. Prima, 1926.

Le Dernier Jour du Picratt's Bar in *Froufrou*, n° 188 à 191, du 7 au 28 juillet 1926. Non recueilli en volume.

Une petite très sensuelle, Collection Gauloise, n° 56, éd. Prima, 1926.

Orgies bourgeoises, Collection Gauloise, n° 65, éd. Prima, 1926.

L'Homme aux douze étreintes, Collection Gauloise, n°70, éd. Prima, 1927.

Etreintes passionnées, Collection Gauloise, n° 74, éd. Prima, 1927.

L'Amant fantôme, Collection Gauloise, n° 112, éd. Prima, 1928.

L'Amour à Montparnasse (édition illustrée), coll. Les Romans folâtres, n° 2, éd. Max Ferenczi, 1928.

Madame veut un amant (édition illustrée), coll. Les Romans drôles, n° 1, éd. Max Ferenczi, 1928.

Les Distractions d'Hélène (édition illustrée), coll. Les Romans drôles, n° 4, éd. Max Ferenczi, 1928.

Publication non établie :

Un homme ardent ou *Les Douze Baisers d'Arthur* ou *La Douzième Etreinte* (petit roman drôle).

Attribution erronée :

Une môme dessalée : ce roman a été signalé dans mes précédentes bibliographies comme faisant partie de l'œuvre de Georges Simenon (sous le pseudonyme Gom Gut). En fait, il s'agissait d'une attribution erronée résultant d'une regrettable confusion de titres. C'est Renée Dunon qui est en réalité l'auteur de ce petit roman grivois.

Georges d'Isly

Etoile de cinéma, coll. Mon Roman, n° 109, éd. F. Rouff, 1925.

Kim

Un petit poison (édition illustrée), coll. Les Romans drôles, n° 5, éd. Ferenczi, 1928.

Jean du Perry

Le Roman d'une dactylo, coll. Le Petit Livre, n° 623, éd. Ferenczi et fils, s.d. (1924).

Amour d'exilée, coll. Le Petit Livre, n° 632, éd. Ferenczi et fils, s.d. (1924).

L'Oiseau blessé, coll. Mon Livre favori, n° 211, éd. Ferenczi et fils, 1925.

L'Heureuse Fin, coll. Le Petit Livre, n° 645, éd. Ferenczi et fils, s.d. (1925).

La Fiancée fugitive, coll. Mon Livre favori, n° 221, éd. Ferenczi et fils, 1925.

Entre deux haines, coll. Mon Livre favori, n° 227, éd. Ferenczi et fils, 1925.

Pour le sauver, coll. Le Petit Livre, n° 677, éd. Ferenczi et fils, 1925.

Ceux qu'on avait oubliés, coll. Mon Livre favori, n° 241, éd. Ferenczi et fils, 1925.

Pour qu'il soit heureux !, coll. Le Petit Livre, n° 685, éd. Ferenczi et fils, 1925.

Amour d'Afrique, coll. Le Petit Livre, n° 693, éd. Ferenczi et fils, 1925.

A l'assaut d'un cœur, coll. Le Livre épatant, n° 292, éd. Ferenczi et fils, 1925.

L'Orgueil d'aimer, coll. Le Petit Livre, n° 704, éd. Ferenczi et fils, 1926.

Celle qui est aimée, coll. Le Petit Livre, n° 716, éd. Ferenczi et fils, 1926.

Les Yeux qui ordonnent, coll. Mon Livre favori, n° 272, éd. Ferenczi et fils, 1926.

Que ma mère l'ignore !, coll. Le Livre épatant, n° 306, éd. Ferenczi et fils, 1926.

De la rue au bonheur, coll. Mon Livre favori, n° 280, éd. Ferenczi et fils, 1926.

Un péché de jeunesse, coll. Le Livre épatant, n° 315, éd. Ferenczi et fils, 1926.

Lili-Tristesse, coll. Le Petit Livre, n° 747, éd. Ferenczi et fils, 1927.

Un tout petit cœur, éd. Le Livre national, Tallandier, 1927. Coll. Le Livre de poche, nouvelle série, n° 173.

Le Fou d'amour, coll. Le Petit Roman, n° 3, éd. Ferenczi et fils, 1928.

Cœur exalté, coll. Mon Livre favori, n° 364, éd. Ferenczi et fils, 1928.

Trois Cœurs dans la tempête, coll. Mon Livre favori, n° 373, éd. Ferenczi et fils, 1928.

Les Amants de la mansarde, coll. Le Petit Roman, n° 24, éd. Ferenczi et fils, 1928.

Un jour de soleil, coll. Le Petit Roman, n° 43, éd. Ferenczi et fils, 1928.

La Fille de l'autre, coll. Le Petit Livre, n° 847, éd. Ferenczi et fils, 1929.

L'Amour et l'argent coll. Le Petit Roman, n° 64, éd. Ferenczi et fils, 1929.

Cœur de poupée, coll. Le Petit Roman, n° 866, éd. Ferenczi et fils, 1929.

Une femme a tué, coll. Le Livre épatant, n° 384, éd. Ferenczi et fils, 1929.

Deux Cœurs de femmes, coll. Mon Livre favori, n° 435, éd. Ferenczi et fils, 1929.

L'Epave d'amour, coll. Le Petit Roman, n° 84, éd. Ferenczi et fils, 1929.

Le Mirage de Paris, coll. Mon Livre favori, n° 440, éd. Ferenczi et fils, 1929.

Celle qui passe, coll. Mon Livre favori, n° 470, éd. Ferenczi et fils, 1930.

Petite Exilée, coll. Le Petit Roman, n° 127, éd. Ferenczi et fils, 1930.

Les Amants du malheur, coll. Le Petit Livre, n° 924, éd. Ferenczi et fils, 1930.

La Femme ardente, coll. Le Livre épatant, n° 415, éd. Ferenczi et fils, 1930.

La Porte close, coll. Le Petit Roman, n° 139, éd. Ferenczi et fils, 1930.

La Poupée brisée, coll. Le Petit Roman, n° 148, éd. Ferenczi et fils, 1930.

Pauvre Amante !, coll. Le Petit Roman, n° 163, éd. Ferenczi et fils, 1931.

Le rêve qui meurt, coll. Mon Roman, n° 428, éd. F. Rouff, 1931.

Marie-Mystère, coll. Le Livre populaire, n° 268, éd. Fayard, 1931. Rééd. coll. Les Introuvables de Georges Simenon, n° 6, éd. Presses de la Cité, 1980.

Publication non établie :

Les Noces d'Arlette ou *Une orgie à Pithiviers* (petit roman folâtre).

Plick et Plock

Voluptueuses Etreintes (contes), Collection gailla, n° 23, éd. Prima, 1925.

Publication non établie :

Le Chéri de tantine ou *Le Trio en folie* (petit roman drôle).

Les Clients de Mme Marthe (petit roman drôle).

Poum et Zette

Des gens qui exagèrent (édition illustrée), coll. Les Romans drôles, n° 2, éd. Max Ferenczi.

Jean Sandor Sandor

Publication non établie

Une petite femme sincère (Sandor) (petit roman drôle).

Julius et sa négresse ou *La Négresse déchaînée* (Sandor), (petit roman folâtre).

Emma la Gaillarde (Sandor), (petit roman leste).

Georges Sim

Au pont des Arches, imprimerie Bénard, Liège, 1921. Rééd. en fac-similé offset, coll. Les Introuvables, Editions d'Aujourd'hui, Paris, 1975.

Les Ridicules ! Portraits, imprimerie de *La Gazette de Liège*, Liège, s.d. (1921).

Les Voleurs de navires, coll. Grandes Aventures et Voyages excentriques, n° 153, éd. Le Livre national, Tallandier, 1927. Rééd. coll. Les Romans d'aventures de Georges Sim, n° 1, même éd., 1954.

Défense d'aimer, coll. Le Petit Livre, n° 754, éd. Ferenczi et fils, 1927. Rééd. sous le pseudonyme Jacques Dersonne.

Paris leste (contes), éd. Paris-Plaisirs, s.d. (1927).

Le feu s'éteint, coll. Les Maîtres du roman populaire, n° 308, éd. Fayard, s.d. (1927). Rééd. coll. Les Romans d'amour de Georges Sim, n° 5, même éd., 1954.

Le Cercle de la soif, coll. Les Romans d'aventures, n° 41, éd. Ferenczi et fils, 1927. Rééd. *Le Cercle de la mort*, coll. Voyages et Aventures, n° 55, même éd., 1933.

Un monsieur libidineux, éd. Prima, 1927.

Les Cœurs perdus, coll. Romans populaires, n° 621, éd. Le Livre national, Tallandier, 1928.

Le Secret des lamas, coll. Grandes Aventures et Voyages excentriques, n° 194, éd. Le Livre national, Tallandier, 1928. Rééd. coll. Les Romans d'aventures de Georges Sim, n° 2, même éd., 1954.

Les Maudits du Pacifique, coll. Grandes Aventures et Voyages excentriques, n° 201, éd. Le Livre national, Tallandier, 1928. Rééd. coll. Les Romans d'aventures de Georges Sim, n° 3, même éd. 1954.

Le Monstre blanc de la Terre de Feu, coll. Les Romans d'aventures, n° 51, éd. Ferenczi et fils, 1928. Rééd. *L'Ile de la Désolation* (Christian Brulls), coll. Voyages et Aventures, n° 7, même éd., 1933.

Miss Baby, coll. Le Livre populaire, n° 218, éd. Fayard, 1928.

Le Semeur de larmes, coll. Le Petit Livre, n° 810, éd. Ferenczi et fils, 1928.

Le Roi des glaces, coll. Grandes Aventures et Voyages excentriques, n° 215, éd. Le Livre national, Tallandier, 1928. Rééd. coll. Les Romans d'aventures de Georges Sim, n° 4, même éd., 1954.

Le Sous-marin dans la forêt, coll. Grandes Aventures et Voyages excentriques, n° 222, éd. Le Livre national, Tallandier, 1928. Rééd. coll. Les Romans d'aventures de Georges Sim, n° 5, même éd., 1954.

La Maison sans soleil, coll. Les Maîtres du roman populaire, n° 340, éd. Fayard, 1928. Rééd. coll. Les Romans d'amour de Georges Sim, n° 1, même éd., 1954.

Aimer d'amour, coll. Mon Livre favori, n° 382, éd. Ferenczi et fils, 1928.

Songes d'été, coll. Le Petit Livre, n° 828, éd. Ferenczi et fils, 1928.

Les Nains des cataractes, coll. Grandes Aventures et Voyages excentriques, n° 238, éd. Le Livre national, Tallandier, 1928. Rééd. coll. Les Romans d'aventures de Georges Sim, n° 6, même éd., 1954. Rééd. coll. Les Introuvables de Georges Simenon, n° 12, éd. Presses de la Cité, 1980.

Le Lac d'angoisse, coll. Les Romans d'aventures, n° 57, éd. Ferenczi et fils, 1928. Rééd. *Le Lac des Esclaves* (Christian Brulls), coll. Voyages et aventures, n° 14, même éd., 1933.

Le Sang des gitanes, coll. Le Petit Livre, n° 838, éd. Ferenczi et fils, 1928.

Chair de beauté, coll. Le Livre populaire, n° 232, éd. Fayard, 1928. Rééd. coll. Les Introuvables de Georges Simenon, n° 2, éd. Presses de la Cité, 1980.

Les Mémoires d'un prostitué, par lui-même, préface de Georges Sim, éd. Prima, 1929.

« L. 53 » in *L'Aventure*, hebdomadaire illustré, n° 91-92, 14 et 21 mars 1929, éd. Fayard. Non recueilli en volume.

En robe de mariée, coll. Romans populaires, n° 683, éd. Le Livre national, Tallandier, 1929.

La Panthère borgne, coll. Grandes Aventures et Voyages excentriques, n° 259, éd. Le Livre national, Tallandier, 1929. Rééd. coll. Les Introuvables de Georges Simenon, n° 11, éd. Presses de la Cité, 1980.

La Fiancée aux mains de glace, coll. Les Maîtres du roman populaire, n° 356, éd. Fayard, 1929.

Les Bandits de Chicago, coll. L'Aventure, n° 1, éd. Fayard, s.d. (1929).

L'Ile des hommes roux, coll. Grandes Aventures et Voyages excentriques, n° 267, éd. Tallandier, 1929.

Le Roi du Pacifique, coll. Le Livre de l'aventure, n° 6, éd. Ferenczi et fils, 1929. Rééd. *Le « Bateau-d'Or »* (texte abrégé), coll. Voyages et Aventures, n° 115, même éd., 1935. Rééd. *Le Roi du Pacifique*, coll. Les Introuvables de Georges Simenon, n° 7, éd. Presses de la Cité, 1980.

Le Gorille-Roi, coll. Grandes Aventures et Voyages excentriques, n° 274, éd. Le Livre national, Tallandier, 1929.

Les Contrebandiers de l'alcool, coll. L'Aventure, n° 7, éd. Fayard, s.d. (1929).

La Femme qui tue, coll. Le Livre populaire, n° 251, éd. Fayard, 1929.

Destinées, coll. Les Maîtres du roman populaire, n° 367, éd. Fayard, 1929. Rééd. coll. Les Romans d'amour de Georges Sim, n° 3, même éd., 1954.

L'Ile des maudits, coll. Le Livre de l'aventure, n° 14, éd. Ferenczi et fils, 1929. Rééd. *Naufrage du « Pélican »* (texte abrégé), coll. Voyages et Aventures, n° 111, même éd., 1935. Rééd. *L'Ile des maudits*, coll. Les Introuvables de Georges Simenon, n° 8, éd. Presses de la Cité, 1980.

La Femme en deuil, coll. Romans populaires, n° 721, éd. Le Livre national, Tallandier, 1929.

L'Œil de l'Utah, coll. Grandes Aventures et Voyages excentriques, n° 298, éd. Le Livre national, Tallandier, 1930.

L'Homme qui tremble, coll. L'Aventure, n° 19, éd. Fayard, s.d. (1930).

Nez d'argent, coll. Le Livre de l'aventure, n° 21, éd. Ferenczi et fils, 1930. Rééd. *Le Paria des bois sauvages* (texte abrégé), coll. Voyages et Aventures, n° 31, même éd., 1933. Rééd. *Nez d'argent*, coll. Les Introuvables de Georges Simenon, n° 9, éd. Presses de la Cité, 1980.

Mademoiselle Million, coll. Les Maîtres du roman populaire, n° 378, éd. Fayard, 1930. Rééd. *Les Ruses de l'amour*, coll. Les Romans d'amour de Georges Sim, n° 7, même éd., 1954.

Le Pêcheur de bouées, coll. Grandes Aventures et Voyages excentriques, n° 314, éd. Le Livre national, Tallandier, 1930.

Le Document violet in *La Jeunesse illustrée*, n° 1391 à 1405, du 1er juin au 7 septembre 1930, éd. Fayard. Non recueilli en volume.

Le Chinois de San Francisco, coll. Romans célèbres de drame et d'amour, n° 157, éd. Le Livre national, Tallandier, 1930.

La Femme 47, coll. Le Livre populaire, n° 257, éd. Fayard, 1930.

Katia, acrobate, coll. Le Livre populaire, n° 271, éd. Fayard, 1931.

L'Homme à la cigarette, coll. Romans célèbres de drame et d'amour, n° 183, éd. Le Livre national, Tallandier, 1931.

L'Homme de proie, coll. Les Maîtres du roman populaire, n° 399, éd. Fayard, 1931. Rééd. coll. Le Roman complet, n° 45, même éd., 1952.

Les Errants, coll. Les Maîtres du roman populaire, n° 411, éd. Fayard, 1931. Rééd. coll. Les Romans d'amour de Georges Sim, n° 2, même éd., 1954.

La Maison de l'inquiétude, coll. Criminels et policiers, première série, n° 46, éd. Tallandier, 1932. Il s'agit d'une enquête du commissaire Maigret.

L'Epave, coll. Les Maîtres du roman populaire, n° 428, éd. Fayard, 1932. Rééd. coll. Le Roman complet, n° 50, même éd., 1952.

Matricule 12, coll. Criminels et policiers, première série, n° 64, éd. Tallandier, 1932.

La Fiancée du diable, coll. Le Livre populaire, n° 288, éd. Fayard, 1933. Rééd.

coll. Les Introuvables de Georges Simenon, n° 1, éd. Presses de la Cité, 1980.

La Femme rousse, coll. Criminels et policiers, deuxième série, n° 7, éd. Tallandier, 1933. Il s'agit d'une enquête du commissaire Maigret.

Le Château des Sables Rouges, coll. Criminels et policiers, deuxième série, n° 14), éd. Tallandier, 1933.

Deuxième Bureau, coll. Criminels et policiers, deuxième série, n° 19, éd. Tallandier, 1933.

Publication non établie :

L'Envers d'une passion. Un contrat concernant ce titre a été signé entre Georges Sim et l'éditeur F. Rouff à Paris, le 8 février 1927.

Réédition :

Réédition (sous un titre différent) d'une œuvre parue à l'origine sous le pseudonyme Christian Brulls :

Le Yacht fantôme, coll. Voyages et aventures, n° 12, éd. Ferenczi et fils, 1933 ; rééd. de *Le Désert du froid qui tue*, texte abrégé.

Œuvres inédites :

Jehan Pinaguet. Histoire d'un homme simple.

Le Bouton de col (en coll. avec H.-J. Moers).

Œuvres publiées en feuilletons, puis reprises en volume sous patronyme :

Les Treize Mystères (cf. "Nouvelles sous patronyme").

Les Treize Enigmes (id.).

Les Treize Coupables (id.).

Un crime à bord (ou *Le Passager du "Polarlys"*) in *L'Œuvre*, trente-deux livraisons, du 24 novembre au 25 décembre 1930.

Georges Sim

Les Larmes avant le bonheur..., coll. Le Petit Livre, n° 638, éd. Ferenczi et fils, s.d. (1924).

G. Vialis
Gaston Vialis
Gaston Viallis

Un petit corps blessé (Gaston Vialis), coll. Le Petit Roman, n° 13, éd. Ferenczi et fils, 1928.

Haïr à force d'aimer (G. Vialis), coll. Le Petit Roman, n° 20, éd. Ferenczi et fils, 1928.

L'Etreinte tragique (G. Vialio [*sic*]), coll. Le Petit Roman, n° 47, éd. Ferenczi et fils, 1928.

Le Parfum du passé (Gaston Vialis), coll. Le Petit Roman, n° 68, éd. Ferenczi et fils, 1929.

Lili-Sourire (Gaston Viallis), coll. Le Petit Roman, n° 136, éd. Ferenczi et fils, 1930.

Folie d'un soir (Gaston Viallis), coll. Le Petit Roman, n° 151, éd. Ferenczi et fils, 1930.

Âme de jeune fille (Gaston Viallis), coll. Le Petit Roman, n° 165, éd. Ferenczi et fils, 1931.

G. Violis

Rien que pour toi, coll. Le Petit Roman, n° 52, éd. Ferenczi et fils, 1929.

Trop beau pour elle !, coll. Le Petit Roman, n° 58, éd. Ferenczi et fils, 1929.

2. *Contes et nouvelles*[1]
(à l'exception des contes légers)

Publication en Belgique

In *Gazette de Liège*

1919 :

Jojo (Geo Sim) (14.10)

Une idée de génie (14.11)

A l'Œillet Blanc (18.11)

Les Conséquences d'un coup de ciseaux (25.11)

La Première Gifle (2.12)

Le Langage des cravates (9.12)

1920 :

Bourlingue marie ses filles (13.5)

Larmes de gosse (23-24.5)

Oh ! Mademoiselle... (27.5)

Eugénie, prends ton parapluie ! (10.6)

Un mari qui a tué sa femme (24.6)

Pas de chance ! (1.7)

Comment elles tuent le temps ! (11-12.7)

Plus Fort que le maître (21.7)

Histoire d'un Napoléon couronné ! (7.8)

Nous sommes quittes... (23.9)

1921 :

La Légende liégoise (numéro spécial « Noël Etrennes 1922 »).

In *Noss'Pèron*

1921 :

L'Histoire véridique de Célestin Noël, organiste (9.1)

Par les rues (19.2)

In *La Revue Sincère*

1922 :

Le Compotier tiède (15.12)

1923 :

Engourdissement (15.6)

Publication en France

In *Le Matin*
(rubrique « Les mille et un matins »)

1923 :

La Petite Idole (27.9)

Le Coup de feu (23.10)

1924 :

Un couple passa (1.2)

Le Chant du soir (29.3)

L'Accident (6.5)

Un homme sur la voie (30.5)

L'Etape (18.7)

Le Grisou (25.7)

Le Saxophone (29.7)

Mélie (15.8)

Dédé (29.8)

L'Ivrogne (6.9)

Convalescence (13.9)

Tuer (23.9)

Méprise (6.10)

Les Lacroix (25.10)

Le Timbre (3.11)

Les Roues (22.11)

Jeannot (28.11)

L'Avaleur d'aiguilles (12.12)

1925 :

Les Larmes (12.1)

La Lettre (27.1)

Retour (17.2)

La Porte n°9 (7.3)

M'ame Casaquin (13.4)

La Preuve (21.4)

M. Frogeot, caissier (4.5)

Joë (18.5)

Le Père Manillon (30.5)

Le Silence (6.6)

La Peur du sang (16.6)

Faits divers (19.6)

La Valise (14.7)

L'Ombre sur le rideau (25.7)

La Barque (24.8)

L'Agresseur (31.8)

L'Annonce (12.9)

1. *Sauf indication contraire, les textes sont signés Georges Sim.*

La Cavée (23.9)
Le Rôdeur (3.10)
La Nuit atroce (31.10)
Le Pêcheur obstiné (6.11)
Le Récital (21.11)
1926 :
Le Fakir (3.1)
Le Beau Roman (8.1)
S.O.S. (30.1)
Le Mousse (10.2)
Le Train de nuit (16.2)
Le Flacon (24.2)
Les Cyclamens (15.3)
L'Exemple (16.3)
Le Couple (19.3)
Soupçons (7.4)
Un beau joueur (21.4)
Dénouement (7.5)
Un brave homme (19.5)
Le Portrait (9.6)
Le Porte-Bonheur (22.6)
Le Beau Train bleu (9.7)
Trichet (30.7)
Le Ridicule (4.8)
Le Chien-Loup (18.8)
Le Bahut (?-8)
L'Amiral (27.8)
Irma (8.9)
L'Ours (15.9)
Lettres d'amour (29.9)
Le Vaccin (3.11)
Le Solliciteur (23.11)
Le Colonel (3.12)
Les Vibrants (29.12)

In *Paris-Soir*
1924 :
Un monsieur antipathique (5.9)
La Barque de pêche (23.9)
Le Vieux Monsieur (29.10)
1925 :
Premier Anniversaire (18.1)

In *Eve*
1925 :
L'Inconnue (22.3)

In *Lectures de Quinzaine*
1926 :
Un malade (10.4)
Coïncidence
La Vieille (25.5)
L'Ondée (10.8)
Douleur (25.9)
La Gifle (10.11)
1927 :
Les Remous (10.1)
Un malheureux (10.2)

In *L'Ami du peuple*
1931 :
Marcelle

In *L'Aventure*
a. « Les contes vrais de Georges Sim »
1927 :
Un Noël du capitaine Scott (22.12)
1928 :
Alain Gerbault (26.1)
Charles Lindbergh, le cavalier des nuages (22.2 et 1.3)
Le Dernier Envol de Guynemer (26.4)
Ruth Elder dans la tempête (20.9)
Charlot se débrouille (8.11)
1929 :
Amundsen l'inlassable (3.1)
Roland Garros et ses féroces admirateurs (7.3)
b. Nouvelles d'aventures
1927 :
L'Amok vertigineux (Christian Bull's) (15.9)
La Fin des cinq (29.9)
1928 :
Les Violons de Terre-Neuve (Christian Brulls) (19.1)
Jérémie (Christian Brulls) (26.4)
Le Torpilleur décapité (Christian Brulls) (13.9)
1929 :
A l'instar des pirates (Christian Brulls) (31.1)

In *Ric et Rac*

a. « Les contes vrais de Georges Sim »

1929 :

Valentino vagabond (Rudolph Valentino) (16.3)
Byrd au pôle Sud (30.3)
Jack London vagabond (6.7)
L'Homme au burnous (T.E. Lawrence) (24.8)
L'Homme-mystère (T.E. Lawrence) (31.8)

b. Nouvelles d'aventures

1929 :

Ceux qui pêchaient des mines (Christian Brulls) (29.6)

c. Nouvelles policières

1929 :

Train 133 (Christian Brulls) (6.4)

1930 :

Le Yacht et la panthère (15.3)
Le Rat de quai (15.6)

d. « Les exploits de Sancette » (Christian Brulls)

1929 :

Le Bonhomme de Lagny (18.5)
Le Grappin de M. Sancette (1.6)
Frédo-la-Terreur (3.7)
L'Homme aux allumettes (24.8)
L'Assassinat de la marquise (31.8)
L'Histoire des montres (7.9)
Les Trois Clients (21.9)
Le Coffre-fort d'acajou (12.10)
La Dame aux yeux noirs (26.10)
Le Jeune Homme pâle (30.11)
Le Nègre et la panthère (14.1).

1930 :

L'Archiviste (18.1)
Le Vase de Delft (1.2)
Les Trois Rats de quai (15.2)

In *Benjamin*

1934 :

L'As de l'arrestation (Sancette), sous le patronyme de l'auteur (15.12)

In *Détective*

1929 :

Le Vautour (21.2)

1930 :

Le Coup de poing (31.7)

Nouvelles inédites :

L'Histoire du tonneau (Sancette) (Christian Brulls)
L'Affaire du canal (G. 7) (Georges Sim)

Œuvres sous patronyme

1. Les romans et recueils de nouvelles

Editions Jacques Haumont

Collection Phototexte

1931 :
La Folle d'Itterville

Editions Arthème Fayard

Les « Maigret »

1931 :
Monsieur Gallet, décédé
Le Pendu de Saint-Pholien
Le Charretier de la Providence
Le Chien jaune
Pietr le Letton
La Nuit du carrefour
Un crime en Hollande
Au rendez-vous des Terre-Neuvas
La Tête d'un homme
La Danseuse du Gai-Moulin

1932
La Guinguette à deux sous
L'Ombre chinoise
L'Affaire Saint-Fiacre
Chez les Flamands
Le Fou de Bergerac
Le Port des brumes
Liberty-Bar

1933 :
L'Ecluse n° 1

1934 :
Maigret

Autres policiers

1931 :
Le Relais d'Alsace

1932 :
Le Passager du "Polarlys"
Les Treize Coupables (nouvelles)
Les Treize Enigmes (nouvelles)
Les Treize Mystères (nouvelles)

Les romans

1933 :
Les Fiançailles de M. Hire
Le Coup de Lune
La Maison du Canal
L'Ane-Rouge
Les Gens d'en face
Le Haut Mal

1934 :
L'Homme de Londres

Editions N.R.F.-Gallimard

Les « Maigret »
1942 :
« Maigret revient... » :
Cécile est morte
Les Caves du Majestic
La Maison du juge
1944 :
« Signé Picpus » :
Signé Picpus
L'Inspecteur Cadavre
Félicie est là
1944 :
Les Nouvelles Enquêtes de Maigret (nouvelles)

Autres policiers
1938 :
G.7 (nouvelles)
1943 :
Le Petit Docteur (nouvelles)
Les Dossiers de l'Agence O (nouvelles)
1944 :
Nouvelles exotiques (in « Signé Picpus »)

Les romans
1934 :
Le Locataire
Les Suicidés
1935 :
Les Pitard
Les Clients d'Avrenos
Quartier nègre
1936 :
L'Evadé
Long Cours
Les Demoiselles de Concarneau
45° à l'ombre
1937 :
Le Testament Donadieu
L'Assassin
Le Blanc à lunettes
Faubourg
1938 :
Ceux de la soif
Chemin sans issue
Les Rescapés du "Télémaque"
Les Trois Crimes de mes amis
Le Suspect
Les Sœurs Lacroix
Touriste de bananes ou les Dimanches de Tahiti
Monsieur La Souris
La Marie du Port
L'homme qui regardait passer les trains
Le Cheval blanc
1939 :
Le Coup-de-Vague
Chez Krull
Le Bourgmestre de Furnes
1940 :
Malempin
Les Inconnus dans la maison
1941 :
Cour d'assises
Bergelon
L'Outlaw
Il pleut, bergère...
Le Voyageur de la Toussaint
La Maison des sept jeunes filles
1942 :
Oncle Charles s'est enfermé
La Veuve Couderc
Le Fils Cardinaud
La Vérité sur Bébé Donge
1944 :
Le Rapport du gendarme
1945 :
L'Aîné des Ferchaux

1946 :
Les Noces de Poitiers
Le Cercle des Mahé
1947 :
Le Clan des Ostendais
1948 :
Le Bilan Malétras
1954 :
Le Bateau d'Emile (nouvelles)

Notes de voyage
1938 :
La Mauvaise Etoile

Editions de la Jeune Parque

Romans
1945 :
La Fenêtre des Rouet
La Fuite de Monsieur Monde
1947 :
Le Passager clandestin

Les Presses de la Cité

Les « Maigret »
1947 :
Maigret se fâche (suivi de « La Pipe de Maigret »)
Maigret à New York
Maigret et l'inspecteur Malgracieux
1948 :
Maigret et son mort
Les Vacances de Maigret
1949 :
La Première Enquête de Maigret (1913)
Mon ami Maigret
Maigret chez le coroner
1950 :
Maigret et la vieille dame
L'Amie de Madame Maigret
Maigret et les petits cochons sans queue (nouvelles)
Les Mémoires de Maigret
1951 :
Un Noël de Maigret (nouvelles)
Maigret au Picratt's
Maigret en meublé
Maigret et la Grande Perche
1952 :
Maigret, Lognon et les gangsters
Le Revolver de Maigret
1953 :
Maigret et l'homme du banc
Maigret a peur
Maigret se trompe
1954 :
Maigret à l'école
Maigret et la jeune morte
1955 :
Maigret chez le ministre
(A noter que ce roman a fait l'objet auparavant d'un tirage spécial miméographié, limité à cent exemplaires constituant l'édition originale : Lakeville, Conn., U.S.A., chez l'auteur, 1954. Première édition imprimée, Cercle du roman policier, Montréal, Canada, 1954.)
Maigret et le corps sans tête
(Ce roman a fait l'objet auparavant d'un tirage spécial miméographié limité à cent exemplaires constituant l'édition originale : Lakeville, Conn., U.S.A., chez l'auteur, 1955.)
Maigret tend un piège
1956 :
Un échec de Maigret
1957 :
Maigret s'amuse
1958 :
Maigret voyage
Les Scrupules de Maigret
1959 :
Maigret et les témoins récalcitrants
Une confidence de Maigret

1960 :
Maigret aux assises
Maigret et les vieillards
1961 :
Maigret et le voleur paresseux
1962 :
Maigret et les braves gens
Maigret et le client du samedi
1963 :
Maigret et le clochard
La Colère de Maigret
1964 :
Maigret et le fantôme
Maigret se défend
1965 :
La Patience de Maigret
1967 :
Maigret et l'affaire Nahour
Le Voleur de Maigret
Maigret à Vichy
1968 :
Maigret hésite
L'Ami d'enfance de Maigret
1969 :
Maigret et le tueur
1970 :
Maigret et le marchand de vin
La Folle de Maigret
1971 :
Maigret et l'homme tout seul
Maigret et l'indicateur
1972 :
Maigret et M. Charles

Les romans

1946 :
Trois Chambres à Manhattan
1947 :
Au bout du rouleau
Lettre à mon juge
Le Destin des Malou
1948 :
La Jument perdue
La neige était sale
1949 :
Le Fond de la bouteille
Les Fantômes du chapelier
Les Quatre Jours du pauvre homme
1950 :
Un nouveau dans la ville
L'Enterrement de Monsieur Bouvet
Les Volets verts
Tante Jeanne
1951 :
Le Temps d'Anaïs
Une vie comme neuve
Marie qui louche
1952 :
La Mort de Belle
Les Frères Rico
1953 :
Antoine et Julie
L'Escalier de fer
Feux rouges
1954 :
Crime impuni
L'Horloger d'Everton
Le Grand Bob
1955 :
Les Témoins
(Ce roman a fait l'objet antérieurement d'un tirage spécial à Lakeville, Conn., U.S.A., chez l'auteur, 1954. Cent exemplaires miméographiés constituant l'édition originale.)
La Boule noire
Les Complices
1956 :
En cas de malheur
Le Petit Homme d'Arkhangelsk
1957:
Le Fils
Le Nègre

1958 :
Strip-tease
Le Président
Le Passage de la ligne
1959 :
Dimanche
La Vieille
Le Veuf
1960 :
L'Ours en peluche
1961 :
Betty
Le Train
1962 :
La Porte
Les Autres
1963 :
Les Anneaux de Bicêtre
La Rue aux trois poussins (nouvelles)
1964 :
La Chambre bleue
L'Homme au petit chien
1965 :
Le Petit Saint
Le Train de Venise
1966 :
Le Confessionnal
La Mort d'Auguste
1967 :
Le Chat
Le Déménagement
1968 :
La Prison
La Main
1969 :
Il y a encore des noisetiers
Novembre
1970 :
Le Riche Homme
1971 :
La Disparition d'Odile
La Cage de verre
1972 :
Les Innocents.

Reportages, conférences
1959 :
La Femme en France
Le Roman de l'homme

Mémoires, notes
1945 :
Je me souviens
1948 :
Pedigree
1970 :
Quand j'étais vieux
1974 :
Lettre à ma mère
1981 :
Mémoires intimes

« Mes Dictées »
1975 :
Un homme comme un autre
Des traces de pas
1976 :
Les Petits Hommes
Vent du nord, vent du sud
1977 :
Un banc au soleil
De la cave au grenier
A l'abri de notre arbre
1978 :
Tant que je suis vivant
Vacances obligatoires
La Main dans la main
Au-delà de ma porte-fenêtre
1979 :
Je suis resté un enfant de chœur
A quoi bon jurer ?
Point-virgule
1980 :
Le Prix d'un homme
On dit que j'ai soixante-quinze ans
Quand vient le froid

1981 :

Les Libertés qu'il nous reste

La Femme endormie

Jour et nuit

Destinées

Les Editions de Savoie (Lyon)

Collection Les Etincelles

1945 :

Conférence sur L'Aventure (1937)

Editions Dynamo (Liège)

Collection Brimborions

1952 :

Long Cours sur les rivières et canaux (reportage)

Union générale d'éditions

Collection 10/18

Série *L'Appel de la vie*

Reportages

« Mes apprentissages » :

1976 :

A la découverte de la France

A la recherche de l'homme nu

Non parus :

Reportage (III)
Le Romancier et la vie

2. Les nouvelles

I. *Les Treize Coupables*, Fayard, 1932.

II. *Les Treize Enigmes*, Fayard, 1932.

III. *Les Treize Mystères*, Fayard, 1932.

IV. *G.7 (Les Sept Minutes)*, N.R.F.-Gallimard, 1938.

V. *Le Petit Docteur*, N.R.F.-Gallimard, 1943.

VI. *Les Dossiers de l'Agence O*, N.R.F.-Gallimard, 1943.

VII. *Nouvelles exotiques* in « Signé Picpus », N.R.F.-Gallimard, 1944.

VIII. *Les Nouvelles Enquêtes de Maigret*, N.R.F.-Gallimard, 1944.

IX. *Maigret et l'inspecteur Malgracieux*, Presses de la Cité, 1947. (Les premières éditions portaient le titre *Maigret et l'inspecteur Malgracieux*. Nous inscrivons le titre véritable du recueil rétabli dès 1954, à la demande de l'auteur.)

X. *Les Petits Cochons sans queue*, Presses de la Cité, 1950.

XI. *Un Noël de Maigret*, Presses de la Cité, 1951.

XII. *Le Bateau d'Emile*, N.R.F.-Gallimard, 1954.

XIII. *La Rue aux trois poussins*, Presses de la Cité, 1963. (Ce recueil a été scindé ultérieurement en deux volumes : *La Rue aux trois poussins* [1972] et *La Piste du Hollandais* [1973].

Nomenclature complète des nouvelles

a. Les nouvelles « Maigret »

Les Nouvelles Enquêtes de Maigret (VIII)

1re série :

La Péniche aux deux pendus

L'Affaire du boulevard Beaumarchais

La Fenêtre ouverte

Monsieur Lundi

Jeumont, 51 minutes d'arrêt !

Peine de mort

Les Larmes de bougie

Rue Pigalle

Une erreur de Maigret

2e série :

L'Amoureux de Madame Maigret

La Vieille Dame de Bayeux

L'Auberge aux noyés

Stan le tueur
L'Etoile du Nord
Tempête sur la Manche
Mademoiselle Berthe et son amant
Le Notaire de Châteauneuf

In *Police-film / Police-Roman*
L'Improbable Monsieur Owen (n°12, 15.7.1938) (O.C.t.IX)

In *Révolution nationale*
Menace de mort (n°21-26, du 8.3 au 12.4.1942)

In *Les Petits Cochons sans queue* (X)
L'Homme dans la rue (Le Prisonnier de la rue)
Vente à la bougie

In *Maigret se fâche* qui précède la nouvelle :
La Pipe de Maigret

In *Maigret et l'inspecteur Malgracieux* (IX)
Le Témoignage de l'enfant de chœur
Le Client le plus obstiné du monde
Maigret et l'inspecteur Malgracieux
Le Témoignage de l'enfant de chœur
Le Client le plus obstiné du monde
Maigret et l'inspecteur Malgracieux
On ne tue pas les pauvres types

In *Un Noël de Maigret* (XI)
Un Noël de Maigret

b. Autres séries policières

1. Les enquêtes du juge Froget

Les Treize Coupables (I)
Ziliouk
Monsieur Rodrigues
Madame Smitt
Les Flamands
Nouchi
Arnold Schuttringer
Waldemar Strvzeski
Philippe
Nicolas
Les Timmermans
Le Pacha
Otto Müller
Bus

In *L'Intransigeant*
La Nuit du pont Marie (10.6.1933) (O.C. t. VI)

2. Les enquêtes de l'inspecteur G. 7

Les Treize Enigmes (II)
G.7
Le Naufrage du Catherine
L'Esprit déménageur
L'Homme tatoué
Le Corps disparu
Hans Peter
Le Chien jaune
L'Incendie du parc Monceau
Le Mas Costefigues
Le Château des disparus
Le Secret du fort Bayard
Le Drame de Dunkerque
L'Inconnue d'Etretat

G.7 (IV)
La Folle d'Itteville (éd. Jacques Haumont)
Le Grand-Langoustier
La Nuit des sept minutes
L'Enigme de la "Marie-Galante" (La Croisière invraisemblable)

3. Les enquêtes de Joseph Leborgne

Les Treize Mystères (III)
L'Affaire Lefrançois
Le Coffre-Fort de la S.S.S.
Le Dossier n° 16
Le Mort invraisemblable
Le Vol du lycée de B...
Le Dénommé Popaul
Le Pavillon de la Croix-Rousse
La Cheminée du "Lorraine"
Les trois Rembrandt
L'Ecluse n° 14

Les Deux Ingénieurs
La Bombe de l'Astoria
La Tabatière en or

4. Les enquêtes de Jean Dollent, alias le Petit Docteur

Le Petit Docteur (V)
Le Flair du Petit Docteur (ou Rendez-Vous avec un mort)
La Demoiselle en bleu pâle
Une femme a crié
Le Fantôme de monsieur Marbe
Les Mariés du 1er décembre
Le Mort tombé du ciel
La Bonne Fortune du Hollandais
Le Passager et son nègre
La Piste de l'homme roux
L'Amiral a disparu
La Sonnette d'alarme
Le Château de l'arsenic
L'Amoureux aux pantoufles

5. Les enquêtes d'Emile Le Roux et de l'inspecteur Torrence

Les Dossiers de l'Agence O (VI)
La Cage d'Emile (ou La Jeune Fille de La Rochelle)
La Cabane en bois
L'Homme tout nu
L'Arrestation du musicien
L'Etrangleur de Moret
Le Vieillard au porte-mine
Les Trois Bateaux de la calanque
La Fleuriste de Deauville
Le Ticket de métro
Emile à Bruxelles
Le Prisonnier de Lagny
Le Club des vieilles dames
Le Docteur Tant-Pis
Le Chantage de l'agence O

6. Les enquêtes de Justin Duclos, l'invalide à la tête de bois, inédit.

La Chanteuse de Pigalle (janvier 1952)
L'Invalide à la tête de bois (février 1952)

c. Nouvelles diverses

Nous indiquons en chiffres romains le(s) recueil(s) contenant la nouvelle. Pour les autres nouvelles, nous mentionnons la première parution dans les journaux ou revues en signalant, le cas échéant, celles recueillies pour la première fois en volume dans les *Œuvres complètes* aux éditions Rencontre.

Sing-Sing ou la Maison des trois marches, in *Vu*, 23.3.1931.

Moss et Hoch, in *Aujourd'hui*, 14.12.1933.

L'Oranger des îles Marquises, in *Marianne*, 5.2.1936.

Monsieur Mimosa, in *Paris-Soir* (date de parution non établie — 1937 ?)

Les Trois Messieurs du consortium, in *Le Point* (Colmar), juin 1938.

L'homme qui mitraillait les rats in *Match*, 13.10.1938.

Les 100 000 francs de P'tite Madame in *Notre Cœur*, n°16-17, 27.12.1940 et 3.1 1941.

L'Aventurier au parapluie, in *Tout et Tout*, 22.2.1941.

L'Escale de Buenaventura (VII)(O.C., t. VI)

Un crime au Gabon (VII)

Le Policier d'Istanbul (VII)

Les Mystères du Grand Saint Georges, in *Police-Roman*, n°44, 24.2.1939 (O.C., t. XXV)

L'Enquête de Mademoiselle Doche *(VII)*

La Ligne du désert *(VII)*

La Tête de Joseph, in *Gringoire*, 26.10.1939 (O.C., t. VI)

Little Samuel à Tahiti, in *Gringoire*, 23.11.1939 (O.C., t. VI)

Le Docteur de Kirkenes (XIII)

Le Comique du "Saint-Antoine" (XIII)

Le Capitaine du "Vasco" (XIII)

Le Matin des trois absoutes (XIII) (ou Le Vélo de l'enfant de chœur, in *Gringoire*, 21.3.1940).

Le Crime du Malgracieux (XIII)

Le Vieux Couple de Cherbourg, in *Gringoire*, 16.5.1940 (O.C., t. XXVI)

La Révolte du Canari, in *Gringoire*, 25.7.1940 (O.C., t. XXVI)

La Femme du pilote (XII)

Le Châle de Marie Dudon, in *Omnibus Simenon*, vol. 14, N.R.F.-Gallimard, 1954.

Le Doigt de Barraquier (XII)

Le Destin de Monsieur Saft, in *Gringoire*, 21.11.1940 (O.C., t. XXVI)

Le Baron de l'écluse ou la Croisière du "Potam" (XII)

Annette et la dame blonde (XIII)

Le nègre s'est endormi (XII) (ou La Passion de Van Overbeek, in *Gringoire*, 30.1.1941)

Valérie s'en va (XII) (ou Les Larmes à l'estragon, in *Gringoire*, 6.3.1941.)

Le Naufrage de "L'Armoire à Glace" (XIII)

La Cabane à Flipke, in *Tout et Tout*, 19.4.1941, et *Magazine littéraire*, décembre 1975.

L'Epingle en fer à cheval (XII)

La Piste du Hollandais (XIII)

La Rue aux trois poussins (XIII)

Les Demoiselles de Queue-de-Vache (XIII)

Le Mari de Mélie (XIII)

Le Deuil de Fonsine (X, XII, XIII)

Madame Quatre et ses enfants (X)

L'Homme à barbe (XII-XIII) (= Nicolas, et aussi Le Locataire clandestin)

Les Mains pleines (XIII)

Le Bateau d'Emile (XII)

Un certain Monsieur Berquin (X)

L'Escale de Buenaventura (X) (O.C., t. XXV). Cette nouvelle est différente de celle figurant dans le recueil VII et dont le titre est identique.

Sous peine de mort (X)

Les Petits Cochons sans queue (X)

Le Petit Restaurant des Ternes (XI)

Le Petit Tailleur et le chapelier (X). *Idem* 2e version : Bénis soient les humbles, in *La Douzaine du diable*, coll. de la Tour Pointue, Jourdain-Conil, 1953.

Sept Petites Croix dans un carnet (XI)

Les Nolépitois, in *Elle*, n° 901-902, 29.3 et 5.4.1963.

Nouvelle inédite :

Le Gros Lot.

Reportages de Georges Simenon

« Escales nordiques »

Douze articles dans le quotidien *Le Petit Journal*, du 1er au 12 mars 1931. Repris dans les *Œuvres complètes* (éd. Rencontre), t. III, pp. 577-627.

« Une France inconnue ou l'aventure entre deux berges » (à bord de *L'Ostrogoth*, juin 1931)

Paru en une seule livraison, illustrée de photos de Hans Oplatka, dans l'hebdomadaire *Vu* (numéro spécial France-Marine), n° 172, 1er juillet 1931. Repris in *A la découverte de la France* (« Mes apprentissages », I) par Georges Simenon, coll. 10/18, série L'Appel de la vie, n° 1052, Union générale d'éditions, Paris, 1976).

« L'heure du nègre » (Marsilly, La Richardière, octobre 1932)

Six articles dans l'hebdomadaire *Voilà*, n° 81 à 86, du 8 octobre au 12 novembre 1932. Repris in *Œuvres complètes*, t. IV, pp. 7 à 69 ; in *A la recherche de l'homme nu* (« Mes Apprentissages », II) par Georges Simenon, coll. 10/18, série L'Appel de la vie, n° 1053, Union générale d'éditions, Paris, 1976.

« Sa Majesté la Douane »

Cinq articles dans l'hebdomadaire *Voilà*, n° 93 à 97, du 1er au 28 janvier 1933.

« Europe 33 »

Sept articles dans l'hebdomadaire *Voilà*, n° 104 à 110, du 18 mars au 29 avril 1933.

« L'Afrique qu'on dit mystérieuse »

Signé Georges Caraman. Paru en une seule livraison dans l'hebdomadaire *Police et reportage*, n° 1, 27 avril 1933, éd. Ferenczi et fils.

« Les grands palaces européens »

Signé Georges Caraman. Paru en une seule livraison dans l'hebdomadaire *Police et reportage*, n° 5, 25 mai 1933, éd. Ferenczi et fils.

« Chez Trotski » (Constantinople, 7 juin 1933)

Paru en deux livraisons dans le quotidien *Paris-Soir*, 15 et 16 juin 1933. Repris in *Soirées* (Bruxelles), 27 avril 1934 (texte incomplet). Repris in *Simenon* de Francis Lacassin et Gilbert Sigaux, éd. Plon, Paris, 1973, pp. 309 à 320.

« Police judiciaire »

Signé Georges Caraman. Paru en une seule livraison dans l'hebdomadaire *Police et reportage*, n° 9, 22 juin 1933, éd. Ferenczi et fils. Repris in *A la découverte de la France, op. cit.*

« Cargaisons humaines »

Signé Georges Caraman. Paru en une seule livraison dans l'hebdomadaire *Police et reportage*, n° 18, 24 août 1933. Repris in *A la recherche de l'homme nu, op. cit.*

« Pays du froid »

Signé Georges Caraman. Ecrit pour l'hebdomadaire *Police et reportage*. Non publié en raison de la disparition du magazine en automne 1933. In *A la recherche de l'homme nu, op. cit.*

« Les gangsters du Bosphore »

Signé Georges Caraman (même remarque que pour le reportage précédent). In *A la recherche de l'homme nu, op. cit.*.

« La caravane du crime »

Paru en une seule livraison dans l'hebdomadaire *Détective*, n° 257, 28 septembre 1933.

« Une première à l'île de Ré... »

Paru en une seule livraison dans l'hebdomadaire *Voilà*, n° 133, 7 octobre 1933. Repris in *A la découverte de l'homme nu, op. cit.*

« Du quai des Orfèvres à la rue des Saussaies (En marge de l'affaire Stavisky : les coulisses de la police) »

Douze articles dans le quotidien *Paris-Soir* : 26, 27, 28, 30 et 31 janvier ; 1er, 2, 4, 5, 6, 10 et 11 février 1934. Repris in *A la découverte de la France, op. cit.*

« En marge de l'affaire Stavisky »

Trois articles publiés sans titre général dans le quotidien *Excelsior* : « La machine à suicider » (suivi d'« Ephémérides du 23 décembre au 27 février »), 1er mars 1934 ; « La maffia », 10 mars 1934 ; « Si l'on voulait arrêter les coupables... », 15 mars 1934. Le tout repris, sous le titre « Stavisky ou la machine à suicider » in *A la découverte de la France, op. cit.*, précédé de « Georges Simenon nous communique l'opinion du commissaire Maigret sur la mort de Stavisky » paru dans *Marianne* le 24 janvier 1934.

« A la recherche de l'assassin [ou : des assassins] du conseiller Prince »

Onze articles dans le quotidien *Paris-Soir* : 20, 21, 22, 23, 25, 26, 27, 28, 29 et 30 mars, 6 avril 1934. Repris in *A la découverte de la France, op. cit.*

« Des crimes vont être commis... »

Paru en une seule livraison dans le magazine mensuel *Je sais tout*, n° 341, mai 1934.

« Peuples qui ont faim »

Vingt-trois articles dans le quotidien *Le Jour* : 4, 5, 6, 7, 8, 9, 10, 11, 12, 13, 14, 15, 17, 19, 21, 23, 25, 27 et 29 avril, 1er, 3, 5 et 8 mai 1934.

« *Mare nostrum* ou la Méditerrannée en goélette » (Arbatax, Sardaigne, 1934)

Neuf articles dans l'hebdomadaire *Marianne* : 27 juin, 4, 11 et 25 juillet, 1er, 8 et 15 août, 5 et 12 septembre 1934. Repris dans les *Œuvres complètes*, t. IV, pp. 459-560.

« Inventaire de la France ou Quand la crise sera finie »

Vingt articles dans le quotidien *Le Jour* : 31 octobre (texte de présentation), 1er, 2, 4, 5, 6, 7, 8, 9, 10, 13, 14, 15, 16, 17, 18, 20, 21, 24, 26 et 27 novembre 1934. Repris in *A la découverte de la France, op. cit.*

« Le drame mystérieux des îles Galapagos » (Guayaquil, 15 janvier ; Quito, 18 janvier 1935)

Sept articles dans le quotidien *Paris-Soir*, du 6 au 12 février 1935.

« En marge des méridiens » (Guayaquil, janvier 1935 ; Pacifique, mars 1935 ; mer de Timor, avril 1935...)

Onze articles dans l'hebdomadaire *Marianne* : 30 janvier, 6, 13, 20 et 27 février, 3 avril, 22 mai, 11 (deux articles), 18 et 25 septembre 1935. Repris in *A la recherche de l'homme nu*, *op. cit.*

« Les vaincus de l'aventure » (ou « Les aventuriers du malheur »)

Douze reportages-notes de voyage, précédés d'un texte d'introduction sur « Les vaincus de l'aventure » dans le quotidien *Paris-Soir* : 12, 13, 14, 15, 16, 17, 18, 19, 20, 22, 23, 24 et 25 juin 1935. Repris in *La Mauvaise Etoile*, N.R.F.-Gallimard, Paris, 1938 ; et in *Œuvres complètes*, t. VII (contenant même le récit « Le Capitaine et les petits cochons... » absent du volume Gallimard).

« Histoires du monde malade »

Dix articles dans le quotidien *Le Jour* : 23, 24, 26, 27, 28, 29 et 31 août, 2, 3 et 4 septembre 1935. Repris in *A la recherche de l'homme nu*, *op. cit.*

« Les gangsters dans l'archipel des Amours » (« Les coulisses du paradis terrestre »)

Cinq articles dans le quotidien *Paris-Soir*, du 17 au 21 septembre 1935. Repris in *A la recherche de l'homme nu*, *op. cit.*

« Histoires de partout et d'ailleurs »

Onze articles dans l'hebdomadaire *Courrier royal* : 30 novembre, 7, 14, 21 et 28 décembre 1935, 4, 18 et 25 janvier, 15 et 29 février, 16 mai 1936. (Un douzième récit : « Mon ami est en prison... », non accepté, demeure inédit.)

« Police-secours ou les nouveaux mystères de Paris » (« Police-secours ou Paris par arrondissement »)

Dix articles dans le quotidien *Paris-Soir* : 6, 7, 8, 9, 10, 11, 12, 13, 14 et 16 février 1937. Repris in *Simenon* de Francis Lacassin et Gilbert Sigaux, *op. cit.*, pp. 321-368 ; in *A la découverte de la France*, *op. cit.*

« Long cours sur les rivières et canaux »

Paru en une seule livraison dans l'hebdomadaire *Marianne*, 12 mai 1937. Repris in coll. Brimborions, n° 26, Pierre Aelberts éditeur, éd. Dynamo, Liège, 1952 ; plaquette illustrée par A. Mambour, 40 exemplaires sur vélin et 11 sur Ingres-Canson, numérotés de 1 à 51 par l'éditeur) ; in *Œuvres complètes*, t. X, pp. 549-569.

« Au chevet du monde malade » (d'octobre 1945 à février 1946)

« Carnet de voyage » (Paris, Londres, New York, Canada...) comprenant quatorze articles.

a. In *France-Soir* : six articles publiés les 14, 15, 16 et 26 décembre 1945, 22 et 23 février 1946. Il s'agit des articles numérotés I, II, III, VII, X et XI in *A la recherche de l'homme nu*.

b. In *Hebdo* (Bruxelles) : huit articles publiés du 5 janvier (n° 8) au 9 février 1946 (n° 13). A noter que l'article qui inaugure la série, intitulé « Initiés et débutants ou le jeu de l'oie des visas » manque dans le recueil *A la recherche de l'homme nu* (où les sept autres articles sont numérotés I, II, III, V, VII, IX et VI).

c. In *A la recherche de l'homme nu*, *op. cit.* L'ensemble des articles est ici rassemblé à l'exception du premier, relatif aux préparatifs du voyage vers l'Amérique, paru dans la seule revue belge *Hebdo* ; les articles numérotés IV, VIII, XII et XIII étaient totalement inédits.

« L'Amérique en auto » (Bradenton Beach, 3 novembre 1946)

Dix-neuf articles, dont onze ont été publiés sous le titre « Les U.S.A. de M. Tout-le-Monde », dans le quotidien

France-Soir ; 5, 6, 7, 8, 9, 10-11, 14, 15, 17-18, 20 et 22 novembre 1946. Repris in *Œuvres complètes*, t. XXII, pp. 11-112 ; reportage intégral, les articles XII et XIX étaient jusqu'alors inédits avec un avant-propos de Gilbert Sigaux ; in *A la recherche de l'homme nu*, *op. cit.*, reportage intégral.

Choix d'œuvres consacrées à Georges Simenon

Boyer (Régis), *"Le Chien jaune" de Georges Simenon*, coll. Lire aujourd'hui, éd. Hachette, Paris, 1973.

Bresler (Fenton), *L'Enigme Georges Simenon*, éd. Balland, Paris, 1985.

Baronian (Jean-Baptiste), Owen (Thomas), Vandromme (Pol), Schepens (Claude), *Simenon parmi nous...*, éd. Le Veilleur de Nuit, Bruxelles, 1985.

Courtine (Robert J.), (La Reynière), *Le Cahier de recettes de Madame Maigret*, présenté par Courtine, préface de Georges Simenon, éd. Robert Laffont, Paris, 1974.

Dessane (Odile), *Le Phallus d'or* (roman), éd. Nouvelle Société des éditions Encre, Paris, 1981.

Dumortier (Jean-Louis), *Georges Simenon*, coll. Un Livre-Une Œuvre, éd. Labor, Bruxelles, 1985.

Fabre (Jean), *Enquête sur un enquêteur, Maigret. Un essai de sociocritique*, coll. Etudes sociocritiques, éd. du C.E.R.S., Montpellier, 1981.

Fallois (Bernard de), *Simenon*, coll. La Bibliothèque idéale, éd. Gallimard, Paris, 1961 ; édition revue et mise à jour, éd. Rencontre, Lausanne, 1971.

Gothot-Mersch (Claudine), Dubois (Jacques), Klinkenberg (Jean-Marie), Racelle-Latin (Danièle), Delcourt (Christian), *Lire Simenon : réalité, fiction, écriture*, coll. Dossiers Media, éd. Labor, Bruxelles, 1980.

Gothot-Mersch (Claudine), Georgin (Robert et Rosine), Bedner (Jules), Henry (Gilles), Dubourg (Maurice), *Simenon*, revue *Cistre*, Essai 10, éd. L'Age d'homme, Lausanne, 1980.

Henry (Gilles), *Maigret, qui êtes-vous ?*, éd. Plon, Paris, 1977.

Lacassin (Francis) et Sigaux (Gilbert) (sous la direction de), *Simenon*, éd. Plon, Paris, 1973.

Lemoine (Michel), *Index des personnages de Georges Simenon*, avant-propos de M. Piron, coll. Archives du futur, éd. Labor, Bruxelles, 1985.

Narcejac (Thomas), *Le Cas Simenon*, éd. Presses de la Cité, Paris, 1983.

Ouimet (Denise), *Un oiseau pour le chat*, éd. Jean-Claude Simoën, Paris, 1978.

Parinaud (André), *Connaissance de Georges Simenon*, éd. Presses de la Cité, Paris, 1957.

Piron (Maurice), *L'Univers de Simenon*, avec la collaboration de Michel Lemoine, éd. Presses de la Cité, Paris, 1983.

Ritzen (Quentin) (docteur Pierre Debray), *Simenon, avocat des hommes*, préface de Gilbert Sigaux, Le Livre contemporain, Paris, 1961.

Richter (Anne), *Georges Simenon et l'homme désintégré*, éd. La Renaissance du livre, Bruxelles, 1964.

Rutten (Matthieu), *Simenon. Ses origines. Sa vie. Son œuvre*, éd. Eugène Wahle, Nandrin, 1986.

Stephane (Roger), *Le Dossier Simenon*, éd. Robert Laffont, Paris, 1961.

Tauxe (Henri-Charles), *Georges Simenon. De l'humain au vide. Essai de micropsychanalyse appliquée*, éd. Buchet-Chastel, Paris, 1983.

Thoorens (Léon) et Coblaert (A.M.), *Qui êtes-vous... Georges Simenon ?*, éd. Marabout Flash, Verviers, 1959.

Tillinac (Denis), *Le Mystère Simenon*, éd. Calmann-Lévy, Paris, 1980.

Vandromme (Pol), *Georges Simenon*, éd. Pierre de Méyère, Bruxelles, 1962.

Veldmann (H.), *La Tentation de l'inaccessible. Structure narrative chez Simenon*, éd. Rodopi, Amsterdam, 1981.

Veirard (Michel), *"L'Affaire Saint-Fiacre" de Georges Simenon*, éd. Pédagogie moderne, Paris, 1982.

Choix d'articles, de revues et de chapitres de livres consacrés à Georges Simenon

Bertrand (Alain), « Georges Simenon » in *Dossier L*, n° 17, Saint-Hubert, février 1988.

Collectif (Jean Cassou, André Gide, Max Jacob, Maurice de Vlaminck...), *Cahiers du Nord*, n° 2-3, Charleroi, 1939.

Collectif (Francis Lacassin, Claude Menguy, Gilles Costaz, Jean-Didier Wolfromm, Gilbert Sigaux), « Dossier Simenon » in *Magazine littéraire*, n° 107, Paris, décembre 1975.

Collectif (Christine Swings, Claudine Gothot-Mersch et Claude Gauteur), *Dossier du C.A.C.E.F.*, n° 92, Namur, 1981.

Collectif (Pierre Querleu, Paul Renard, Françoise Looten, Jacques Deguy, Anne-Yvonne Duloschard, Yves Bardelle), « Dossier Simenon » in revue *Nord*, n° 7, Lille, juin 1986.

Collectif (Jean-Baptiste Baronian, Doringe, Jean Delannoy, Claude Gauteur, Jean-Charles Tacchella, Marc Lobet, Françoise De Paepe, Anne Richter), « Simenon et le cinéma », *Cahiers Simenon*, n° 1, éd. Les Amis de Georges Simenon, Bruxelles, mars 1988.

Decaudin (Michel), « Topographie et imaginaire chez Simenon » in *La Licorne* n° 12, Troyes, 1986.

Demouzon (Alain), préface « Le crime de Maigret » in *Georges Simenon, "Le Pendu de Saint-Pholien"*, Espace Nord, n° 28, éd. Labor, Bruxelles, 1986.

Dubois (Jacques), « Simenon et sa déviance » in *Littérature*, n° 1, éd. Larousse, Paris, février 1971.

Dubois (Jacques), « Lecture » in *Georges Simenon, "Le Bourgmestre de Furnes"*, Espace Nord n° 1, éd. Labor, Bruxelles, 1983.

Emond (Paul), « Lettre à mon juge de Georges Simenon ou la communication périlleuse » in *Etudes de littérature française de Belgique offertes à Joseph Hanse*, éd. Jacques Antoine, Bruxelles, 1978.

Enard (Jean-Pierre), « Georges Simenon » in *Encyclopaedia Universalis*, France S.A., 1985.

Fabre (Jean), « Lecture » in *Georges Simenon, "Le Pendu de Saint-Pholien"*, Espace Nord, n° 28, éd. Labor, Bruxelles, 1986.

Lacassin (Francis), « Maigret ou l'art de raccommoder les destinées » in *Mythologie du roman policier*, vol. 2, coll. 10/18, éd. Union générale d'éditions, Paris, 1974.

Mauriac (Claude), « Georges Simenon » in *L'Alittérature contemporaine*, éd. Albin Michel, Paris, 1958.

Menguy (Claude), « Georges Sim ou les débuts de Simenon » in *Désiré*, Paris, juin 1966.

Menguy (Claude), « Bibliographie des éditions originales de Georges Simenon, y compris les œuvres publiées sous des pseudonymes » in *Le Livre et l'estampe*, n° 49-50, Bruxelles, 1967.

Menguy (Claude), « Additions et corrections à la bibliographie des éditions originales de Georges Simenon » in *ibid.*, n° 67-68, Bruxelles, 1971.

Moré (Marcel), « Simenon et l'enfant de chœur » in *La Foudre de Dieu*, éd. Gallimard, Paris, 1969.

Piron (Maurice), « Georges Simenon et son milieu natal » in *La Wallonie. Le pays et les hommes, lettres, arts, culture*, éd. La Renaissance du livre, Bruxelles, 1979.

Pirotte (Jean-Claude), préface « Je ne connais pas Furnes » in Georges Simenon, *Le Bourgmestre de Furnes*, Espace Nord n° 1, éd. Labor, Bruxelles, 1983.

Poulet (Robert), « Georges Simenon » in *La Lanterne magique*, éd. Debresse, Paris, 1956.

Langues et pays dans lesquels les œuvres de Georges Simenon ont été publiées

Langues

Afrikander. Allemand. Anglais. Arménien. Arabe.

Biélorusse. Bouriate. Braille. Bulgare.

Catalan. Cinghalais. Chilien. Chinois. Coréen.

Danois.

Espagnol. Esperanto. Estonien.

Finnois. Flamand. Français.

Gallois. Géorgien. Grec. Gujarathi.

Hébreu. Hindoustani. Hollandais. Hongrois.

Islandais. Italien.

Japonais.

Kirghiz. Kazakh.

Lituanien.

Lettonien.

Macédonien. Marathi. Moldave.

Norvégien.

Ouzbek.

Pakistanais. Polonais. Portugais.

Romanche. Roumain. Russe.

Serbo-croate. Slovaque. Slovène. Suédois.

Tatar. Tchèque. Thaïlandais. Turc.

Ukrainien.

Yiddisch.

Pays

Afrique du Sud. Allemagne. Angleterre. Arabie. Argentine. Australie.

Belgique. Brésil. Bulgarie.

Canada. Ceylan. Chili. Chine. Corée.

Danemark.

Espagne. Etats-Unis.

Finlande. France.

Grèce.

Hollande. Hongrie.

Inde. Islande. Israël. Italie.

Japon.

Nouvelle-Zélande. Norvège.

Pakistan. Portugal. Pologne.

Roumanie. Russie.

Suède. Suisse.

Tchécoslovaquie. Thaïlande. Turquie.

Yougoslavie.

Filmographie

Nous donnons d'abord le titre du film, suivi du titre de l'œuvre de Simenon quand il diffère de celui du film, éventuellement, le titre original, le nom du metteur en scène et l'année de sortie du film dans les salles.

La Nuit du carrefour, Jean Renoir, 1932.

Le Chien jaune, Jean Tarride, 1932.

La Tête d'un homme, Julien Duvivier, 1933.

Sept Amoureuses, Frank Borzage, 1938 (incertain).

Dernier Refuge (*Le Locataire*), Jean Constant, 1939.

Annette et la dame blonde, Jean Dréville, 1941.

La Maison des sept jeunes filles, Albert Valentin, 1942.

Les Inconnus dans la maison, Henri Decoin, 1942.

Monsieur La Souris, Georges Lacombe, 1942.

Picpus (*Signé Picpus*), Richard Pottier, 1943.

Le Voyageur de la Toussaint, Louis Daquin, 1943.

Les Gens d'en face (film italien), 1943.

L'Homme de Londres, Henri Decoin, 1943.

Cécile est morte, Maurice Tourneur, 1944.

Les Caves du Majestic, Richard Pottier, 1945.

Panique (*Les Fiançailles de Monsieur Hire*), Julien Duvivier, 1947.

Dernier Refuge (*Le Locataire*), Marc Maurette, 1947.

Le Port de la tentation (*L'Homme de Londres*) (titre original : *Temptation Harbour*), Lance Confort, 1948.

Home-Town (d'après *Faubourg*), film anglais, 1948.

L'Homme et la tour Eiffel (*La Tête d'un homme*), Burgess Meredith, 1950.

La Marie du port, Marcel Carné, 1950.

Midnight Episode (*Monsieur La Souris*), Gordon Parry, 1950.

La Vérité sur Bébé Donge, Henri Decoin, 1952.

Le Fruit défendu (*Lettre à mon juge*), Henri Verneuil, 1952.

Brelan d'as (*Le Témoignage de l'enfant de chœur*), Henri Verneuil, 1952.

Paris-Express (*L'homme qui regardait passer les trains*), (titre original : *The Man who watched the trains go by*), Harold French, 1953.

La neige était sale, Luis Saslavsky, 1954.

Sept Petites Croix dans un carnet (titre original : *A Life in the balance*), Harry Horner, 1955.

Maigret dirige l'enquête, Stany Cordier, 1956.

Le Fond de la bouteille (titre original : *The Bottom of the Bottle*), Henri Hathaway, 1956.

Le Sang à la tête (*Le Fils Cardinaud*), Gilles Grangier, 1956.

Maigret tend un piège, Jean Delannoy, 1958.

Le Passager clandestin, Ralph Habib, 1958.

Les Frères Rico (titre original : *The Brothers Rico*), Phil Karlson, 1958.

En cas de malheur, Claude Autant-Lara, 1958.

Les Fiançailles de Monsieur Hire, film japonais, 1958.

Maigret et l'affaire Saint-Fiacre, Jean Delannoy, 1959.

Le Baron de l'écluse, Jean Delannoy, 1960.

Simenon, arbre à romans, Jean-François Hauduroy, 1960.

Le Président, Henri Verneuil, 1961.

La Mort de Belle, Edouard Molinaro, 1961.

Le Bateau d'Emile, Denys de la Patellière, 1962.

L'Aîné des Ferchaux, Jean-Pierre Melville, 1963.

Maigret voit rouge (*Maigret, Lognon et les gangsters*), Gilles Grangier, 1963.

Trois Chambres à Manhattan, Marcel Carné, 1965.

Le Commissaire Maigret à Pigalle (*Maigret au Picratt's*), Mario Landi, 1967.

Les Inconnus dans la maison (titre original : *A Stranger in the House*), Pierre Rouve, 1967.

Le Chat, Pierre Granier-Deferre, 1971.

La Veuve Couderc, Pierre Granier-Deferre, 1971.

Le Train, Pierre Granier-Deferre, 1973.

L'Horloger de Saint-Paul (*L'Horloger d'Everton*), Bertrand Tavernier, 1974.

L'Etoile du Nord (*Le Locataire*), Pierre Granier-Deferre, 1982.

Les Fantômes du chapelier, Claude Chabrol, 1982.

Equateur (*Le Coup de lune*), Serge Gainsbourg, 1983.

La présente nomenclature a été établie d'après des documents aimablement communiqués par le secrétariat de Georges Simenon et d'après la filmographie établie par Claude Gauteur dans le premier *Cahier Simenon*, édité par Les Amis de Georges Simenon, 291, Beigemsesteenweg, 1852 Beigem Belgique.